в Питере
Жить

в Питере Жить

ОТ ДВОРЦОВОЙ ДО САДОВОЙ, ОТ ГАНГУТСКОЙ ДО ШПАЛЕРНОЙ. ЛИЧНЫЕ ИСТОРИИ

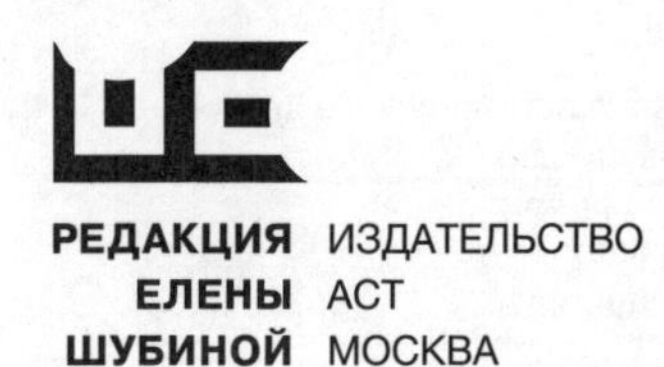

РЕДАКЦИЯ ЕЛЕНЫ ШУБИНОЙ

ИЗДАТЕЛЬСТВО АСТ
МОСКВА

УДК 821.161.1-32
ББК 84(2Рос=Рус)6-44
В11

Составители Наталия Соколовская, Елена Шубина

Художник Андрей Бондаренко

В оформлении переплета использован офорт Михаила Шемякина

Книга иллюстрирована акварелями Лизы Штормит
и рисунками Виктора Тихомирова

В11 В Питере жить: от Дворцовой до Садовой, от Гангутской до Шпалерной. Личные истории / Сост. Наталия Соколовская, Елена Шубина. — Москва : Издательство АСТ : Редакция Елены Шубиной, 2021. — 524, [4] с., ил.

ISBN 978-5-17-100439-2

"В Питере жить..." — это вам не в Москве, о которой нам рассказали в книге-бестселлере "Москва: место встречи". Что и говорить — другая ментальность, петербургский текст. Евгений Водолазкин, Андрей Аствацатуров, Борис Гребенщиков, Елизавета Боярская, Андрей Битов, Михаил Пиотровский, Елена Колина, Михаил Шемякин, Татьяна Москвина, Валерий Попов, "митёк" Виктор Тихомиров, Александр Городницкий и многие другие "знаковые лица" города на Неве — о питерских маршрутах и маршрутках, дворах-колодцах и дворцах Растрелли, Васильевском острове, Московском проспекте и платформе Ржевка, исчезнувшем в небытии Введенском канале и "желтом паре петербургской зимы"...

УДК 821.161.1-32
ББК 84(2Рос=Рус)6-44

ISBN 978-5-17-100439-2

Содержание

Желтый пар петербургской зимы,
Желтый снег, облипающий плиты…
Я не знаю, где вы и где мы,
Только знаю, что крепко мы слиты.
Сочинил ли нас царский указ?
Потопить ли нас шведы забыли?
Вместо сказки в прошедшем у нас
Только камни да страшные были.
……………………………………….
Ни кремлей, ни чудес, ни святынь,
Ни миражей, ни слез, ни улыбки…
Только камни из мерзлых пустынь
Да сознанье проклятой ошибки.

Иннокентий Анненский

В Питере тире — пить! Не судьба!

Сергей Шнуров

Татьяна Толстая

Чужие сны

Петербург строился не для нас. Не для меня. Мы все там чужие: и мужчины, и женщины, и надменное начальство в карете ли, в "мерседесе" ли, наивно думающее, что ему хоть что-нибудь здесь принадлежит, и простой пешеход, всегда облитый водою из-под начальственных колес, закиданный комьями желтого снега из-под копыт административного рысака. В Петербурге ты всегда облит и закидан — погода такая. Недаром раз в год, чтобы ты не забывался, сама река легко и гневно выходит из берегов и показывает тебе кузькину мать.

Некогда Петр Великий съездил в Амстердам, постоял на деревянных мостиках над серой рябью каналов, вдохнул запах гниющих свай, рыбьей чешуи, водяного холода. Стеклянные, выпуклые глаза вобрали желтый негаснущий свет морского заката, мокрый цвет баркасов, шелковую зеленую гниль, живущую на досках, над краем воды. И ослепли.

С тех пор он видел сны. Вода и ее переменчивый цвет, ее обманные облики вошли в его сны и притворялись небесным городом — золото на голубом, зеленое на черном. Водяные улицы — зыбкие, как и полагается; водяные стены, водяные шпили, водяные купола. На улицах — водянистые, голубоватые лица жителей. Царь построил город своего сна, а потом умер, по слухам, от водянки; по другим же слухам, простудился, спасая тонущих рыбаков.

Он-то умер, а город-то остался, и вот, жить нам теперь в чужом сне.

Сны сродни литературе. У них, конечно, общий источник, а кроме того, они порождают друг друга, наслаиваются, сонное повествование перепутывается с литературным, и все, кто писал о Петербурге, — Пушкин, Гоголь, Достоевский, Белый, Блок — развесили свои сны по всему городу, как тонкую моросящую паутину, сетчатые дождевые покрывала. От бушующих волн Медного всадника и зелено-бледных пушкинских небес до блоковской желтой зари и болотной нежити — город все тот же: сырой, торжественный, бедный, не по-человечески прекрасный, не по-людски страшненький, не приспособленный для простой человеческой жизни.

Я непременно куплю в Питере квартиру: я не хочу простой человеческой жизни. Я хочу сложных снов, а они в Питере сами родятся из морского ветра и сырости. Я хочу жить на высоком этаже, может быть, в четвертом дворе с видом на дальние крыши из окна-бойницы. Дальние крыши будут казаться не такими ржавыми, какие они на самом деле, и прорехи покажутся таинственными тенями. Вблизи все будет, конечно, другое, потрепанное: загнутые ветром кровельные листы, осыпавшаяся до красного кирпича штукатурка, деревце, выросшее на заброшенном балконе, да и сам балкон с выставленными и непригодившимися, пересохшими до дровяного статуса лыжами, с трехлитровыми банками и тряпкой, некогда бывшей чем-то даже кокетливым.

Особенно хочется дождаться в питерской квартире поздней осени, когда на улице будет совершенно непереносимо: серые многослойные тучи, как ватник водопроводчика, сырость, пробирающая до костей, секущий, холодный ингерманландский дождь, длинные лужи, глинистые скверы с пьяными. Потом — ранняя, быстрая тьма, мотающиеся тени деревьев, лиловатый, словно в мертвецкой, свет фонарей и опасный мрак подворотен: второй двор, третий двор, ужасный четвертый двор, только не оглядываться.

Да, и еще длинные боковые улицы без магазинов, без витрин с их ложным, будто бы домашним уютом. Слепые темные тротуары, где-то сбоку простроченные глумящими, мокрыми, невидимыми деревьями, только в конце, далеко, в створе улицы — блеск трамвайного рельса под жидким, красным огнем ночного ненужного винного бара.

Кто не бежал, прижав уши, по такой страшной бронхитной погоде, кто не промокал до позвоночника, кто не пугался парадных и подворотен, тот не оценит животное, кухонное, батарейное тепло человеческого жилища. Кто не слышал, как смерть дует в спину, не обрадуется радостям очага. Так что, если драгоценное чувство живой жизни притупилось, надо ехать в Питер в октябре. Если повезет, а везет почти всегда, — уедешь оттуда полуживой. Для умерщвления плоти хорош также ноябрь с мокрым, ежеминутно меняющим направление снеговым ветром, а если не сложилась осенняя поездка — отлично подойдет и март. В марте лед на реках уже некрепок, не выдержит и собаки, весь покрыт полыньями, проталинами, синяками, но дует с него чем-то таким страшным, что обдирает лицо докрасна за шестьдесят секунд, руки — за десять.

Непременно, непременно куплю себе квартиру в Питере, слеплю себе гнездо из пуха, слюны, разбитых скорлупок своих прежних жизней, построю хижину из палочек, как второй поросенок, Нуф-Нуф. Натаскаю туда всякой домашней дряни, чашек и занавесок, горшков с белыми флоксами, сяду к окну и буду смотреть чужие сны.

Окон в Питере никогда никто не моет. Почему — непонятно. Впервые я обратила на это внимание в конце восьмидесятых годов, когда началась перестройка. Ясно, что тогда телевизор было смотреть интереснее, чем выглядывать в окно: кого еще сняли?.. что еще разрешили?.. Потом интерес к политике угас, все сели, как завороженные, смотреть мыльные оперы, так что тут тоже стало не до ведер с мыльной водой. Потом жизнь поехала в сторону полного разорения, денег не стало, потолки осыпались на скатерти, а обои свернулись в ленты, и мыть окна стало как-то совсем неуместно. Кроме того, Питеру всегда была свойственна некоторая надменность, горькое презрение к властям всех уровней, от ЖЭКа до государя императора: если "они" полагают, что со мной можно так обращаться, то вот вам, милостивый государь, мое немытое окно, получите-с. Но возможны и другие объяснения: нежелание смотреть чужие сны, смутный протест против того, что куда ни повернись — всюду натыкаешься глазом на чужое, на неродное, на построенное не для нас. Или, потеряв статус столицы, Питер опустился, как дряхлеющая красавица? Или в ожидании белых, томительных ночей, выпивающих душу, жители копят пыль на стеклах, чтобы темней было спать? Или же это особое питерское безумие, легкое, нестрашное, но упорное, как бормотание во сне? Когда я осторожно спросила свою питерскую подругу, почему она не моет окон, она помолчала, посмотрела на меня странным взглядом и туманно ответила: "Да у меня вообще ванна в кухне..."

Эта была правда, ванна стояла посреди огромной холодной кухни, ничем не занавешенная, но в рабочем состоянии, при этом в квартире — естественно, коммунальной — жили двенадцать человек и, по слухам, мылись в этой ванне, не знаю уж как. И, наверно, это было, как во сне, когда вдруг обнаруживаешь, что ты голый посреди толпы, и этого никак не поправить по каким-то сложным, запутанным причинам.

Как и полагается лунатикам, петербуржцы гуляют по крышам. Существуют налаженные маршруты, вполне официальные, и можно собраться небольшой группой и отправиться с небесным поводырем на экскурсию, перебираясь с дома на дом по каким-то воздушным тропам; есть и частные прогулки: через лазы, слуховые окна, чердаки, по конькам крыш, на страшной для бодрствующего человека высоте, но ведь они спят, и им нестрашно. С высоты они видят воду, балконы, статуи, сирень, третьи и четвертые дворы, далекие шпили — один с ангелом, другой с корабликом, развешанное белье, колонны, пыльные окна, синие рябые кастрюли на подоконниках и тот особенный воздух верхних этажей — то серый, то золотой, смотря по погоде, — который никогда не увидишь в низинах, у тротуаров. Мне кажется, что этот воздух всегда был, висел там, на семиэтажной высоте, висел еще тогда, когда города совсем не было, надо было только построить достаточно высокие дома, чтобы дотянуться до него, надо было только догадаться, что он плавает и сияет вон там, надо было запрокинуть голову и смотреть вверх.

Если не запрокидывать голову, то в Питере вообще нечего делать: асфальт как асфальт, пыль или лужи, кошмарные парадные, пахнущие кошками и человеком, мусорные баки. Если же смотреть вверх, от второго этажа и выше, то увидишь совсем другой город: там еще живут маски, вазы, венки, рыцари, каменные коты, раковины, змеи, стрельчатые окна, витые колонны, львы, смеющиеся лица младенцев или ангелов. Их забыли или не успели уничтожить мясники двадцатого века, гонявшиеся за людьми. Один, главный, все кружил по городу мокрыми октябрьскими вечерами, перепрятывался, таился и в ночь на 25 октября, как нас учили в школе, заночевал у некоей Маргариты Фофановой, пламенной и так далее, а может быть, вовсе и не пламенной — тут вам не Испания, — а обычной, водянистой и недальновидной дамы с лицом белым и прозрачным, как у всех, кто умывается невской водой. На рассвете, подкрепившись хорошим кофе и теплыми белыми булочками с вареньем из красной смородины, он выскользнул в дождевую мглу и побежал в Смольный: составлять списки жертв, прибирать к рукам то, что ему не принадлежало, ломать то, что не строил, сбивать лепнину, гадить в парадных, сморкаться в тюль, разорять чужие сны, а в первую очередь расстреливать поэтов и сновидцев. Хорошо ли ему спалось на пуховичках у Фофановой, или он весь извертелся, предвкушая мор и глад? Сладко ли спалось пламенной Маргарите, или же к ней приходил предзимний кошмар, суккуб с членами ледяными, как ружейные стволы? Этого в школе не рассказывают, там вообще ничему важному не учат — ни слова, например, о конструировании и размножении снов, а между тем есть сон, в котором Маргарита, увидев, в свою очередь, другой сон — какой, мне отсюда плохо видно, мешает угол дома, — тихо встает с лежанки, прихватив с собой подушку-думочку — небольшую, размером как раз с лицо — тихо входит к похрапывающему, жуткому своему гостю и во имя всех живых и теплых, невинных и нежных, ни о чем не подозревающих, во имя будущего, во имя вечности плотно накладывает плотную, жесткую, бисерными розами вышитую подушечку на рыжеватое рыльце суккуба, на волосатые его дыхательные отверстия, насморочные воздуховоды, жевательную щель. Плотно-плотно накладывает, наваливается пламенным телом, ждет, пока щупальца и отростки, бьющиеся в воздухе, ослабеют и затихнут. И город спасен.

Никакие сны не проходят бесследно: от них всегда что-нибудь остается, только мы не знаем, чьи они. Когда на Литейном, в душном пекле лета, глаз ловит надпись на табличке в подворотне: "Каждый день — крокодилы, вараны, рептилии!" — что нужно об этом думать? Кто тут ворочался в портвейновом кошмаре, кто обирал зеленых чертей с рукава? Кто послал этот отчаянный крик и откуда — с привидевшейся Амазонки, с призрачного Нила или с иных, безымянных рек, тайно связанных подземной связью с серыми невскими рукавами? И чем ему можно помочь?

Никому ничем нельзя помочь, разве что жить здесь, видеть свои собственные сны и развешивать их по утрам на просушку на балконных перилах, чтобы ветер разносил их, как мыльную пену, куда попало: на верхушки тополей, на крыши трамваев, на головы избранных, несущих, как заговорщики, белые флоксы — тайные знаки возрождения.

2003

Борис Гребенщиков

Пески Петербурга

Ты — животное лучше любых других,
Я лишь дождь на твоем пути.
Золотые драконы в лесах твоих,
От которых мне не уйти.
И отмеченный светом твоих зрачков
Не смеет замкнуть свой круг,
И пески Петербурга заносят нас
И следы наших древних рук.

Ты могла бы быть луком — но кто стрелок,
Если каждый не лучше всех?
Здесь забыто искусство спускать курок
И ложиться лицом на снег.

И порою твой взгляд нестерпим для глаз,
А порою ты — как зола;
И пески Петербурга заносят нас
Всех
По эту сторону стекла…

Ты спросила: “Кто?”
Я ответил: “Я”,
Не сочтя еще это за честь.
Ты спросила: “Куда?”
Я сказал: “С тобой,
Если там хоть что-нибудь есть”.
Ты спросила: “А если?..” — и я промолчал,
Уповая на чей-нибудь дом.
Ты сказала: “Я лгу”; я сказал: “Пускай,
Тем приятнее будет вдвоем”.

И когда был разорван занавес дня,
Наши кони пустились в пляс
По земле, по воде и среди огня,
Окончательно бросив нас.
Потому что твой взгляд — как мои слова:
Не надежнее, чем вода.
Но спросили меня: “А жив ли ты?”
Я сказал: “Если с ней — то да”.

Никита Елисеев

Разорванный портрет

И нет Петербурга. Есть город осеннего ветра.

Борис Лавренёв. "Ветер"

Город неизвестных гениев

Петербург — Петроград — Ленинград — Петербург… (собаке трижды кличку сменить — с ума сойдет, а мы — ничего, привыкли)… есть город неизвестных гениев. Ну, скажем, жил такой поэт и писатель Вадим Шефнер. Ну, хороший писатель, чё? Потом проходит время, начинаем перечитывать, скажем, "Сестру печали" и в потрясении сами себе говорим: "Где были наши глаза и уши? Он же… гений…" Помню, стоял на палубе большого, большого корабля, поручни были покрыты крупными каплями, рядом была любимая женщина, чуть поодаль парень простоватого вида, бритый, само собой, наголо, обжимал счастливую избранницу. Что-то меня торкнуло… Вот эти крупные капли на поручнях, вероятно. Я возьми да и процитируй:

Мы все в грехах — как цветы в росе,
Святых между нами нет.
А если ты свят — ты мне не брат,
Не друг мне и не сосед.
Я был в беде — как рыба в воде,
Я понял закон простой:
Там грешник приходит на помощь, где
Отворачивается святой…

Парень оторвался от "обжима биксы" и выдохнул: "Круто… Это кто написал?" Волшебная сила искусства, однако… Вернемся на прежнее: Петербург — город неизвестных гениев. Бродит по городу инвалид, Роальд Чарльзович Мандельштам, нищий, на костылях, безработный, пишет стихи. Пьет. Колется. Нигде не печатается. А потом все охают, ахают: гений! "И, листопад принимая в чаши своих площадей, город лежит, как Даная, в золотоносном дожде". Таких примеров вы сами накопаете. Их не счесть.

Здесь вопрос: почему так получилось и получается? Первый ответ самый простой. Нас очень много. Петербург — многолюден и многонаселен. По сути, маленькая страна, в ней легко затеряться. В ней по простой статистической вероятности может быть столь же много талантливых людей, как и людей обычных. Второй ответ посложнее. Почему их (талантливых людей) не замечают? Потому что они стараются, чтобы их не заметили. Никто не обратил внимания на то, что эксцентричный гений математики, Перельман, живет как раз таки… в Купчино. И всё делает, чтобы его не заметили. Сторонится славы. Бежит ее. Хотя слава его нагоняет. Получается в точности по стихам моего любимого Бенедиктова, обращенным к Музе:

Я гоню ее с криком, топотом,
Не стихом кричу — прозой рубленной,
А она в ответ полушепотом:
“Не узнал меня, мой возлюбленный!”

А почему талантливые люди здесь прячутся? Почему у них такой социальный инстинкт — спрятаться? Потому что стоят они на плечах растерзанных и убитых… Потому что любой ленинградский мальчишка, начинающий приобщаться к культуре, в какой бы ипостаси эта культура ему ни являлась, радикальной, консервативной, аполитичной, политизированной, неважно, приобщался к миру или убитому, или чудом выжившему…

Анабасис. Пивларек, декабристы и революция

С отрочества я хотел выйти к морю. Я жил напротив Большого драматического (бывшего Суворинского), на углу Лештукова переулка и набережной Фонтанки и мечтал выйти к морю. Сам, своим ходом. Кстати, свидетельствую: никто и никогда не называл переулок Джамбула переулком Джамбула. Все живущие в этом районе говорили "Лештуков". Любопытно, что переименовали переулок в 1944 году, тогда же, когда проспект 25 Октября стал Невским, улица 3 Июля — Садовой, а проспект Нахимсона — Загородным. Это в скобках. Неважно.

Важно, что я хотел выйти к морю. Мне думалось, что это очень просто. Вот тут Фонтанка впадает в Неву, значит, вот здесь она впадает в море. Значит, надо идти, идти по набережной и в конце концов выйдешь к морю. Ну и, стало быть, как греки-наемники из "Анабасиса" Ксенофонта, возопишь: "Таласса! Таласса!" — и ударишь в щит мечом, буде у тебя найдется щит и меч... И вот, каждое воскресенье я выходил в анабасис. Надо признаться, что парень я осторожный, можно сказать, трусоватый, поэтому далеко поначалу не уходил.

Шел себе по набережной, думал, мечтал, вспоминал. Я и сейчас, когда оказываюсь в тех местах, думаю, мечтаю, вспоминаю. Бородинка, скажем. Там была моя школа. А недалеко от школы — железнодорожный техникум. И до сих пор к стене этого техникума не привинчена мемориальная доска, а стоило бы. В этом здании в начале XX века работала знаменитая театральная студия Мейерхольда. А на пересечении Бородинки и набережной Фонтанки стоял не менее знаменитый пивной ларек.

Знаменит он был своей остойчивостью. С ним мужественно боролись учительницы нашей школы. Пытались его закрыть. Писали по инстанциям. Мол, тут дети в школу с ранцами и портфелями — топ-топ, а по пути следования ангельчиков — такой вертеп. Вы представляете себе, что они вынесут из общения? Ларек не менее мужественно отбивался. И стоял.

Насчет "вынесут"... Я "вынес" потрясающий афоризм. Шел себе из школы с портфельчиком мимо клубящейся очереди чающих пива и стал свидетелем (умиленным) конфликта... Какой-то жлоб (здоровенный) полез без очереди. Из очереди тут же выдвинулись два заступника неписаных законов. Были они худы и невелики ростом, но готовы к бою. Жлоб струхнул, но не до конца. Тогда один из выдвинувшихся грозно сказал: "Слушай, я ведь, вроде Гейне, чернилам предпочитаю кровь..."

Я чуть портфельчик не выронил на снег. Ничего себе формулировочка. Много позже я узнал источник. "Стихи, написанные кровью, я предпочитаю стихам, написанным чернилами" — этот афоризм приписывают Ницше. Ницше действительно его много раз цитировал, порой без указания авторства, поскольку любимый поэт Фридриха Ницше — всё же классика и странно было бы русскому писателю (скажем), цитируя: "Я памятник себе воздвиг нерукотворный", в скобках уточнять: "А.Пушкин".

Худой заступник неписаного закона очереди был абсолютно прав. Это афоризм Генриха Гейне. Еще позже я узнал, что на Бородинке соседствовали Валентин Пикуль и Виктор Конецкий и частенько выходили к пивному ларьку. Вот как-то есть у меня такое желание, такая ретромечта: тот самый мужик, что так лихо гейне-ницшевской цитатой осадил агрессивного хама, был Виктор Конецкий.

Словом, вот так я двигался, да вот и сейчас двигаюсь по Фонтанке-реке, цепляясь за разное памятью, воспоминаниями, сознанием с подсознанием. Большой желтый дом с белыми колоннами, полукружьем окруживший кусок набережной. Здесь были казармы Московского полка. Отсюда и по Гороховой вывел полк на Сенатскую Щепин-Ростовский. "Кивера да ментики", "как славно мы умрем сегодня", а впрочем, кивера да ментики — кавалерийское снаряжение... А "славно мы умрем сегодня" — в тему, в тему последнего неудавшегося дворцового гвардейского переворота, ставшего первой неудавшейся революцией.

Кстати, у Николая был, был шанс не превращать неудавшийся дворцовый переворот в неудавшуюся революцию. Этот шанс был подсказан ему его матерью, вдовой Павла Первого. Она предлагала провести сдвоенный процесс: над цареубийцами удачливыми, над теми, кто убил ее мужа и отца Николая, и над цареубийцами неудачливыми, теми, кого очень скоро назовут декабристами. Понятно, что в этом случае приговор был бы не слишком строг, но России было бы продемонстрировано: эпоха преторианских переворотов миновала! Наступает эра легитимности!

Николай выбрал иной путь. Заложил, можно сказать, основы традиции революции в России. Революция это ведь особый вид войны. Лучше всего об особенностях этой войны сказала русско-немецко-польская революционерка Роза Люксембург, забитая насмерть прикладами и сапогами немецкой белогвардейской сволочью: "Революция — единственный вид войны, где победа приходит после целого ряда сокрушительных поражений". Должно быть, вспомнила евангельскую притчу о зерне. "Истинно, истинно говорю вам: то зерно, что упадет на землю и умрет, принесет урожай сторицей". О поражении революционеров, об их гибели, приводящей в конечном итоге к победе революции, думали многие революционеры в XX веке.

Впрочем, в одном Роза Люксембург ошиблась. Революция далеко не единственный вид войны, в котором победа приходит после целого ряда катастрофических поражений. Есть еще один вид войны. Война тотальная, всенародная, в которой начинает воевать всё население. Вот кто-кто, а автор самой знаменитой и самой циничной шутки о декабристах Федор Растопчин, бывший московский генерал-губернатор, прозванный Екатериной Второй "бешеным Федькой", в этом разбирался. "Во Франции сапожники и мастеровые устраивали революцию, чтобы стать дворянами. У нас устраивают революцию дворяне, чтобы стать сапожниками и мастеровыми?" Ну, это, положим, "бешеный Федька" несколько передергивал... Мало ли было дворян среди якобинцев? И каких дворян! Один Филипп Орлеанский, Филипп Эгалитэ (Равенство) чего стоит!

Но что-то такое плодотворное в циничном афоризме Ростопчина было. Что-то было подмечено верное в соотношении, во взаимосвязи революции и контрреволюции. Снизу — вверх, сверху — вниз. Качели. Сам Растопчин, накануне войны 1812 года писавший императору панические

ские письма (он вообще был паникер, “бешеный Федька”): “В нашем податном сословии гораздо больше маратов и эберов, чем мининых” — разве не воспользовался пропагандистским опытом революционера Эбера, руководителя крайне левого крыла якобинцев под названием… “бешеные”, когда печатал свои знаменитые афишки. “Отец Дюшен” — газета гражданина Эбера — явный образец для пропагандистского вдохновения графа Растопчина. А его суперреволюционный акт накануне сдачи Москвы Наполеону? Выпустить из тюрем всех колодников, пусть побегают по безвластному городу (русские войска вышли, а французские не вошли), пусть хлебнут волюшки…

Ребята хлебнули волюшки. Москва (как известно) вспыхнула, как свечка. А то бы она не вспыхнула, когда в город выпускают… уголовников. “Братва! Воля!” Клио, муза истории, усмехнулась над Растопчиным. Ее месть была изощренна и изящна. Не без интеллектуального садизма была месть. Клио — дама с садистскими склонностями. Дочь русского ксенофоба, французоеда и националиста, графа Ростопчина, стала… известной французской детской писательницей, мадам де Сегюр. Ее бестселлер “Сонины проказы” переиздается и читается до сих пор. Свидетельствую: еду в автобусе “Канн-сюр-Мер — Ницца”, рядом сидит очаровательная маленькая француженка и вовсю читает какую-то пеструю хрень, обильно иллюстрированную. Закрывает обложку, и что я вижу? Мадам де Сегюр “Сонины проказы”. Но это бы ладно. Дело в том, что у мадам де Сегюр был еще один бестселлер, тоже для детей. Назывался “Генерал Дуракин”.

Друг детства

Однако далеконько меня унесло от дома, желто-белым полукружьем, изящной величавой дугой окружившего кусок набережной. В этом доме жил лучший друг моего позднего детства, то бишь отрочества. Мой первый… учитель. Как-то так получалось, что я выбирал в друзей людей умнее меня; тех, у кого я мог поучиться; тех, с кем я мог бы и помолчать, чтобы послушать. У Паши Литвинова было чему поучиться. Он фехтовал. Рисовал. Увлекался рок-музыкой. Сам играл на гитаре и на ударных.

Он жил с пожилыми мамой и отцом в коммуналке, в огромной круглой комнате. Паша уверял, что в этой комнате бывал Пушкин. Не знаю, правда или нет, но он так говорил и я ему верил, потому что я верю друзьям. На стене в комнате висела фотография мамы в офицерском мундире с орденом. Папу Пашиного я помню плохо, а маму — хорошо. Она была худенькая, скромная, с красивым лицом интеллигентной пожилой женщины. На фотографии была красавица. Лихая красавица. Эмилия Платтер.

Почему Эмилия Платтер, героиня польского восстания 1830 года? Потому что Пашина мама была дочкой польского шляхтича и русского коммуниста, арестованного на глазах дочери в 1938 году. Дочь пошла на фронт. Воевала. Дослужилась до капитана. Умерла она, когда Паша был в 10-м классе. Умерла дома. На глазах у сына и мужа. Приехала “Скорая”… Всё такое, всё такое… Когда стало ясно, что надежды нет, она попросила мужа, чтобы достал из ее письменного стола... фотографию Сталина. Он достал. Она взяла ее в руки и с ней умерла. Сказала Паше: "Ты не понимаешь...", хотя он ей ничего не сказал. Ничего.

Потом, через неделю, что ли, Паша мне всё это рассказал. И добавил: "Я не понимаю. Я в самом деле не понимаю. Мама мне рассказывала, как арестовывали деда. Энкавэдэшник снял со стены герб его рода и шарахнул об стенку. И герб раскололся. Я не понимаю..." Трудно понять, конечно... Но в принципе можно. В принципе. Неплохо объяснил этот феномен Гефтер. Сталин умело создавал такие безвыходные ситуации, выходом из которых был... он. Жесточайшая коллективизация, безжалостное раскулачивание — и бац! Статья "Головокружение от успехов", а перегибщиков — по бошкам. Перегибщики чешут потылицы: "Так мы же выполняли директиву..." Они-то выполняли, а он — спаситель...

На эмоциональном уровне этот феномен блестяще описал Борис Слуцкий. Помните: "Генерала легко понять, если к Сталину он привязан..."? Не помните? Ну, я кое-что из этого великого стихотворения процитирую:

Но зато на своем горбу
Все четыре военных года
Он тащил в любую погоду
И страны и народа судьбу.
С двуединым известным кличем.
А из Родины — Сталина вычтя,
Можно вылететь. Даже в трубу!

Я тогда ни этого стихотворения, ни рассуждений Гефтера не знал, поэтому промолчал, но зарубку в памяти оставил. Впрочем, я, как правило, молчал и слушал. Паша учил. Он не знал, что он учит. Просто рассказывал, что ему было интересно. И мне становилось интересно. Я однажды увидел нарисованный им натюрморт и восхитился: "Как здорово!" Паша поморщился: "Дерьмо. Для комиссии. Вот как надо рисовать" — и показал тот же горшок, нарисованный в кубистической манере.

Я выпучил глаза. Паша возмутился: "Слушай, знаешь, как Кандинский говорил? Вот Вы требуете, чтобы я нарисовал горшок, в точности такой же, «как в жизни». А зачем Вам этот горшок, Вы что, похлебку из него будете есть? Искусство не занимается воспроизводством горшков и мопсов. Задачи у искусства другие…"

Паша стал объяснять что-то о линиях, точках и объемах, но я ничегошеньки не понял. Однако правоту Паши и Кандинского почувствовал. Тогда же Паша рассказал мне про Сурикова и Пикассо. Оказывается, в Москве до революции была выставка, на которой были и работы Пикассо. Суриков был на этой выставке. Очень долго разглядывал работы испанца. Подошла какая-то дама и принялась ругмя ругать Пикассо. Мол, чушь какая-то, ничего не понять. И это живопись? Мазилка бездарная… Ну и прочее.

Почему-то из всех авангардистов Пикассо вызывает наибольшее раздражение. Нигде так не ругаются, как на выставках Пикассо. Суриков слушал, слушал, потом тяжело вздохнул, повернулся к даме и вежливо объяснил, что она ошибается. Ему, как художнику, очень интересно *это* смотреть. Он не принимает *это* искусство, но, видите ли, сударыня, когда он (Суриков) работает, он, прежде чем нарисовать картину, строит вот такие же, если угодно, чертежи, такие анатомические атласы будущей картины. Вам неинтересно? Ну так отойдите и не мешайте тому, кому интересно... Дама отползла.

Таких историй Паша рассказывал массу. И в Эрмитаж мы с ним ходили. Он не слишком жаловал импрессионистов. Ему нравились скучные для меня Энгр, Лоррен, Пуссен. И уже через импрессионистов — Пикассо, Дерен, Вламинк. Импрессионисты были для него слишком... буржуазны. Такой парадокс. Много позже в Орсе я увидел картину какого-то художника (забыл и имя живописца, и название его картины) и понял, что Паша что-то верное почувствовал в веселом, пестром, разноцветном мире Моне и Писсарро.

В общем, на первом плане этой картины — разгромленная баррикада коммунаров, груда трупов, а на заднем плане — абсолютно импрессионистический сверкающий городской весенний пейзаж. И на стене лихая афишка: "Ша нуар" — "Черная кошка".

После школы мы как-то разошлись с Пашей: он пошел на геологический, я — на исторический. Потом я загремел в армию. Паша остался в Ленинграде. Потом работал в "АукцЫоне" перкуссионистом. Лет десять тому назад умер.

Ну, вот и долг отдался первому другу. А может, и не отдался долг-то. Знаете, есть один очень мудрый

I ♥
BRODSKIY

Новая Голландия

рассказ у Михаила Веллера про то, как человеку посчастливилось, и он отдал все свои долги. Вышел на улицу, свободный и счастливый, случайно глянул в витринное зеркало и ужаснулся. Отражения — нет. Он исчез. Пока мы живы, мы всегда кому-то должны. Мы не можем выплатить все свои долги, пока мы живы.

Анабасис. Дача Державина, эпифания, Коломна и архитектор Мосс

Постараемся не уходить далеко от набережной. Вот так я двигался вдоль по речке. Проходил мимо зарытого канала у Военно-медицинской академии, топал дальше и дальше. Иногда выходил на мосты и смотрел на купол Троицкого собора. Тогда еще рядом с ним не построили тупо-прямоугольное здание гостиницы. Купол был одинок и очень красив. Квадрат гостиницы, что ни говори, подпортил пейзаж. Хотя — оксюморон, оксюморон, господа. "Розу черную с белой жабой я хотел на земле повенчать", если не ошибаюсь. Уродство тупого прямоугольника только подчеркивает величавую округлость купола. Почувствуйте, так сказать, разницу.

Проходил мимо дачи Державина. Тогда еще не было музея, и о том, что это огромное белоколонное строение, этот дворец — дача великого поэта, тамбовского, олонецкого губернатора, первого министра юстиции России и участника подавления пугачевского восстания, сообщала древняя мемориальная доска с ятями и твердыми знаками. Помнится, я, когда первый раз увидел эту мемориальную доску, был тронут. Буквально тронут, поскольку меня тронуло, торкнуло расширение города. Вот здесь в начале XIX века были... дачи. То есть лес был, волки, кабаны, лоси... Грибы, ягоды. А теперь самый центр города.

Как-то это всегда трогает. У немцев для истории есть слово *Geschichte* от *geschehen* — произойти. История — произошедшее. Но штука в том, что по-немецки *Schichte* — слой. Значит, немец слышит в своем слове "история" не только то, что нечто произошло, но и то, что это нечто — слоисто. И это очень верно. История — слоиста. Один слой вдавливается в другой, остается отпечатком, порой исчезающим сразу, порой остающимся надолго... Когда ощущаешь вживе слой истории, что-то торкает... меня, по крайней мере.

А некоторое время спустя после дачи Державина меня торкнуло по-настоящему. Я даже вздрогнул. Джеймс Джойс называл такие миги эпифаниями. Богоявлениями, если перевести на русский с греческого. Вот ты идешь, идешь или сидишь, сидишь, и всё тебе мерзит, или всё тебе (как поет Сергей Шнуров) по пенису и до фаллоса, и вдруг тебе становится очень хорошо, очень светло, едва ли не счастливо. Нет, нет, это не то, что некоторые из вас подумали. Никакой химии. Если химия, то это приход называется, а не эпифания. Такую эпифанию описал Сартр в финале своего первого и очень скучного романа "Тошнота". Антуан Рокантен сидит в кафе, всё ему обрыдло, от всего его тошнит (собственно, тому роман и посвящен, как всё обрыдло и как от всего тошнит, потому и читать его скучно), владелец кафе ставит пластинку с записью Эллы Фицджеральд. Рокантен слышит негритянскую певицу, и всю обрыдлость, всю тошноту как рукой снимает.

Мне было тогда, когда я знай себе шел по набережной от дачи Державина, совсем не обрыдло и совсем не тошно. Маленький я еще был. Не дорос до рокантеновской тошноты. Мне было обычно. А стало *необычно*. Потому что я увидел слияние Крюкова канала и Фонтанки, а чуть поодаль вдоль по Крюкову я увидел колокольню Никольского собора, построенную Саввой Чевакинским. Она была синяя, тонкая, изящная. Мушкетерская какая-то. Она была будто выпад в небо шпаги, вот какая она была. Я стоял и смотрел на нее. Ей-ей, я завидую тем, кто первый раз ее увидит. Не специально пойдет смотреть архитектурные достопримечательности, а вот просто по делу или без дела побредет по набережной Фонтанки, равнодушно скользя взглядом по ровным рядам домов, и — бац — как глаза промыл.

Это все равно как идешь по третьему этажу Эрмитажа мимо художников Франции XIX века. Смотришь, позевываешь; нет, если увидишь “Мертвую лошадь” министра культуры Парижской коммуны, Гюстава Курбе, то содрогнешься, конечно. Гений, что скажешь. Но ее еще увидеть надо. Она хоть и монументальная, но маленькая. И мрачная. Безысходная. Отчаянная. И вдруг после зализанных картин, среди которых мрачным всполохом маленькая великая картина, — праздник. Праздник цвета, света, жизни, сияние. Импрессионисты. Потом, разумеется, праздник кончается и начинается высокая трагедия Ван Гога, изломанность Пикассо, но сначала — праздник.

Вот и эта колокольня Чевакинского — празднична. Тогда я свернул от маршрута — к морю — и пошел себе бродить по Коломне, где жил пушкинский Евгений, где умирал Суворов, перед смертью успевший шепнуть своему племяннику, знаменитому графоману Дмитрию Хвостову: "Митя, не пиши..." А чем плох Хвостов? Велимир Хлебников его очень ценил. Ставил на одну доску с Пушкиным. И то: две строчки из поэмы Хвостова, посвященной петербургскому наводнению, чем не Хлебников, чем не ранний Заболоцкий? "По брегам там лежало много крав, ноги к небу вздрав". ВАУ!

Коломна мне тогда понравилась. И Новая Голландия, тогда еще не реконструируемая, а лежащая в романтическом запустении. Этот район на многих производил впечатление (употребим канцелярит). Помните, приезжал к нам американский архитектор, Мосс, строить новое здание Мариинки. На него тогда все накинулись, проект его задробили. В результате вместо брутальной, резкой, оригинальной архитектуры получили сараюшку с колоночками. Ну да бог с ним.

Мосс был в полном восторге от Коломны. Он говорил, что нигде такого не видел. В центре города упал кусок чуть ли не деревни. Новая Голландия его восхитила. Он поэтичная натура, этот Мосс. Его спросили: что главное в Петербурге? Он ответил: лед, камень, вода. Его спросили: самые замечательные строения в Петербурге?

Он ответил: много замечательных, много, все не перечислишь, но есть два абсолютных шедевра. Это шпиль Петропавловки и… камень под копытами Медного всадника. А ведь разбирался постмодернист в искусстве. Глядишь, и построил бы что-то пусть и необычное, но… хорошее.

Сердце на кончике пальца

В общем, в тот день я не дошел до моря. Коломна с часовней Чевакинского, Новая Голландия и особняк Бобринских прервали мой анабасис. Но я и в следующие дни не мог выйти к морю. Как бы я ни кружил по рекам и каналам, в какой-то момент я упирался в промзоны. Выход к морю был закрыт, перекрыт, перегорожен. И тогда я коснулся… тайны Петербурга. Его единственности. Его уникальности. И неповторимости.

Сейчас я открою вам эту тайну. Вспомните все морские города. Самые разные. Южные, северные, дальневосточные. Буде это города-трудяги вроде Мурманска, Марселя, Владивостока, буде это города-курорты вроде Ниццы, Ялты, Сухуми или города-музеи вроде Венеции — они все лицом развернуты к морю. Море не на окраине этих городов, а в самом их центре. Эти города влекутся к морю, особенно если они на горах, как Мурманск, Ялта или Ницца, становится видно, что все дома и улицы этих городов, как отары овец к водопою, теснятся, спускаются к морю.

Петербург — единственный морской город, отстраняющийся от моря, отгораживающийся от него. Центр города — гигантская река, похожая на быстроходное озеро, вокруг которой центр. Море — на окраинах. Добраться до него в принципе можно, но это отнюдь не центр города, а его периферия, буде это курортное ЦПКиО или деловая Гавань. Этот топографический факт находит свое подтверждение в культуре нашего города. Вы можете вспомнить хоть одного петербургского… моряка?

Классический герой петербургской прозы — психованный, часто деклассированный интеллигент. Морская тема в русской литературе — Станюкович и Грин, но это — юг, не Балтика, не Петербург. Единственное исключение — дивная приключенческая повесть Бестужева-Марлинского "Мореход Никитин", но она слишком экстравагантна и погоды не делает. Авантюрный рассказ о том, как во время короткого союза с Бонапартом английские каперы захватили русское судно, а лихой капитан Никитин их обманул, запер в трюмах и привел судно в Кронштадт, уж очень острым особняком торчит во всем корпусе текстов про Петербург.

Когда море вторгается в русскую петербургскую литературу? Когда и как оно появляется? Правильно. В самом знаменитом знаковом петербургском тексте, в "Медном всаднике" Пушкина. Море — убийца. Море — угроза. Море — опасная, страшная стихия, с которой "царям не совладать". Весьма символично, не так ли? Что такое Петербург — морской город? Петровское наследие. А что делала Россия после Петра? Отпихивалась, отталкивалась от петровского наследия... Где были резиденции русских царей? Царское село, Гатчина — отнюдь не прибрежные селения. Петергоф? Но и там (даже там) царская резиденция была вдали от моря, в Знаменке.

Здесь хорошо бы понять, почему Петр перенес столицу в Петербург. Дени Дидро, восхищавшийся Петром, удивлялся выбору места для новой столицы. Главный город государства не в центре страны, а вблизи от других государств, — рассуждал Дидро, — странно, очень странно. Это всё равно как если бы сердце было расположено на кончике пальца. Все же француз. Какая точная метафора! И как она попадает в суть Петербурга — "сердце на кончике пальца"! Это лучше, чем достоевское "самый умышленный город". Вернее.

Всё верно в рассуждениях Дидро, за исключением одной детали. Петр строил не просто столицу, но военную ставку, из которой в случае крайней необходимости можно будет с легкостью... эвакуироваться. В детстве он видел русский бунт, бессмысленный и беспощадный. На его глазах резали его ближайших родственников. Такое не забывается. Он и не забыл. Помнил. Таща Рассеюшку в Европу, он всегда держал в голове вот этот вариант, вот этот случай. Вот на этот вариант, на этот случай у него и был припасен... Петербург. Столица-ставка. Если бы этого варианта он бы не обмозговывал, он никогда бы не сказал: "Я предпочел бы стать в Англии капитаном, чем в России — царем..." Можно себе представить такую гипотетическую картинку: по берегу носятся мужики с ружьями, дрекольем, топорами и прочим боевым снаряжением, а вдали набирает скорость корабль под белыми (допустим) парусами. “Убёг! Ушел анчутка треклятый! Анчихрист! Ужо тебе!”

Улыбка Клио

Мне могут возразить по поводу отсутствия морской темы в петербургской теме русской литературы. А как же “Балтийского флота первой статьи минёр Гулявин Василий — и ничего больше. Скулы каменные торчат желваками, и глаза карие с дерзиной. На затылке двумя хвостами бьются черные ленты, и спереди через лоб золотом: «Петропавловск». Грудь волосами в вырез голландки, и над ней в мирное еще время заезжим японцем наколоты красной и синей тушью две обезьянки, в позе такой — не для дамского деликатного обозрения”. А как же “Ветер” Бориса Лавренёва?

Кстати, если внимательно прочесть эту повесть, то можно заметить, что садист, наркоман и алкоголик Василий Гулявин вырабатывается в честного, отважного, да и доброго воина и человека не столько под влиянием большевистских агитаторов, сколько под влиянием своего военспеца, бывшего царского офицера с говорящей фамилией Строев... Тогда становится понятно, почему именно Лавренёву принес свои первые прозаические и поэтические опыты юный Александр Солженицын.

Возражения множатся. А Виктор Конецкий? Самый замечательный маринист русской литературы и один из лучших описателей Ленинграда. А Вадим Шефнер? Все правильно. Но это другая литература, другая история, в чем-то другой город. Весь петербургский период истории России страна отстранялась от петровского наследия, старалась его оттолкнуть. От моря страна отпихивалась в особенности. Инстинктом социальным, историческим (?) — не знаю, как его назвать — чуя, чувствуя: с моря придет катастрофа.

Инстинкт был правильный. Именно с моря грянуло. Когда в Петроград рванули "минеры первой статьи — и ничего больше", наступил конец петербургского периода истории России. "Нет Петербурга. Есть город осеннего ветра", — как написано всё в том же "Ветре" Лавренёва. Улыбка Клио, музы истории, всегда злорадна. Повторюсь, Клио — дама с садистскими наклонностями. Парадокс состоял в том, что, инстинктивно отстраняясь от моря, Россия вооружала и снаряжала мощнейший военно-морской флот. Перед Первой мировой был принят запредельный военно-морской бюджет. Против него в Думе возражали левые, от кадетов до эсдеков. Вне Думы против него возражал один крайне правый, Михаил Меншиков.

У бывшего морского офицера Меншикова соображения были прагматические. Он прекрасно понимал, сколько будет попилено из этого бюджета. У левых соображения были другого порядка. Лучше всех эти соображения изложил кадет Андрей Иванович Шингарёв ("закланец русской истории" — так его назвал Александр Солженицын). Он призывал и взывал к Думе. Мол, господа, одумайтесь! В наших армии и флоте смертность (в процентном отношении) больше, чем в любых армиях и флотах мира. Подумайте, нам надо вкладывать бюджетные средства в здравоохранение, в образование, но не в армию и флот, которые и без того огромны. Не очень грамотному, не очень здоровому, очень озлобленному человеку вы даете в руки суперсовременное оружие. Вы понимаете, какой социальный взрыв вы провоцируете?

Андрея Шингарёва убили в январе 1918 года в Мариинской больнице. Убили матросы. Был ли это "стихийный гнев народных масс" против земского врача, автора книжки "Вымирающая деревня", или большевистская спланированная провокация — до сих пор неизвестно. Я склоняюсь к тому, что это был "стихийный гнев". В противном случае для чего тогда Бонч-Бруевич ходил после... инцидента на матросский митинг урезонивать "альбатросов", "василиев гулявиных"? Дескать, ребята, ну вы уж совсем... через край... Всё-таки так резко не надо, не надо бы. Ребята лупили в пол прикладами и весело орали: "Надо будет — и Ленина с Троцким кокнём".

Полагаю, что после вот таких... волеизъявлений Ленин понял, окончательно и бесповоротно: из бывшей военной ставки царя Петра надо линять. Как можно быстрее линять. Море хлынуло. Угроза осуществилась. И только после конца петербургского периода Балтийское море, море Ленинграда, море окраин столицы, теперь уже бывшей столицы, вошло в русскую культуру.

Анабасис. Гавань и Голодай

Вы же понимаете, что к морю я таки прорвался. Таки додумался. По Неве до Горного. На Большой проспект и до Гавани. Издали увидел. Дальше пошел бродить по окрестностям. Когда спустя год вся наша семья переехала на Наличную, я был изумлен такой рифмой судьбы. А тогда я потопал себе по Наличной мимо автобусного предприятия. Сейчас здесь огроменные, шикарные элитные дома. Когда я уже жил на Наличной, то узнал, что на месте этого автобусного предприятия во время Первой мировой войны был лагерь для пленных немцев.

Это мы так дергаемся теперь при слове "лагерь". Исторический опыт тому способствует. Первая мировая во многом была еще войной XIX века. До озверения Второй мировой дело еще не дошло, хотя всё к тому и шло. Томас Манн в своей шовинистической книжке времен Первой мировой войны "Рассуждения аполитичного" (действительно шовинистической и немало сделавшей для фашизации сознания немецкой интеллигенции) помещает восторженный отзыв о книге Ромена Роллана "Ярмарка на площади", вышедшей в Париже и сразу же переведенной на немецкий. Я подобного случая во времена Второй мировой не припомню. Да его и не могло быть, такого случая.

Так что стояли на этом месте казармы под не-шатким, не-валким охранением. Военнопленные днем бродили по окрестностям, искали приработок, вечером возвращались. Идиллия. В одном из лучших советских фильмов начала тридцатых, в "Окраине" Бориса Барнета эта идиллия показана очень убедительно. Пленный австрийский солдат там находит приработок у местного сапожника, а потом у них с дочерью этого сапожника начинается любовь. Хороший фильм. Человечный.

Вот я так брел и брел по Наличной вдоль моря и добрел до Острова декабристов, до Голодая. Перешел мост через Смоленку, тогда вполне себе деревенскую речку без намека на какую-нибудь набережную. По правую руку были кладбища: Академическое, Смоленское православное, Смоленское лютеранское, армянское. Прямо передо мной высилась шахта, строили станцию метро "Приморская". Тогда я еще не знал, что в эту шахту бросился замечательный поэт Ленинграда пятидесятых-шестидесятых годов, Александр Морев. Бродский, с которым Морев выступал на многочисленных в пору оттепели поэтических турнирах или турнирах поэтов, как-то сказал: "Я хотел бы остаться в поэзии хотя бы парой строчек, как Архилох. «Пью, опираясь на копье», да?" Морев-то точно останется в русской поэзии, по крайней мере этими строчками: "Я хочу, чтоб разделся Бог, я хочу, чтобы Бог был наг…"

Тогда я всего этого не знал. Тогда я повернул налево и пошел по совсем, совсем деревенской речке Смоленке к морю. Я снова коснулся тайны Петербурга. Море здесь на задворках. Поэтичных, заброшенных, отдающих деревней. Я знал, что нахожусь на Голодае, что здесь был домик Параши, смытый наводнением, что где-то здесь жил дьявол, о чем и написал Владимир Титов со слов Пушкина в повести "Уединенный домик на Васильевском", что здесь были выброшены на городскую свалку тела пятерых казненных декабристов.

Вроде — легенда. Но я верил и верю в эту легенду. Я вышел к тогдашней гигантской свалке. Перед морем тогда простиралась поросшая кустарником свалка строительного мусора. Вот через эти-то кочки я и выбрался к морю. Теперь на месте этой свалки элитный район, и он... отсечен от моря. Теперь. Потому что строят эти, как их, Морские ворота города, и весь берег огорожен длиннющим голубым забором из листового железа. А тогда море было досягаемо. Оно было за свалкой строительного мусора, плоское и спокойное. Направо — ЦПКиО, прямо — Кронштадт, налево — Петергоф.

Я постоял, посмотрел на плоское северное море и пошел чуть вкось, осваивая район, в котором предстояло жить чуть не три десятилетия. Вышел прямым ходом к школе-интернату. После землетрясения в дагестанском городе Буйнакске 14 мая 1970 года в этой школе-интернате жили аварские, кумыкские, чеченские дети. Я узнал об этом совершенно случайно. Служил в армии, разговорился с парнем из Буйнакска. Он, как услышал, что я из Ленинграда с Наличной, так разулыбался вовсю и сказал: "Я тоже там жил! Зёма!" Ну и объяснил, как он попал в школу-интернат на Наличной улице.

Итак, я продолжал движение и остановился в сквере на пересечении Наличной и Кораблестроителей. В сквере стоял черный обелиск. У обелиска сидел старичок. Я подошел поближе. Обелиск был огорожен чугунной решеткой. Я открыл калитку, подошел поближе к обелиску и прочел надпись: "Пятерым казненным декабристам: Михаилу Бестужеву-Рюмину, Петру Каховскому, Павлу Пестелю, Кондратию Рылееву, Сергею Муравьеву-Апостолу, от Василеостровского райкома ВКП(б). 1825–1925".

Василеостровский райком ВКП(б) образца 1925 года

Я многим показывал этот памятник. И все хихикали. Почему-то всех смешила надпись: "От Василеостровского райкома ВКП(б)". А я вот не рассмеялся. Во-первых, потому что я понял: в 1925 году в Василеостровском райкоме ВКП(б) работали люди, которые знали легенду или версию: пятеро казненных декабристов были выброшены на городскую свалку на острове Голодай. Значит, они не просто поставили памятник, они поставили... кенотаф. Надгробие над предполагаемой могилой. Во-вторых, уже тогда я знал, что такое Василеостровский райком ВКП(б) образца 1925 года... Уже тогда я знал, что у работников этого райкома было куда больше общего с декабристами, чем с современными мне разъетыми и наетыми партчиновниками. У этих много общего с царской жандармерией и бюрократией самого скверного пошиба.

Я так считал тогда. И сейчас так считаю. "По обстоятельствам вновь открывшегося дела" этот мой "счет" и "расчет" только усилились. Пожалуй, нужно пояснить, почему я, вполне себе советский интеллигентный подросток, тогда *так* считал. Советская идеология была удивительным явлением. Уникальным, единственным в своем роде. Вполне себе химерическим и кентаврическим. Потому-то ее распад так трагикомичен, нелеп и жуток. Будто смотришь хороший фильм ужасов. С одной стороны — страшно, с другой стороны — противно. Но есть еще и третья сторона, с этой стороны: смешно.

Советская идеология сложилась из двух пластинок. В принципе — несовместимых. Скрепляла эти пластинки кровь и память великой войны. Только она. Первая пластинка — это коммунистическая, интернационалистская вера. Та, в которой естественно звучат строчки Маяковского: "Это — чтобы в мире без Россий, без Латвий жить единым человечьим общежитьем", Кульчицкого: "Только советская нация будет, только советской нации люди", слова Ленина на VIII съезде партии: "Патриотизм для нас, коммунистов, вопрос третьестепенный", слова Волгина из последнего романа Чернышевского "Пролог": "Нация рабов. Все рабы, сверху донизу все — рабы"...

Вторая пластинка была — русский патриотизм:

И пусть я покажусь им узким
И их всесветность оскорблю,
Я — патриот. Я воздух русский,
Я землю русскую люблю...
....
Я б сдох как пес от ностальгии
В любом кокосовом раю.

Павел Коган

Каким образом соединялись эти взаимоисключающие "пластинки", отлично объяснил всё тот же Павел Коган, один из самых умных поэтов России: "Им, людям родины единой, едва ли им дано понять, какая иногда рутина вела нас жить и умирать..." Русский патриотизм как детонатор мировой революции, что ни говори, — парадоксальнейшая картина.

Но та партия, что взяла власть в России в октябре 1917 года, была поначалу партией... парадоксалистов. В противном случае разве написал бы один из ее руководителей, Ленин, в 1908 году статью "О черносотенстве", начинающуюся словами "В нашем черносотенстве есть одна... чрезвычайно важная черта... — темный мужицкий демократизм, самый грубый, но и самый глубокий" и заканчивающуюся рассуждением о том, что во время грядущего социального взрыва именно дремучие, архаичные слои населения станут стихийными союзниками самой передовой и самой революционной партии России.

На уровне рефлексии вся эта, что ни говори, сложная и шаткая конструкция держалась с трудом. На уровне эмоций человек, оказывающийся в этой конструкции, волей-неволей принимал одну из "пластинок" за основу, а с другой мирился как с неизбежным злом. Здесь уже начинались круг чтения, традиции семьи *und so weiter, et cetera*. Любимой книжкой детства у меня был "Девяносто третий год" Виктора Гюго, любимым чтением отрочества "Люди. Годы. Жизнь" Ильи Эренбурга и протоколы партсъездов с третьего по четырнадцатый, изданные при Хрущеве.

Оттепель была началом разложения на составляющие части советской идеологии. Кто хватался за Булгакова и Бунина, а кто — за протоколы партсъездов и смотрел на противоположную сторону с удивленным недоумением: вот ведь как загадили сознание пропагандой… Помню, как я покупал в букинистическом магазине "Русскую историю в самом сжатом очерке" Михаила Покровского, человек чуть постарше меня (и побогаче) покупал гимназический курс истории Иловайского. Оба мы (у кассы), расплачиваясь, именно так (с покачиванием голов) друг на друга посмотрели. Даже спорить не стали. Просто разошлись в разные стороны.

Всякий, кто читал протоколы до-сталинских съездов, прекрасно понимал, что Василеостровский райком ВКП(б) образца 1925 года был очень близок к декабристам. Не только потому, что и те, и другие были революционерами. Но и потому, что и те, и другие были революционерами, обреченными на поражение. Причем на такое поражение, в ходе которого и те, и другие (по большей части) будут… сознаваться. Каяться. За редкими, но почетными исключениями.

Василеостровский райком ВКП(б) образца 1925 года был в той городской организации коммунистов, что смогла организовать первое и последнее массовое (подчеркнем) массовое сопротивление сталинизму, с митингами, с демонстрациями, с организацией подпольных типографий, с поддержкой и рабочего класса, и молодежи. Это была так называемая "ленинградская оппозиция", или "троцкистско-зиновьевская". Участником этой оппозиции был Варлам Шаламов. Его арестовали как раз таки в подпольной типографии, печатавшей "Завещание Ленина".

Про нее пишут, что это были враги нэпа и сторонники наступления на частный сектор в экономике советской России. Это — так и не так. Если бы это было так, то в число оппозиционеров не вошел бы нарком финансов России, проведший весьма удачную финансовую реформу, Григорий Сокольников. Главным пунктом разногласий "ленинградцев" и "москвичей" была... партийная демократия, растущая власть бюрократического аппарата и лично товарища Сталина. Поэтому оппозиционеры распространяли письмо Ленина с предложением сместить товарища Сталина с поста генсека, поэтому именно за это "Завещание Ленина" клепали срока... сразу и мощно.

Нам это кажется странным. Письмо опубликовали после XX съезда, и шума оно не произвело. Собственно, этот персональный, личностный упор давал возможность Сталину обвинять "ленинградскую оппозицию" в не-марксизме, в беспринципности. Мол, выходит, вы, товарищи, только об одном талдычите: долой Сталина! Не по-марксистски это, товарищи, нет, не по-марксистски. Собственно, по таковой же причине некоторое число оппозиционеров в начале тридцатых годов покаялись и вернулись в партию.

Сталин осуществил экономическую программу Троцкого: насильственная коллективизация, все силы на развитие тяжелой индустрии, полный разгром частного сектора — история идет своим путем. Ей все равно, чьими руками будет осуществляться ее ход. Остались самые упертые, самые упрямые... Те, которые возразить на марксистский тезис о безразличии истории к тем, кто осуществляет ее ход, не могли, но темным чувством... революционеров понимали: что-то здесь не так в этом... ходе истории. Какой-то тут сбой... часового механизма. Умирающие от голода крестьяне на улицах городов; рабочие, которым заткнут рот; забытый партмаксимум; ритуальные собрания; откровенная ложь в газетах; бесстыжее славословие вождей, то есть уже одного вождя... Нет, нет, что-то здесь не так...

Этих оппозиционеров было не много, но и не мало. С 1928 года они (по сути) не выходили на свободу. Именно они пытались организовать лагерное сопротивление, первое лагерное сопротивление сталинской карательной машине. Именно их уничтожили первыми в 1937 году. Солженицын не великий (мягко говоря) поклонник троцкистов. Но вы почитайте соответствующие страницы "Архипелага ГУЛАГа", посвященные отчаянному и безнадежному сопротивлению последних революционеров. Солженицын не может скрыть уважения к этим людям. "Смерть надвигалась на них в белых маскхалатах..."

Я довольно долго стоял у монумента пятерым казненным декабристам. Потом вышел за чугунную ограду. Я подумал тогда про еще одну аналогию, связывающую декабристов и Василеостровский райком ВКП(б) образца 1925 года. Как именно тогда я подумал, сказать не могу, посему скажу сейчас, учитывая те факты, которые стали известны мне много позже. Кто составлял костяк "ленинградской оппозиции"?

"Старые" коммунисты (условно говоря, "старые"), те, что выиграли Гражданскую войну. Здесь два момента.

Первый: эти люди знали — они выиграли. Не бог, не царь и не герой. Не Сталин, не Ленин, не Троцкий, не Зиновьев — они. Без них не было бы победы. Второй: эти люди были готовы к смерти, к катастрофическому поражению. Они прекрасно знали: их победа — чудо, удача, везение, фарт. По всем марксистским канонам (а они были марксистами) они должны были проиграть, но их поражение (как поражение Парижской коммуны) должно было сдетонировать во всем мире.

Их руководитель, Троцкий, ясно сказал об этом на похоронах своего друга, Адольфа Абрамовича Иоффе: "Тому, кто не готов войти в историю со скорбным знаком Робеспьера, с нами не по пути..." К этим "старым" коммунистам подверстывалась молодежь, одушевленная теми же мыслями и эмоциями. Что нужно сделать? Сталин придумывает гениальный ход. Он (в 1924 году) широко распахивает двери партии. Ленинский призыв! Надо растворить фанатиков революции в массе лично преданных вождю... да, карьеристов.

Они совсем не намерены погибать. Они намерены жить, и хорошо жить. Они совсем даже не победили в Гражданской войне. По большей части они эту Гражданскую войну переждали, а кое-кто из них сражался по другую сторону фронта. В ленинский призыв, например, в ВКП(б) вступил бывший колчаковский офицер, Кошкин. Человек во многом замечательный. Он стал одним из создателей советской бухгалтерии. Ректором ФИНЭКа в Ленинграде. Во время войны оказался в Пятигорске, перешел на сторону немцев, вступил в НТС. Очень много писал о красном терроре. Это на его подсчеты жертв красного террора ссылается Солженицын. Ребят вроде Кошкина, готовых выжить, и выжить хорошо и любой ценой, Сталин набрал немало.

И добился своего. Растворил мятежную массу революционеров в массе… карьеристов, лично преданных вождю карьеристов. Но ведь это же в точности политика Николая Первого по отношению к дворянству после декабрьского восстания. Царь как будто услышал рассуждения Пушкина: "Эдакой *страшной стихии мятежей* нет и в Европе. Кто были на площади 14 декабря? *Одни дворяне.* Сколько ж их будет при первом новом возмущении? Не знаю, а кажется много" — и широко распахнул ворота дворянства для всех законопослушных и хорошо работающих на государственных пажитях.

Кстати, не исключу, что и услышал. Рассуждение это из дневниковой записи беседы Пушкина с великим князем Михаилом Павловичем. Почему бы младшему брату не поделиться со старшим братом такими вот интересными мыслями хорошего поэта? Почему бы эти мысли не принять на вооружение?

Примерно так я рассуждал о странной родственности декабристов и… Василеостровского райкома ВКП(б) образца 1925 года. Ход моих рассуждений был прерван старичком, тем, что сидел на скамеечке. Он поднялся, собрался уходить и заметил: "Любуетесь? Баскакова работа…" — "Кого?" Старичок, уходя, бросил: "Николая Павловича. Был такой Николай Павлович Баскаков…"

Баскаков

Так я впервые услышал фамилию человека, от которого не осталось ничего. Или почти ничего. Человека, чей портрет был разорван осенним ветром. Злорадствующие скажут: который такие, как он, и подняли. Я не возражу, но злорадствовать не буду. Не так воспитан. Я буду печалиться. Постепенно из обрывков, оставшихся, уцелевших, стал складываться портрет. Удивительный, надо признаться, портрет.

Вообще-то всякий, кто интересуется русским авангардом начала XX века, знает хоть что-то про Николая Баскакова. Да. Директор Дома печати. Да. Покровитель обэриутов, "Школы аналитического искусства" Павла Филонова, режиссера Игоря Терентьева. Да, это он посоветовал будущим обэриутам сменить название своего объединения в их Манифесте. В первоначальном названии было слово "левый". Баскаков отсоветовал молодым авангардистам так называться.

"Направленность в искусстве, — дипломатично заметил Баскаков, — следует определять словами собственного лексикона", — цитирует воспоминания последнего обэриута, Игоря Бахтерева, биограф Даниила Хармса, поэт Валерий Шубинский. Да. Это Баскаков предложил филоновцам расписать залы Дома печати своей аналитической живописью. Да. Это Баскаков предоставил сцену Дома печати для постановки "Екатерины Бам" Хармса и для самой авангардистской интерпретации гоголевского "Ревизора" режиссера Игоря Терентьева.

Финал “Ревизора” у Терентьева был абсолютно хулиганский, но... ей-ей, остроумный и вовсе не бессмысленный. “Прибывший по именному повелению...” — и входит... Хлестаков. Немая сцена. Вот это — настоящая немая сцена. Это одна сторона деятельности Баскакова. Если угодно, меценатская или культуртрегерская. И то сказать, чем может гордиться, да и гордится в искусстве XX века Россия и Ленинград в особенности? Чье творчество исследуют во всем мире? Филонова, Хармса, Заболоцкого, Введенского. А кто протянул им руку помощи? Кто предоставил им сцену, помещение, официальное прикрытие? Николай Павлович Баскаков, директор Дома печати.

Предоставил он им всё это, будучи сам под ударом. Да еще под каким! Потому что есть и другая сторона деятельности Николая Павловича Баскакова 1896 года рождения, активного участника Февральской и Октябрьской революций, Гражданской войны. До 1927 года он был главным редактором “Ленинградской правды”, главного рупора “ленинградской оппозиции”. О Баскакове вспоминал историк Николай Полетика, автор одной из самых интересных книг о начале Первой мировой “Сараевское покушение”. В семидесятых Полетика (украинский дворянин, да-да, из рода той самой Идалии Полетики, злого гения Пушкина, сплетницы и интриганки) эмигрировал... в Израиль.

В Израиле написал воспоминания. В них и появляется Баскаков. Из песни слова не выкинешь. Полетика приехал в Ленинград из Украины, устроился работать в “Ленинградскую правду”. Побеседовал с главным редактором “маленького роста, энергичным человеком с голубыми, печальными глазами”. Редактор поинтересовался, знает ли молодой сотрудник иностранные языки. Полетика ответил: да, английский, французский, немецкий. Прекрасно, отвечал Николай Павлович Баскаков, будете работать нашим собкором в Лондоне.

“Вы пошлете меня в Лондон?” — изумился Полетика. “Нет, — вздохнул Баскаков, — такой возможности у нас нет. Мы будем снабжать Вас иностранной прессой, насколько сможем оперативно, вы будете делать выжимки, понимаете? И публиковать, как наш собкор из Лондона…” Что Полетика и делал, насколько мог добросовестно. Больше Баскаков в его мемуарах не появляется.

Зато он появляется в других воспоминаниях. В мемуарах Виктора Сержа (Виктора Сергеевича Кибальчича), племянника Николая Кибальчича, народовольца, по чьим чертежам готовилась бомба, взорвавшая Александра II. Того самого Кибальчича, что чертил в камере смертников космическую ракету. Тотлебен, герой Севастопольской обороны, говорил: “Да я бы этого парня засадил бы в тюрьму на всю жизнь и приказал разрабатывать ракеты. Цены бы ему не было…” Провидец. Предсказал бериевские шарашки.

Виктор Серж был русско-французским революционером. В Петрограде с 1917 года. Один из организаторов Третьего Интернационала. Само собой, активный участник “ленинградской оппозиции”. После разгрома оппозиции на XIV съезде продолжил борьбу, как и Николай

Павлович Баскаков, вместе с которым он был арестован в феврале 1928 года.

В Доме печати Баскаков печатал антисталинские листовки, в том числе и “Завещание Ленина”. “После неоднократных допросов (Баскаков) признал свое участие в подпольной антисоветской организации и принадлежности к руководящему центру. В то же время он заявил, что давать какие-либо показания по сути дела он не намерен, т. к. это дело не ГПУ, а партийной организации”, — приводит отрывок из следственного дела Баскакова уже поминаемый мной Шубинский в биографии Даниила Хармса.

Потрясающий документ. Перед нами пусть и своеобразное, но совершенно безупречное правосознание. Есть государственные органы, в частности ОГПУ, а есть партийные. Наш спор с товарищем Сталиным — спор партийный. Пусть этим спором занимается партия, а не государство. Вот таких Сталину надо было выжигать каленым железом. Он и выжег. Сержа выцарапали из ссылки Эренбург и Андре Мальро в 1934 году. Одним из условий участия французских левых писателей в Первом антифашистском конгрессе было освобождение Виктора Сержа. Сталин это условие выполнил.

За Баскакова и многих других троцкистов просить было некому. Да они бы и не приняли ничьих просьб. Николай Баскаков сначала был сослан в сибирский город Камень, потом в Саратов. С ним переписывался Филонов. Сохранился отрывок из письма Баскакова Филонову. Баскаков там писал о важности “надстроечной” борьбы Филонова с фактически черносотенными, реакционными, псевдореалистическими направлениями в живописи. И добавлял, что не считает, будто то, что он (Баскаков) делал в Доме печати в качестве официального его директора, было чем-то несерьезным. Нет, это было очень и очень серьезно. Возможно, это-то и останется. Так ведь и осталось…

В 1933 году Баскаков арестован, заключен в Верхнеуральский политизолятор. В 1936 году осужден ОСО к пяти годам лагерей на Колыме. Активный участник сопротивления заключенных в Севвостлаге. Расстрелян. Вот и всё, что известно о Николае Павловиче Баскакове. Неизвестно даже, каким образом он причастен к установке монумента на Голодае "Пятерым казненным декабристам от Василеостровского райкома ВКП(б)". Портрет разорван. Такая вот история моего анабасиса. Шел к морю в Петербурге — Петрограде — Ленинграде — Петербурге, а пришел к разорванному осенним ветром портрету одного из тех, кто поднял этот ветер. И нет (повторюсь) во мне злорадства. Есть (еще раз повторюсь) скорбь и печаль.

Кронштадт

А кто был тот старик, что первым сказал мне про Николая Павловича Баскакова, я не знаю. Когда я переехал жить на Голодай, Остров Декабристов, я его больше не видел. Тоже какой-то осколок, обломок. В Ленинграде было полно таких осколков, чудом выживших, чудом уцелевших. Мне повезло, я таких знавал. Беседовал, например, с дочкой Андрея Ивановича Шингарёва, Еленой Андреевной, жившей на улице Рентгена в той же квартире, где жила вся ее семья. После революции семью "уплотнили". Когда я приходил к Елене Андреевне, она была квартуполномоченной большой коммуналки, как дочь бывших владельцев.

Это практиковалось. Если вы внимательно читали "Софью Петровну", то должны были обратить внимание на то, что Софья Петровна, во-первых, живет в бывшей своей, "уплотненной" квартире, а во-вторых, она квартуполномоченная. Любопытная практика, что ни говори. Я помню еще один осколок. Мою старую учительницу по немецкому языку. Когда стало ясно, что в немецком я ноль, если не минус единица, родители наняли мне репетиторшу. И я ходил к Кире Петровне на Салтыкова-Щедрина, ныне Кирочную.

Поначалу я Кире Петровне не нравился ленью, безалаберностью, забывчивостью и полной неспособностью к языкам. Но как-то потом она ко мне потеплела. Поднатаскала кое-как на *Deutsche Sprache*. Стала разговаривать о разном. Один раз дала почитать свою тетрадку, в которую аккуратным, ясным почерком был переписан Гумилев — и "Озеро Чад", и "Индюк", и "Капитаны", и стихотворение, которое я нигде больше не встречал, но Кира Петровна уверяла, что это его стихотворение: "Та страна, что могла бы быть раем, стала логовищем огня, мы четвертый день наступаем, мы не ели четыре дня".

В другой раз она дала мне почитать старую желтую немецкую коммунистическую газету, в которой был напечатан огромный очерк Карла Радека о Жорже Клемансо, *"Der tote Tiger"* — "Мертвый тигр". Радек был одним из руководителей "ленинградской оппозиции", потом сдался на милость Сталина. По-русски он писал не очень, но по-немецки — блистательно. До сих пор помню "пыльный бюст Робеспьера на книжном шкафу" Жоржа Клемансо, описанный Карлом Радеком. Шутил Радек по-русски хорошо: "Очень трудно спорить с товарищем Сталиным: ты ему сноску, он тебе ссылку".

С Карлом Радеком ссылкой дело не обошлось. В 1937 его убили в тюремной камере уголовники. С Кирой Петровной мы беседовали о многом. Она родилась и до 1921 года жила в Кронштадте. Когда она потеплела ко мне, то стала вполне откровенна. Говорила, что Кронштадт пережил две трагедии: февраль 1917 года, когда матросы убивали всех, кто в офицерской форме, и март 1921-го, когда карательные отряды убивали просто всех или почти всех. Кира Петровна спаслась чудом. Она работала машинисткой в Кронштадтском совете. Была свидетельницей того митинга, на котором арестовали Михаила Калинина. Арестовали, а потом выпустили с требованиями: Советы без коммунистов, отмена продразверстки.

Кира Петровна довольно забавно рассказывала об этом митинге. Подружка заскочила в совет, говорит: "Чего ты тут киснешь? На площади Калинин говорит, побежали!" Побежали и прибежали уже тогда, когда площадь была запружена. Микрофонов не было, что говорит Калинин и что ему говорят, было не разобрать. Можно было разобрать только, что происходит что-то странное. Кира Петровна спросила у впереди стоящего: “Что происходит-то?” Впереди стоящий повернулся и спокойно объяснил: “Ничего особенного, барышня. Калинина арестовывают…”

В ответ на этот рассказ я заметил: “Так начался кронштадтский мятеж…” — “Какой мятеж? — возмутилась Кира Петровна. — Никакого мятежа не было…” — “Ну, восстание…” — “И восстания не было…” — “Как не было?” — изумился я. Кира Петровна даже голос понизила: “Какое восстание? Какой мятеж? У нас был флот. Были ледоколы. Были пушки. Если бы мы разбили лед вокруг Кронштадта, как бы нас штурмовали? По льдинам бы прыгали с винтовками, как, помните, в «Хижине дяди Тома» беглая мулатка с младенцем…”

Я был потрясен таким объяснением. Во-первых, как это никому из исследователей кронштадтской… вооруженной демонстрации не пришла в голову такая простая мысль… В самом деле, разбить лед — и всё… Во-вторых, вот эти местоимения “мы”, “у нас”… Кира Петровна воевала на Ораниенбаумском плацдарме. Попала в плен. Выжила. Преподавала в советских школах и институтах. Она была нормальной советской интеллигентной женщиной, но… по отношению к Кронштадту марта 1921 года у нее осталось “мы”, “у нас”. И никакого восстания у нас тогда не было.

Тогда я не понял. А сейчас понимаю. Я шел к морю и не мог дойти, а оно этим рассказом пришло ко мне само. Потому что как бы ни отгораживался Петербург — Петроград — Ленинград — Петербург от моря, оно здесь везде и плеснуть может откуда угодно. “И нет Петербурга. Есть город осеннего ветра”.

Андрей Аствацатуров
“Едет маленький автобус…”

Михаилу Елизарову

Маршрутное такси

В Санкт-Петербурге, в самом европейском городе нашей необъятной российской империи, встречается удивительное разнообразие общественного транспорта. У нас есть все, что пожелается пассажиру, даже самому что ни на есть фантазийному и привередливому: тут и широченные автобусы, щедро размалеванные рекламой, и рогатые, как антилопы джейран, троллейбусы, и дребезжащие трамваи, и поезда метрополитена, ритмично постукивающие колесами, и нарядные такси с шашечками и лампочками. Весь этот автотранспорт, завезенный из соседних стран, смотрится на наших улицах шикарно, очень по-европейски и, главное, — вместительно.

Однако в семье, как говорят, не без урода, и среди заграничных средств пассажироперевозок случаются досадные исключения. Возьмем, к примеру, маршрутный автобус. В Петербурге он почему-то мал и неказист. Да вдобавок еще и тесен. Хочется спросить: как же так? Как такое возможно? Ведь мы не просто окраинный город. Мы — северная столица, "окно в Европу", Венеция... Нам это неправильно со всякой точки зрения. Особенно — с культурной. Неправильно, неприлично и невозможно.

Посудите сами... Вот залез ты, скажем, в маршрутку. И слово-то какое — "залез"! Слышите? В автобус, троллейбус, трамвай петербуржцы самым пристойным манером "заходят". Заходят, не задерживаясь, не препятствуя закрытию дверей. ("Следующая остановка, — объявляют вам по громкой связи, — «Гостиный Двор»".) В метро — "спускаются". ("Граждане, соблюдайте чистоту и порядок на станциях и в вагонах метрополитена...") А в эту самую маршрутку именно что "залезают".

Так вот, залез ты в маршрутку, и сразу, с порога, с подножки — никакой тебе навстречу европейской благовоспитанности, никакой приватности, никаких гражданских прав, никакого уважения. Стоишь ли ты теперь, согнувшись по-холопски в три погибели, подпирая спиной потолок, сидишь ли, уткнувшись в телефон, или в книгу, или даже в телефонную книгу (кто у нас там?) — тебя обязательно со всех сторон будут толкать, пинать, задевать руками, одеждой, сумками, пакетами, всем, чем только

ДК Работников связи

случится. Тут, конечно, многое зависит от маршрута. Ежели ты утром из центра, а вечером — в центр — это еще куда ни шло. А ежели наоборот — что бывает чаще, — пеняй на себя. Но главное здесь даже не время суток, а другое время — Время Года.

Вы не замечали, что зимой пассажиров в транспорте как будто больше, чем весной, чем летом и чем осенью? А если не замечали, попробуйте зимой, в декабре, проехаться каким-нибудь маршрутом. Ну, хоть 4-м, от метро “Черная речка”, через острова, сквозь Петроградскую и далее, миновав крепость, за реку, затем, огибая слева Марсово поле, по Садовой, к Невскому и дальше куда-то — я не знаю куда, — наверное, в Коломну, я всегда выхожу раньше.

Для начала хотя бы “залезьте” в эту самую маршрутку, и вы всё сразу поймете. Тесно, придавленно, узко так, что никак не разойтись с этим вот потертым мужчиной сорока лет или вот с этой сухопарой дамой, которая теперь застыла, согнувшись у входа, одной рукой шарит в сумке в поисках, наверное, кошелька, другой — держит за руку мальчика лет пяти-шести. Тут как в застенке: не повернуться, не встать во весь рост, не усесться поудобней, как следует, как привык дома. И, главное, создается впечатление, что полно народу. Хотя вроде бы половина мест свободна. Почему так?

Да все потому, что зимой мы занимаем куда больше места, чем весной и летом. Человек — особенно если он проживает в Питере — всегда старается занять больше места, чем ему положено. А зима со своей стороны всячески потворствует ему в этом начинании. Ведь именно благодаря зимней одежде мы делаемся объемнее, крупнее, толще, благодаря этим меховым шапкам, благодаря ботинкам и сапогам с каблуками, похожими на копытца, благодаря курткам, плотным пальто, пуховикам и шубам. Впрочем, шубы в маршрутках появляются нечасто: их владельцы почему-то избегают сюда залезать и предпочитают пользоваться личным автотранспортом.

В самом деле, зимой мы кажемся как-то значительнее, существеннее, сущностнее. Нас легче заметить, разглядеть, отличить друг от друга. Летом пройдешь, бывает, по городу и куда ни кинешь взгляд — повсюду не люди, а черт знает что такое! Вот идет себе вроде толстый, а почему-то худой и тщедушный. Или этот высокий, широкий в плечах, но почему-то короткий и узкий. И задница вроде выпирает у него, и живот — а все равно и задница, и живот плоские, вровень с ногами. Тьфу! Тут и сплюнуть-то нечем… А зимой? Зимой — совсем другое дело! У него — и рост, и руки, и туловище, и весь обхват, и, наверное, душа с мыслями… Теперь он человек, который звучит гордо, громко и подолгу. Тут даже позволительно достать телефон и звучно в него заговорить. У нас в Петербурге все обычно так и делают. Вопреки мнению врачей, зима возвращает красному воспаленному петербургскому горлу зычный голос, а его хозяину — уверенность.

И вот с этим голосом, с этим прибавлением в теле, вытянувшиеся, как подростки после летнего отдыха, мы принуждены залезать в маршрутный автобус. В маленький, короткий маршрутный автобус, в три раза меньше супротив обычного. И куда только смотрит наше градоначальство? Решительно не понимаю…

Но раз уж мы сюда залезли, расплатились с кондуктором, пожилым носатым кавказцем с густыми усами, раз уж мы уселись и уже едем, то, наверное, можно расслабиться, оглядеться и сменить стиль рассказа.

Вовочка, убери язык!

Пассажиров немного. Мужчина с распаренным лицом, в грязноватой выцветшей куртке. Он сосредоточенно перелистывает многостраничную бесплатную газету, пестрящую предновогодней рекламой. Через проход сидят молодые люди в наглухо застегнутых зеленых пуховиках. Оба опустили головы и уткнулись в свои телефоны. Иногда перебрасываются короткими репликами. Судя по голосам, эти молодые люди разнополые, хотя кто из них девочка, а кто мальчик, определить трудно. Наверное, мальчик — вон тот, с железной козявкой в ухе. За ними устроилась сухопарая женщина в желтом пальто, на соседнем сиденье — ребенок.

— Вовочка, убери язык! — говорит она ему уже, наверное, в четвертый раз. Говорит громко, заглушая шум улицы и пыхтенье двигателя. Я поворачиваю голову к окну. Сейчас середина дня, но уже сумерки. В Петербурге зимой всегда сумерки. Они начинаются с самого утра, переваливают за полдень и незаметно превращаются в ночь, бесконечную, шумную, лихорадочно освещенную электричеством.

Наш маленький автобус скрипит и трясется всем телом. Мы выныриваем из-под виадука и взбираемся на мост.

— Вовочка, убери язык, я кому сказала! — снова повторяет женщина сердитым голосом.

В окне маршрутки — замерзшая река, то ли Малая Невка, то ли Большая — я всегда их путаю. Тусклая снежная лента, тающая в сумерках. Если долго в одиночестве идешь по заснеженному руслу, в отдалении берегов, под ногами рассыпчато скрипит снег — обязательно покажется, что рядом с тобой есть кто-то, что он тоже ступает в снег, бок о бок с тобой. Обернешься вокруг себя — никого…

— Вовочка, убери язык! — снова подает голос женщина.

Мои мысли вдруг обращаются к Кате. Вчера она страшно разозлилась, когда я пытался поцеловать ее и пустил в ход руки. Нахамила. Да я и сам был не в духе. Устал от наших случайных гостиничных свиданий, тайных, стыдных, поспешных, устал всюду разыгрывать ее старого школьного друга, ботана, комплексушника, лузера, устал от пустых разговоров с продюсерами, пиарщиками, шоферами, от доверительных бесед с ее любовником, у которого вставные сверкающие зубы и золотые запонки.

— Вовочка, убери язык! — женщина гнет свое. — Я тебе русским языком говорю! Убери язык! Сейчас же убери язык!

Молодые люди дружно поднимают головы от своих мобильников и весело переглядываются. Наш маршрутный автобус, уже одолевший мост, начинает понемногу замедлять ход, прижиматься к тротуару и наконец останавливается.

В салон через спинки сидений просовывается взъерошенная голова усатого водителя.

— Вова, дорогой! — произносит он с сильным кавказским акцентом. — Я больше не могу это слюшать! Сейчас врэжусь, и все умрут… Как человека прошу! Убери язык!

Мужчина в старой куртке, что сидит передо мной, едва шевельнув плечом, невозмутимо продолжает перелистывать газету. Молодые люди смотрят друг на друга и начинают визгливо смеяться.

— Вовочка… — злобно шипит женщина. — Слышал, что тебе дядя сказал? Убери сейчас же язык!

Наш маленький автобус снова трогается. Мысли о Кате вдруг пропадают, и я снова принимаюсь думать о городе и о зиме.

Император и осень

Зимой, я давно заметил, мыслей в голове подозрительно много. Осенью мыслей меньше, но зато они прямее и правильнее. Осенью сам Петербург кажется прямым и правильным, ровно таким, каким его с самого начала начертил император. От холода тут все сжимается до правильности, до прямоты: мосты, дома, улицы; все возвращается к математической изначальности и сухому расчету карандаша, циркуля и линейки. Когда я был маленький, в ленинградском цирке выступал клоун с собакой. Клоун звался Карандаш, а собака — Клякса. Карандаш и Клякса… Император бы наверняка не одобрил. Клоунов он еще мог терпеть, а вот кляксы на дух не переносил. Сразу тянулся ручищей к дубинке. Его влекла аккуратность, спокойная геометрия, та, что всегда случается в городе от осеннего холода.

Работу холода довершают дожди. Они монотонно идут в октябре, поливая сонные сады, пустые парки, шумные бульвары, постепенно смывая живое, физическое, всю материю, оставляя только черные прочерки кустов и деревьев, над которыми золотыми стрелками сверкают шпили, иглы и иголки, уткнувшиеся в пустое небо.

"Шубки и Шабки"

Зато зимой город преображается. Причем так, словно старается сделать назло осени и покойному императору. Преображаются люди, постройки, памятники, деревья. Они "одевают шубки и шабки". Второклассником я написал такое в школьном сочинении. Эти "шабки" родители еще потом полгода мне вспоминали. Хотя, с другой стороны, что тут неправильного? Если есть "шубки", то к ним, согласитесь, должны прилагаться именно "шабки", а не что-то другое.

Я смотрю в окно маршрутки. Похоже, этой зимой "шубки и шабки" действительно сделали свое дело. Из-за снега за окном все кажется крупным, раздувшимся, куда большим, чем оно есть на самом деле. Дома, пластиковые крыши остановок, башенки, трубы, парапеты набережных делаются выше прямо на глазах, словно намереваются посоперничать со всеми этими императорскими шпилями, иглами, иголками и даже с телевизионной вышкой, что стоит тут неподалеку. Антенны, торчащие из домов, провода, паутиной висящие над улицами и площадями, как будто утолстились, разжирели. Памятники тоже разжирели. Эти императоры, революционеры, полководцы, поэты дружно решили наперегонки выставить себя на всеобщее обозрение, видимо, в опасении, что их забудут, задвинут на задний двор какого-нибудь музея.

Даже голые коневоды, что на Аничковом, — и те покрылись снегом, запахнулись в больничные халаты. Так оно, в самом деле, правильнее, да и достоинства побольше. Согласитесь, торчать на виду у всех голыми, посреди столицы, пусть даже бывшей, срам один… Скандал…

Улицы, проспекты тоже раздались, разжирели, вспучились сугробами, потеряли границы, контроль, сделались тесными. Весь Петербург зимой становится тесным, как вот эта маршрутка, в которой мы сейчас едем. Автомобили, автобусы, троллейбусы, грузовики, мотоциклы, фуры, светофоры, фонари, вывески — зима всё сближает, смешивает — наверное, затем, чтобы вернуть в новом порядке, вытащить из истории. И уже потом непонятно, где тут кто. Кто вот тут стоит памятником, под снегом, под “шубкой” и “шабкой”? Кутузов? Суворов? Пушкин? А может, сам император? Его геометрия сломалась. Даже вертикальность — и та оказалась поколеблена: пешеходы, ручные тележки, коляски скользят, теряют равновесие, опрокидываются…

— У светофора остановите… пожалуйста! — просит женщина, та, что с мальчиком. Маршрутка резко тормозит у ДК Ленсовета, у безумной постройки, из которой рвутся наружу во все стороны плоскости, углы, конусы… Женщина с усилием дергает дверную ручку и выбирается наружу. Вслед за ней вылезает мальчик.

— Вова! Убирай язык, дорогой! — напутствует его водитель.

Телефонный звонок

В правом кармане куртки начинает верещать и вибрировать телефон.

— Але! — говорю я в трубку.

— Чего “але”? — в телефоне нетерпеливый Катин голос. — Тебя когда вообще ждать?!

Маршрутка снова останавливается. Австрийская площадь, крошечная, как сама Австрия. Дверь отодвигается. Молодые люди в пуховиках по очереди вылезают, и в проем просовывается голова девушки в разноцветном шерстяном берете. Короткий нос кнопочкой, маленькие глазки, густо подведенные чернилами. Она начинает задавать водителю вопросы, причем очень громко и прокуренным басом. Он в ответ мотает головой и почти кричит:

— Нэт! Бэз денег не повэзу! Бэз денег пишком ходят!

— Ты… — я слышу, Катя в телефоне произносит какую-то фразу, но слов не разобрать. Вокруг слишком много посторонних звуков. Водитель и девушка продолжают перекрикиваться, грохочет транспорт, гудят сирены, скрипят тормоза, с тротуаров несутся крики, взрывы предновогодних петард.

Когда Катя приезжает сюда, мне кажется, в моей жизни и везде воцаряется чудовищный хаос. Но я по-прежнему люблю ее вывороченные ненастоящие губы, ее водянистые глаза болотной ведьмы, ее сильные прохладные ноги.

— Катя, тут… это… не слышно ничего. Выйду — наберу тебя, ладно?

Даю отбой и сую телефон обратно, в карман куртки.

Девушка, не та, с мужским голосом, а уже совсем другая, в синей куртке с капюшоном, залезает внутрь и пробирается мимо меня на заднее сиденье. Мужчина впереди по-прежнему невозмутимо перелистывает газету.

— Все сэли? Можем ехат? — спрашивает водитель.

Я поворачиваю голову к окну. В окне, в его сумрачном свете я вижу прозрачное серое отражение своего лица и сквозь него — лихорадочно проносящуюся мимо уличную снежную жизнь, сверкающую огнями окон, фонарей, фар и светофоров. Наверное, сверху Каменноостровский проспект похож сейчас на темный широкий поток, кипящий электрическими огнями. Они зажигаются, гаснут и снова загораются.

Катя, когда мы остаемся вдвоем в гостинице, почему-то любит все время включать и выключать свет. У нее всегда под рукой сигареты, зажигалка и обязательно настольная лампа.

Мы познакомились в Париже пять, а может, шесть лет назад, я точно не помню: за эти годы произошло так много всего… Она прилетела из Москвы в Париж на неделю выступить пару раз в каком-то закрытом местном клубе для русских богатеев. А я оказался в Париже случайно — приехал на культурный форум делать доклад с философом-неогегельянцем Погребняком. Еще из знакомых там был наш друг, художник Лёня Гвоздев.

Помню, мы все вчетвером страшно напились в каком-то ресторане в Клиши, и Гвоздев все бубнил, что хочет прямо сейчас написать Катю голой, верхом на пятиглавом змие. Где он собирался искать краски, холст и пятиглавого змия в два часа ночи в европейской столице, было непонятно.

— Ты, дурак, жену свою сначала нарисуй… — смеялась Катя.

Гвоздев в ответ только морщился.

— Материала там, Катюха, мало, материала… — повторял он поплывшим голосом. — Пойми ты! Мне материал нужен…

В гостинице

— Сколько раз тебе говорено! Не надо руками лезть! — объявила мне вчера Катя после очередной нашей ссоры. — Я их себе сделала, чтобы все смотрели, а не трогали. Ясно?

Мы лежали на огромной постели в гостиничном номере, обставленном с какой-то ужасной имперской неуклюжестью. Обильная лепнина на потолке, гигантская люстра, дрожащая хрусталиками, трюмо в золотой окантовке, два атласных ампирных кресла и рядом с огромной телевизионной панелью главная достопримечательность интерьера — гипсовый бюст Сократа.

— Катя, — я старался придать своему голосу беззаботность. — Так ты ж это... сама сказала, чтобы я не пялился...

Катя округлила глаза, откинулась на спину и подняла руки к потолку. Ее красивое лицо потемнело.

— Го-спо-ди! Как же ты меня иногда бесишь! Это при всех не надо пялиться, ясно?! А дома можно! Трогать вот нельзя, ни дома, нигде!

Катя повернулась, подперла ладонью щеку и уставилась на меня своими водянистыми глазами.

— Что же мне с тобой делать, сладенький, а?

Я в ответ кисло улыбнулся.

— Может, взять тебя к себе, а? Как думаешь? — продолжила она и поправила свою мелированную челку. — Будешь у меня в квартире прибираться. Раз-два... Вечным мужем...

Ссориться снова не хотелось. Я только закатил глаза и покачал головой:

— Зачем я тебе нужен, если я такой плохой...

Катя потянулась через меня голой рукой к столику.

— Тебе сигарету? — спросил я.

— Ага... и зажигалку...

— Здесь нельзя курить.

— Мне, сладенький, можно. Мне тут все на свете можно.

— Так я это... не понял... зачем я тебе нужен-то?

Она закурила, перевернулась на спину и подтянула одеяло повыше. На ее загорелом лице появилась улыбка.

— Зачем? Это бабский вопрос. “Зачем я тебе”, — передразнила она. — Только бабы задают такие вопросы, да и то — если дуры…

Катя, злобно подумал я, разглядывая ее лицо, быстрее всех на свете сообразит, как нахамить, как задеть за живое. Это все потому, что она раньше играла в КВН. И весь ее юмор — родом оттуда. А меня одноклассники не взяли в команду. С тех пор — это от зависти, наверное, — мне никогда не нравились все эти кавээнщики, все эти “веселые” и особенно “находчивые”. Клуб находчивых… Придумали же. Возвели в добродетель самое бессмысленное свойство человеческой натуры. Мне вдруг пришло в голову, что где-нибудь, наверное, есть Клуб злых и находчивых. Это когда красивые толстожопые бабы, которые друг друга ненавидят, собираются вместе и заводят светский разговор.

Но ее хамство надо пресечь… В конце концов, кто тут мужчина?

— Знаешь что, дорогая…

— Ладно, шучу… — перебила она и выпустила дым. — Иди сюда, поцелую… Вот так…

Мы поцеловались. От нее приятно пахло духами и дорогими сигаретами.

— Главное — от волнения не обделайся… Можно подумать, ты мне очень нужен…

Катя вдруг отодвинулась, потом приподнялась на локте и затушила сигарету.

— Ты же преподом собрался работать, да?
— Я, к твоему сведению, уже работаю…
— Работаешь?! — она развеселилась. — Ну, так значит, сладенький, тебя скоро отымеют и без моего участия.

Мост

Вот там, говорю я себе, по ту сторону реки виднеется здание института, где меня в самом деле отымели без ее участия. А заодно и философа-неогегельянца. Он тогда был еще “философом-постмодернистом”. И отымели бы еще больше, не вмешайся тогда Гвоздев.

Маршрутка выезжает к большому мосту. Здесь ровное пространство, открытое всем зимним ветрам, чистая обозримость, награждающая взор туриста крепостью, собором с позолоченной иглой, могучей гранитной набережной и многочисленными дворцами на той стороне реки. Сейчас сумерки, и все это достояние скрылось бы во мраке, если бы не электрическая подсветка. Она подчеркивает здешнюю контурность и правильную геометричность.

Мост тоже подсвечен — весь в фонарях, огнях, светящихся указателях, предостережениях. В это время дня посредине моста обычно царит только тихая автомобильная возня, и по бокам мелькают тени пешеходов. Мост словно успокоился, задремал, прижался тушей к Неве, перестал вскакивать, разыгрывать перед всеми ванькувстаньку. Но это лишь его уловка. Когда-то с ним все было иначе. Когда-то здесь стояли бомбисты с приклеенными кучерскими бородами и с узелками в бережных руках. А потом… Но что было "потом", почему-то сейчас не додумывается. Мост не спит. Он притаился, чтобы взорваться, прыгнуть, нырнуть в веселый сон пережитых лет, где есть все: и это салатное здание института, и декан Геннадий Палыч, и Гвоздев, и философ-гегельянец Саша Погребняк.

Сейчас я вам тут всё…

Эта история произошла тоже зимой, десять лет назад, когда страна была совсем другой. Менялись границы, сменяли друг друга премьер-министры, двадцатилетние спекулянты становились директорами предприятий, а профессора торговали кроссовками. Продукты в магазинах то появлялись в чудовищном изобилии, то вдруг исчезали, будто их и не было вовсе. Место кинотеатров заняли стриптиз-клубы и казино. В считаные недели какие-то мутанты сколачивали миллионные состояния, появлялись в телевизоре и неожиданно навсегда куда-то пропадали.

А мы с философом Погребняком искали работу, хорошую, постоянную, денежную. Конечно, без дела никто из нас не сидел. Какая-то работа была, у меня — даже две, но денег все равно не хватало. Я искал третью.

И тут объявился этот Геннадий Палыч, декан гуманитарного факультета, полный мужчина мелкого роста с густой бородой и бегающими глазами. И с ним Петр

Валерьич, заместитель, человек обобщенного вида, похожий на канцелярскую принадлежность. Как они нас нашли, ума не приложу. Позвонили, предложили встретиться, почитать у них лекции. Обещали платить за каждую по 50 долларов. В те годы это были большие деньги.

Мы с радостью согласились.

И как выяснилось, напрасно. Когда закончился первый месяц, нам ничего не выплатили. Петр Валерьич на все наши вопросы тусклым голосом отвечал, что “денег пока нет, но скоро будут”. Через месяц он повторил то же самое. Зато Геннадий Палыч как-то собрал сотрудников в большой аудитории, усадил, встал перед всеми и объявил, что у него есть две новости: хорошая и не очень.

— Начну с новости, которая не очень... — он немного поморщился. — Нам опять задерживают зарплату.

Коллеги тупо молчали.

— Но есть и хорошая новость, друзья! Мы с женой только что купили квартиру на Литейном и всех вас приглашаем в субботу на новоселье!

Коллеги очень обрадовались, вытянулись на месте, поглупели и принялись аплодировать и поздравлять Геннадия Палыча. Не обрадовался и не аплодировал только философ Погребняк.

Тем временем семестр шел к концу, а нам по-прежнему ничего не выплачивали. Я отнесся к этому с равнодушной тоской. Тогда, в те прекрасные годы, все друг друга обманывали, и это казалось нормой. Но Погребняк ходил злой. Эта злость очень шла его небритому лицу и кожаной куртке. Как-то раз в перерыве между парами я ему сказал, что вчера в столовой встретил Геннадия Палыча.

— И что? — с нажимом спросил Погребняк.

— Ничего, — я дернул плечами. — Он ко мне подошел, спросил, как дела. Руку мне пожал…

— Пожал?! — вдруг воодушевился Погребняк и сверкнул глазами. — Знаешь что? Я бы вот ему тоже ПОЖАЛ. Одной рукой взял бы и ПОЖАЛ Геннадию Палычу, а другой рукой ПОЖАЛ бы Петру Валерьевичу. Причем одновременно. И, знаешь, от души. Так, чтобы запомнили.

— Ладно, Саша, — сказал я. — Надо это… в конце концов что-то решать.

— Что ты тут решишь?

— Давай, — предложил я, — позвоним Гвоздеву, а? Он придумает что-нибудь…

— Что? Что тут можно придумать?

— Ну, не знаю… — я замялся… — Он же это… художник. Человек с воображением.

А Лёня Гвоздев и впрямь мог что-нибудь придумать. Среди художников он считался законченным психопатом и чуть что — сразу лез в драку. Перспектива провести ночь, пятнадцать суток или даже два года в тюрьме условно нисколько его не пугала. Гвоздева боялись таксисты, официанты, галерейщики и даже бюрократы, брошенные партией на изобразительное искусство и ухитрившиеся пережить Советский Союз.

В тот же вечер я позвонил Гвоздеву.

А еще через три дня нас обоих вызвал к себе Геннадий Палыч, скептически оглядел с ног до головы и велел подойти в пятый кабинет, заполнить ведомость и получить зарплату.

— Как тебе удалось деньги из него выцарапать? — спросил Погребняк.

На худом, покрытом морщинами лице Лёни Гваздева заиграла довольная ухмылка, татарские глаза весело сузились.

— Проще пареной репы....

Мы втроем сидели в ресторане на Васильевском и отмечали нашу первую зарплату. Сделали заказ и теперь ждали, когда принесут салат и водку.

— Вы оба, — Гвоздев для пущего эффекта зажег сигарету, — просто не знаете, как с такими красавцами разговаривают творческие люди. Слушайте!

— Давай, Лёня, рассказывай, — поторопил философ-постмодернист. — Творческий ты наш...

— Короче, — начал Гвоздев. — Явился я в приемную. Там, короче, секретарша Зоя. Она мне, кстати, сразу понравилась. Сиськи — во!

Гвоздев показал руками.

— Во-первых, — остановил я его, — не надо такие вещи на себе показывать. А во-вторых, давай не про сиськи, это неинтересно.

— Почему? — воодушевился вдруг Погребняк. — Мне, например, очень интересно.

Гвоздев затянулся сигаретой.

— Короче, — снова начал он. — Прихожу я. Представился в приемной, что, мол, я к Геннадию Палычу, так, мол, и так, зовут — Леонид Гвоздев, художник, член-многочлен творческих союзов, лауреат премий. "Вас пригласят", — говорит эта Зоя. Посидел-подождал, Зою поразглядывал. "Какие, говорю, у вас, Зоя... ну, эти... в смысле... планы на вечер?" Но тут меня вызвали. Захожу, короче, в кабинет Геннадий Палыча, а там, мужики... охренеть! Дубовый стол, огромный такой, размером с теннисный, резные кресла, старинный паркет, да еще ковер на полу. Короче, бабла потрачено — караул...

— Да мы знаем, Гвоздев, — сказал я устало. — Бывали. Ты давай лучше дело говори...

Гвоздев потушил сигарету.

Явилась официантка с салатами на подносе и графином водки.

— О! — обрадовался Гвоздев. — Очень кстати, девушка.

Он разлил водку.

— За вас, мужики!

Мы выпили.

— Короче, — снова начал он. — Посреди всего этого сраного великолепия ваш Геннадий Палыч восседает. В очках, в бороде, рожа красная. Я ему: здрасьте, говорю. Он на кресло кивает так дружелюбно, мол, прошу садиться. Я сел. "Слушаю", — говорит. Я ему: "Простите, Геннадий, как вас по отчеству, я забыл?" Он дернулся и сухо так: "Палыч. Геннадий Палыч. Давайте ближе к делу, у меня времени мало". "У меня, — говорю, — дорогой Геннадий Палыч, времени еще меньше, выставка в США, едрись она конем, потом — в Париже, потом — телевидение". "Я вас слушаю..." — говорит. "Короче, — говорю, — Геннадий Палыч, надо ребятам бабосы выдать, в смысле зарплату, а то — нехорошо получается”. Геннадий Палыч, сука, улыбается и спрашивает: “Каким ребятам?” “Каким, — говорю, — Аствацу и Сашуне, в смысле, Погребняку”. Он очки снял, посмотрел строго. “Это, — говорит, — дело внутреннее… Не могу обещать”. “Нет уж, — говорю, — пообещайте. Пока не пообещаете, я отсюда не уйду. Буду тут сидеть”. “Не понял? — удивился он”. “А чего тут, — говорю, — непонятного?” “Всего хорошего, — говорит. — Дверь только закройте с той стороны”. И — мордой очкастой в бумаги. Тут я, мужики, не выдержал, взбесился. “Вот как? Я, — говорю, — знаете что?! Я вам щас тут все нахер обоссу!! Понятно?!”

— Господи, — перебил его Погребняк. — Лёня, ты что, сдурел?! Нам же там работать еще! Мы же попросили тебя вежливо с ним…

— Лёня, — вмешался я. — Так же нельзя!

— Почему нельзя?! — хохотнул Гвоздев. — Можно. Спокуха, мужики, слушайте дальше! Короче, этот ваш Геннадий Палыч, как я ему пригрозил, поднял голову, покраснел весь, вскочил и кричит: “Зоя! Зоинька! Охрану вызывайте!” Я ему: “Всё, — говорю. — Теперь точно все обоссу! И камин, и кресла, и ковер!” Тут Зоя заходит, а я уже ремень расстегнул и начинаю расстегивать ширинку. “Зови, — говорю, — Зоя, охрану, и ментов заодно. Мне, говорю, только этого и надо. Задержат — так скандал. Я, если что, — узник совести. Картины лучше покупаться будут на Западе. А еще, Геннадий Палыч, все узнают, что у вас тут кабинет обоссан и что я это сделал в знак протеста, потому что вы зарплату не выдаете!” Они оба вытаращили глаза, а я говорю: “А вам, Геннадий Палыч, еще за мной ссанье подтирать придется. Зоя, — говорю, — точно не будет. И ковер надо будет выбросить". Зоя стоит как вкопанная — варежку разинула... А этот реально психанул, весь побагровел, сначала сел, потом вдруг встал, потом снова сел, за бумаги схватился, за телефон. Наконец бухнулся в кресло, выдохнул и говорит Зое: "Потом зайдите, ладно? У нас тут мужской разговор". И мне устало: "Чего вы от меня хотите?" Улыбается нервно так, через силу. Мне даже неловко стало — человека так довел. Я говорю: "Ребятам зарплату заплати́те..." Он кивнул. "Ладно, — говорит, — только при одном условии: чтобы ноги вашей здесь больше не было, господин член творческих союзов. А друзья ваши пусть завтра зайдут, что-нибудь придумаем. До свиданья!" Ну, я, короче, застегнул ширинку, потом ремень, поклонился, как в фильмах, церемонно, чтоб для эффекта, и вышел. Все! Давайте, ребята, по второй, а?

Помню, он в тот раз что-то еще рассказывал, всё говорил, говорил. А мы молчали — никак не могли поверить своему счастью и деньгам, очень кстати привалившим.

Гвоздев потом женился на этой Зое. Правда, через два года развелся.

Марсово поле

Я чувствую, что в маршрутке потеплело. Наверное, заработала печка. Хотя — не знаю — нет тут, наверное, никакой печки, а просто слишком много теплого человеческого тела и теплой одежды. Снаружи — тающее в темноте Марсово поле. Я вдруг начинаю ощущать всем телом, что оно, заваленное снегом, нисколько сейчас не остывает, а, напротив, только разогревается. Всеми своими клумбами, клубнями, кустами, ветками деревьев.

Да и сам город зимой только и делает на самом деле, что разогревается, будто готовится к чему-то главному, к новой жизни. Дома разогреваются центральным отоплением, а люди — всем чем угодно: пуховиками, шерстяными кофтами, кальсонами. Закутавшись, человеческая материя преет, разбухает. Разбухают и преют смыслы, мысли, замыслы. Даже слова — и те тоже преют, разбухают, теряют очертания. В книгах преют рисунки, буквы, знаки препинания.

Позади — Троицкий мост, переживший бомбистов, кровавые революционные зори и два переименования. Если ехать дальше по Садовой к Невскому — там впереди Публичная библиотека, книжное место, где в девяностые я прятался от либеральных реформ. Маршрутка сворачивает к обочине, останавливается, и к нам залезает мужчина в грязном полушубке. Он расхлябанно плюхается на сиденье рядом со мной, и в нос щедро ударяет запах перегара. Отворачиваюсь к окну и вижу возле фонаря человека в военной форме. В уголке рта тлеет огонек сигареты. Солдат? Офицер? Не разглядеть. Мне вдруг приходит в голову, что перед тем как пойти к Кате, нужно заглянуть в аптеку.

И фонарь, и красные зори над мостом, и ночь, и библиотека, которая рифмуется с аптекой, — все это вдруг само собой складывается в дурацкое стихотворение, кем-то уже дважды сочиненное:

Ночь, улица, фонарь, аптека.

Стоит солдат у фонаря.

Открылася библиотека.

Встает кровавая заря.

Эх, Лёха, Лёха…

— А я тебе говорю, не знал ты Лёху! Не знал! — втолковывает мне мужчина, тот самый, который подсел на Марсовом поле. Мы оба вылезли возле Гостиного Двора, маршрутка наша давно уехала, и теперь стоим на улице и разговариваем. Вернее, говорит он, а я зачем-то слушаю. У него — небритая костистая физиономия, лоб весь в ссадинах и красной шелухе, нос обсыпан черными точками угрей. Одет в рваный бурый полушубок, откуда-то из советских времен, и спортивную зеленую шапочку-петушок — оттуда же.

Мой собеседник запускает руку в карман, извлекает наружу стеклянную флягу, во фляге плещется золотистая жидкость.

— Будешь? За Лёху?

— Нет, — говорю, — спасибо.

— Ты чего? — растерянно произносит он. — Я ж не каждому предлагаю… За Лёху-то?

"Про Лёху" он мне начал рассказывать еще в маршрутке, что "вместе в саперном служили", что парень был "золото", мастер на все руки — мог и "рыбачить, и херачить". А тут взял да и помер пять лет назад.

Мимо нас куда-то спешат люди, топчут грязный снег. Он тает, ритмично чавкает у них под ногами какими-то детородными звуками.

Мужчина тяжело вздыхает и, подумав, объявляет:

— Вот и Лёха такой был, значит… Сидит себе иной раз, молчит, курит, херню какую-то себе думает… Со стороны — долдон долдоном… как ты вот… Я такого не приемлю! А достанешь при нем бутылку — все! Цветет человек!

Он громко шмыгает носом и, помолчав, пытается продолжить:

— Помер Лёха…

На глазах у него выступают слезы. Я стараюсь всеми мышцами лица изобразить сочувствие, но он глядит в сторону. Кажется, наш разговор, слава богу, движется к концу.

— Погоди, — говорит он. — Я те дорасскажу, что есть. Жена у него, значит… Несчастная баба. Раз в год прихожу, сидим, выпиваем, Лёху вспоминаем. А потом, значит… того…

Он смолкает и делает глоток из фляжки.

— Здесь нельзя, — говорю. — Употребление спиртных напитков в общественном месте…

— Можно… — он морщится и занюхивает выпитое грязным рукавом полушубка.

— А чего вы… “того”… ну, с его женой?

— Чего-чего? — ворчит он, уставившись себе под ноги. — Трахаемся мы… Вот чего! Она всегда просит, чтобы я ее того… Отказать неудобно, женщина все-таки, ты ж понимаешь… А мне оно надо, думаешь?

Он смотрит мне в глаза, трясет пальцем и с решимостью объявляет:

— Мне оно не надо! У меня жена, да еще Ирка с работы... А тут эта Лёхина... У нее уж... сиськами в футбол играть можно... Неохота... понимаешь? А надо! Надо, в память о друге...

Он рубит ребром ладони воздух.

В этот кульминационный момент в моей куртке звонит спасительный телефон.

— Ты где вообще?!! — сердито спрашивает Катин голос и сразу же пропадает.

— Иду... — зачем-то отвечаю я в уже онемевший телефон. — Сейчас иду...

Не отрывая телефона от головы, махнув свободной рукой Лёхиному другу, я удаляюсь, оставив его посреди тротуара, — растерянного, одинокого, с флягой в руке...

Вокруг огни, шум, проезжают автомобили, город торопится, толкается, куда-то катит, по Невскому, по Садовой. Я шагаю вдоль Гостиного Двора, мне навстречу — море лиц, витрин, огней... Всего так много, что это никак не ухватить, ни умом, ни взглядом... Я вливаюсь в этот разбухший поток жизни и чувствую, как мои руки, ноги, туловище наполняются новой странной силой, а голова — глупым приятным добродушием.

Санкт-Петербург — Комарово, 2015

Елена Колина

“Это Питер, детка”•

“Мир такой большой, а ты, детка, всю жизнь толчешься на пятачке от Садовой до Рубинштейна”, — сказал мне приятель. Это справедливый упрек, моя личная география такая микроскопическая по сравнению с тем, что могло бы быть: Берлин — Нью-Йорк — Тель-Авив — Сидней или даже, простите за выражение, Порт-Морсби (всего-то отделен от Австралии проливом Торреса) — почему бы нет?.. А я живу крошечной буквой П: если

• Происхождение фразы не установлено.

от дома моего детства на Садовой пойти к моему взрослому дому на Рубинштейна… пойти-пойти… Садовая, Невский, Рубинштейна… за 18 минут можно дойти. Плюс 2 минуты на чуть замедлить шаг на Аничковом мосту.

В детстве (детство было до тридцати лет) я жила на углу Садовой и Гороховой… хочется сказать "на углу Садовой и Дзержинского", ведь это Вера Павловна жила на Гороховой, а я жила на Дзержинского. В доходном доме конца XVIII века, в роскошной квартире 200 метров с закоулками и коридорчиками с видом на магазин "Водка. Крепкие напитки", первая подворотня от угла, двор-колодец… Почему подворотня, почему двор? Как почему? Это же Питер. 1 мая и 7 ноября по улице, от ТЮЗа до Адмиралтейства, шла демонстрация. Тогда в нашу подворотню ставили грузовик, чтобы из двора не выскочили злоумышленники и не напали на демонстрантов. Так мы и сидели по домам замурованные… ну, это такая питерская история, кто жил в центре, знает, — между грузовиком и стеной не пролезешь, а ползти под грузовиком страшно.

Гороховая (улице вернули старое название в 1991 году) — чудная улица, по-петербургски "богатая", так называл ее Достоевский, по-ленинградски демократичная. По ней, одной из немногих центральных улиц, был разрешен проезд грузового транспорта, и от выхлопных газов воздух был черный, — придя домой, нужно было смахнуть черную пыль с лица, как пыль с мебели. Но жить там было — счастье! Можно встать лицом к Адмиралтейству, спиной к ТЮЗу, и будет ПИТЕР.

Так вот — через подворотню во двор-колодец (во дворе всегда, днем и ночью, грузчики разгружали грузовик с водкой–крепкими напитками) — в подъезд, — осторожно, в подъезде лужа! — нужно впрыгнуть сразу на вторую ступеньку лестницы. Это не поэтическая лужа после дождя, который в Питере, понятное дело, круглый год — о, нет. Рядом же “Водка. Крепкие напитки”!.. Лужа была всегда, — люди ходили по накатанному маршруту: магазин — где-то рядом выпить — и шмыгнуть в наш подъезд справить малую нужду. Но это казалось… ничем это не казалось, ни “фу, какая гадость”, ни данностью жизни, просто перепрыгнул — и всё. И вознесся на четвертый этаж без лифта по лестнице, перпендикулярной небу. Ну а когда вознесся, там уже все хорошо — книги-картины, и тому подобный всяко-разный профессорский быт, и папа в клубах дыма с журналом “Новый мир” или с чьей-то диссертацией. Когда папа принимал коллег из европейских университетов (частные визиты, но иногда проходили в сопровождении людей в штатском), мама мыла лестницу, сама. Зачем? Чтобы европейские профессора не увидели лужу. Они что, не могут перепрыгнуть? Пусть прыгают, как советские профессора. “Неудобно”, — вздыхала мама.

Напротив дома, с Садовой, районная библиотека. О-о-о! Счастье. Запах книг, абонемент, формуляр, к полкам не пускают, но, если библиотекарша Лия Марковна тебя полюбила, пускают. Мне было лет тринадцать, когда она, в знак своего особого расположения, дала мне “Виконт де Бражелон”, три тома — ТРИ. Дюма — дефицит подефицитней копченой колбасы. Я их потеряла. Ну, то есть у меня их украли. Носила в школу, читала на переменах, открыла портфель — нету!.. Можно заплатить 25 рублей (в пятикратном размере), папа мне даст и ругать не будет, но у Лии Марковны будут неприятности. Нужно вернуть — не деньги, а к н и г и, но где их взять? Бедная, бедная Лия Марковна, я готова сама встать на полку вместо "Виконта де Бражелона" — что делать?!.

Если выплеснуться из дома и пойти по Садовой к Невскому, то первый важный дом — кинотеатр "Сатурн". Не пышный, как "Аврора" или "Титан" на Невском, а так, захолустный, и мест немного, и фильмы не первым экраном — немного странно, что в пяти минутах от Невского никогда не идут новые фильмы, а всегда старые, например "Неуловимые мстители". Однажды папа так устал после защиты сразу троих аспирантов, что по-мальчишески забежал туда, минуя дом, тайком посмотрел "Приключения неуловимых" и пришел домой, довольный и аспирантами, и кино, — в этот вечер он умер. Сейчас в здании кинотеатра "Сатурн" театр "Приют комедианта".

Я думала, что никогда не буду смеяться, но уже через год мы с подружкой, хохоча, наперегонки неслись по Садовой с колясками с новорожденными дочками, игра называлась "Бег с колясками": кто быстрее добежит до Невского. Рожать детей рано — хорошо, вместе несетесь по Садовой. Мимо магазина "Красная Шапочка" — пупсики, игрушечные кастрюльки, чайнички, утюжки, игрушечная единица стоила от 30 копеек до рубля. (Когда дочка подросла, мы с ней заходили в “Красную Шапочку”, я покупала своей дочке игрушки каждый день. Я избаловала свою дочь. Она до сих пор хочет игрушки каждый день. Ну и что?)

…Мимо городской музыкальной школы, главной музыкальной школы в городе, в нее брали самых способных. (Либо по блату. Нас-то по блату, на скрипку, а слуха хорошо если на деревянный ксилофон из “Красной Шапочки” наберется. По блату взяли, а мы не пошли! Не нужно ребенку быть там, где он “не самый”.)

…Мимо Апраксина двора, иногда на ходу поглядывая в витрины, иногда пиная друг друга коляской — кто быстрей добежал до Невского, тому приз: пока проигравшая остервенело трясет обе коляски, победившая в гонке может пройтись по Невскому о д н а, без коляски. Счастье.

Если идти по Садовой от кинотеатра “Сатурн”, если перейти дорогу (Мучной переулок) — будет садик. В садике желтое здание с колоннами — это бывший Ассигнационный банк, первая работа Кваренги в Санкт-Петербурге, поэтому в конце шестидесятых в садике поставили памятник Кваренги. В этом садике публично сжигали износившиеся бумажные деньги. Люди стояли на Садовой и смотрели — вау, деньги горят! Наверное, думали: чем сжигать, лучше бы нам отдали. Это было в 1860-х годах. А в 1930-м в здании банка открылся Ленинградский Финансово-экономический институт, все называют садик “садик ФИНЭКа”. В садик ФИНЭКа я пришла посидеть-на-скамейке-поплакать-подумать — что делать с Дюма. В этом садике у меня был враг: главный местный хулиган, который почему-то выбрал меня в качестве жертвы: подстерегал и кричал "еврейка", громко так орал, на всю улицу: все прохожие понимали, что это я — еврейка. Я воспитывала волю — никогда не обходила садик по другой стороне, а, сжав кулаки, проходила мимо — медленно и повторяла про себя "Зоя, Любка, Ульяна" — это имена героев, они бы ни за что не стали обходить! И я повторяла имена героев и еще "не победишь меня, не заставишь бояться, я ка-ак закричу — «Фаши-ист!»". Ни разу не закричала. Воспитывала волю молча. Меня не учили, что на улице м о ж н о кричать. А также махать руками при ходьбе... Но утром мой враг был в школе, вот я и пришла. Села на скамейку, подумала и заплакала. И тут — как из-под земли — хулиган. Увидел, что я плачу, и говорит: "Я тебя люблю". Вот оно что. Оказывается, это все была Первая Любовь. Он принес мне Дюма. Три тома. Откуда взял? Ну, когда первая любовь, что хочешь возьмешь. Он обрадовался: до этого он не знал, как проявить свою любовь, и тоску, и возмущение несправедливостью жизни — он хочет э т о, а вот как раз э т о г о у него никогда не будет. Человек, особенно маленький, интуитивно понимает все, и он знал, что нам с ним не по пути. Интересно, кем он стал, когда вырос, — бомжом, олигархом? Только не инженером, для инженера в нем было слишком много страсти... Когда главный хулиган говорит "я тебя люблю" — это вообще-то немалое счастье.

За садиком ФИНЭКа Гостиный Двор (вот где счастье — купить на галерее джинсы у спекулянта), напротив ресторан "Метрополь": парадная красота, лестница, "как в музее”, салфетки накрахмаленные, свернуты в конус, папа водил меня сюда есть киевские котлеты. Папа рассказывал: в конце XVIII века здесь был построен доходный дом, — вкусная котлета, детка? — затем известный петербургский ресторатор Немчинский открыл здесь ресторан “Гостиный Двор”, затем обанкротился, и ресторан перешел в руки “Санкт-Петербургского товарищества официантов и поваров”, — ешь, детка, — а с 1931 года заведение уже было государственным — тут папа вздыхал, а я ела киевскую котлету, метрополевские котлеты были огромные... В “Метрополе” у меня была свадьба, типичная свадьба пела и плясала. “Метрополь” считался престижным, солидным, ленинградская номенклатура его любила, жених был из номенклатурной семьи. Платье с трехметровым шлейфом, шлейф несут две подружки, и все, что полагалось на номенклатурную свадьбу, с чем мои родители тактично смирились — лучший в городе тамада, лучший в городе каравай, лучшее в городе пшено или какое-то другое зерно, которым нас обсыпали, как куриц, — и сто человек моих близких друзей скакали под украдкой заказанную “Хаву Нагилу”, номенклатурные гости тактично смирились... Теперь мы в “Метрополь” не ходим, там стало глупо. Только иногда в кулинарию: знаменитые пирожки, и паштет, и печенье “Суворовское”, все ленинградцы его знают — на нем сверху шоколад. А вот торты в “Метрополе” не очень, слишком “советские” — бисквит и много крема.

Чтобы с Садовой попасть к Катькиному саду, не выходя на Невский, можно пойти по переулку Крылова. Переулок Крылова, дом 3 — Очень Важный Адрес. Трехэтажный желтый дом, когда-то самый важный адрес, ОВИР Центрального района. Сколько волнений здесь было, сколько страстного мелкого жульничества — получить разрешение на выезд в Америку! в Париж! в Германию! — получить новый паспорт, не сдавая старого, получить два новых паспорта, съездить по новой визе в старом паспорте, — когда-то весь мир начинался здесь, на Крылова, 3.

Вышли к Катькиному садику, к Публичке. Я впервые пришла в Публичку юным гордым кандидатом наук: потеряла автореферат своей диссертации, а в Публичке он как раз имелся, в Публичке его не потеряли. Вошла в тот корпус, который построил Росси, отдала фотографию 3×4, оформила билет, получила на входе какую-то бумажку, сделала копию своего автореферата, прониклась духом Публички (я тут, в этих стенах, как Державин, Гнедич, Стасов, Кипренский, Крылов, Батюшков, Дельвиг), прочитала на памятной доске приказ первого директора Публички: "Истинная цель открытия книгохранилища состоит в том, чтобы всякий, кто бы он ни был, мог требовать для своего употребления всякого рода печатные книги, даже и самые редкие, коих в частном состоянии трудно иметь, а иногда, по обстоятельствам, и отыскать нигде невозможно...", и, как героиня "Москва слезам не верит", которая хотела "познакомиться в приличном месте", отправилась в курилку. И там, в курилке, смяла и выбросила "какую-то бумажку" в урну — она мне мешала красиво курить. А на выходе из Публички — ой. Не выпускают! Говорят: "Тут у нас Храм Науки, а вы! Выбросили

Пять углов. Рубинштейна, Загородный, Ломоносова

бумажку! У нас посещаемость 1 300 000 человек ежегодно, и ни один! Из них! Не выбросил! Бумажку!” И я в обратном порядке — в курилку, в урну, ворча “это же не Остромирово Евангелие, не Синайский кодекс, не библиотека Вольтера, это всего лишь какая-то бумажка”, вытащила мусор, нашла в окурках свою бумажку, разгладила, вымыла и долго сушила на батарее. К а к д у р а… Если у Катькиного сада перейти Невский, через пару минут будет Книжная Лавка Писателей. Когда я вижу свои книги в витрине, я стою-смотрю-и-думаю: “Счастье-счастье-счастье”.

Рядом с Катькиным садом Аничков дворец, а там… о-о!.. Там дорога к медали Филдса (аналог Нобелевской премии для математиков) — знаменитый математический кружок для одаренных детей, выпустивший Перельмана и прочих гениев. Там воздух густой и напряженный, в воздухе витают надежды, там родители вдохнули и затаили дыхание: маткружок — городская олимпиада — всесоюзная — международная — пуск!.. Папа говорил, такого высокого уровня раннего математического обучения не найти во всем мире, культурные ленинградские семьи ценили этот кружок, как будто это Гарвард. Когда-то давно, девочкой, я спросила Гришу Перельмана: “что вы там делаете?”… я вертелась, корчила рожи, закрывала глаза, а он все рассказывал, как решил задачу, как будто смотрел не на меня, а в себя, а там — задача… Взрослой я несколько лет провела в коридоре маткружка, хранилась там в раздевалке, как тапки, — ждала сына, пока он решал задачи. Вела своего гения домой по Невскому, по Аничков у мосту, нервно спрашивала:

"Сколько ты сегодня решил задач? Ты больше всех решил? Ты был первым?" (ну, как бы нам сразу в Гарвард, или пока в Аничковом дворце порешаем), на Аничковом мосту останавливались, смотрели на Фонтанку — это было сто тысяч раз, и сто тысяч раз сын говорил мне: "Мама, красота?!! Красота важнее задач".

Перешли Аничков мост — на углу Штакеншнейдер. То есть дворец Белосельских-Белозерских архитектора Штакеншнейдера, эклектика, красивый, как… как моя жизнь в Питере. А мы всегда говорили "Штакненшнейдер", мы же с Питером "на ты". Тут, можно сказать, прямо на улице, на Невском у Штакеншнейдера была моя вторая свадьба. На Невском напротив — ЗАГС Центрального района: забежали по дороге на работу, расписались в книге, на Невском, у Штакеншнейдера, поцеловались, и — а где свидетельство о браке?! Забыли в ЗАГСе. Опаздывали, решили: потом возьмем, когда понадобится. Понадобилось через два года, когда сын родился.

От Штакеншнейдера два дома по Невскому, и направо — улица Рубинштейна — прижилось название, даже моя мама, которая жила здесь с рождения (и в школе училась с Довлатовым, и он на нее поглядывал, мама была красивая, и сейчас красивая, роман у нее был с папой, но поглядывали на нее и Довлатов, и Рейн, и Бродский, Питер устроен как Пухова Опушка — все-все-все друг с другом знакомы), никогда не называет Рубинштейна Троицкой.

В пяти минутах от Невского по Рубинштейна — мой дом, Толстовский дом, один из самых знаменитых домов в Петербурге: северный модерн, три соединенных ренессансными арками проходных двора, первый двор выходит на Рубинштейна, третий — на Фонтанку. Во дворах фонари 1911 года — эти фонари блокаду пережили, галереи, эркеры, в третьем дворе у нас зимой стоит елка. В советское время здесь любили снимать кино, выдавая дворы Толстовского дома то за один европейский город, то за другой. Еще здесь снимали "Зимнюю вишню", но у нас нет таких, как в этом фильме, маленьких отдельных квартир. В нашем доме огромные квартиры, в советское время здесь жили известные люди, к примеру, Эдуард Хиль; но в основном это были коммуналки.

В нашем дворе всегда есть "посторонние": художники с мольбертами, стайка туристов, задающих экскурсоводу вопросы про северный модерн, и архитектора Лидваля, и про жизнь, например, почему во дворе между "лексусом" и "мазерати" стоят раздолбанные "жигули". Почему, почему… потому что в этом доме еще остались коммуналки… Когда рекламируют квартиру в "новом элитном доме", приводят аргумент: "Вы будете жить в однородном социальном окружении". Это означает, что рядом с нами не будет людей беднее нас, не будет бомжа, хирурга из детской больницы Раухфуса, пожилой учительницы, бабушки, которая по этому двору в блокаду саночки возила. Людей богаче нас тоже не будет, ни одного нефтяного магната. Рядом окажутся только люди, у которых ровно столько же денег, что у нас, и все вместе мы будем — в социально однородной среде, как в манной каше без комков. Совсем не то у нас, в Толстовском доме! В нашем элитном, элитном, элитном доме полно странностей и противоречий, у нас на одном этаже позолота и мрамор, здесь живут "богатые", а на другом — коммуналки, и кто там только ни живет — милиционеры, модели, врачи, программисты, безработные. У нас здесь представлены все варианты жизни; Толстовский дом, как Ноев ковчег, — есть всё.

В новом доме с однородным социальным окружением нет прошлого, нет дружб длиною в жизнь, ссор и романов, любви и предательства, а у нас, а здесь... Как говорил Райкин: "А у на-ас... а зде-еся..." У нас бывает забавно: охранник открывает респектабельному господину дверь "лексуса" — "пожалуйста, Владимир Иванович", а мимо задумчиво тянется сосед в отвисших тренировочных штанах образца 1975 года с помойным ведром в руке и, отталкивая охранника, говорит: "Вовка, дай прикурить". Владимир Иванович дает, потому что он — Вовка-морковка. Они раньше в одной коммуналке жили, в одном классе учились и неизвестно, кто у кого списывал.

Напротив Толстовского дома в Щербаковом переулке ("на Щербаке") — сквер, в этом сквере гуляли с Алисой Фрейндлих (мой папа в юности за ней ухаживал, говорил, она уже тогда была особенная), она с внуком, я с сыном, я кричала сыну "холодно, ты совсем голый, надень шапочку!", она сказала "мне кажется, можно без шапочки". В сквере стоит памятник Михаилу Маневичу, "выдающемуся экономисту, вице-губернатору Санкт-Петербурга", я хожу здесь каждый день и иногда (не каждый раз, мы ведь не близко дружили) думаю — "Миша". Мы не близко дружили, но Мишин сын назван в честь моего папы — так вышло. Все мы в Питере связаны, перепутаны, передружены.

И все мы в Питере связаны, перепутаны, передружены, и в каждом любом месте я смеялась, целовалась, выходила замуж, в Порт-Морсби (хотя он всего-то отделен от Австралии проливом Торреса) так бы не было. Я не знаю, как жить там, где не в каждом любом месте смеялся, — может быть, и хорошо, я не знаю. Думаю, без Питера чувствуешь себя голым, ну, может быть, не совсем голым, но без шапочки.

Евгений Водолазкин

Ждановская набережная между литературой и жизнью

Ж*дан* — ребенок, которого очень ждали. *Неждан*, соответственно, наоборот: в отношениях мужчины и женщины случается и такое. От прозвища *Ждан* происходит фамилия Жданов, рождающая у отечественного читателя смешанные чувства. Многие еще помнят, как оканчивали учебные заведения имени Жданова или жили на названных в его честь улицах.

Я — счастливое исключение: более десяти лет мы с семьей прожили на Ждановской набережной, которая к *тому* Жданову не имела никакого отношения. Наш

Жданов, точнее, братья Ждановы, Иван и Николай, были "учеными мастерами", владевшими в XIX веке Петровским островом у Петроградской стороны. На острове братья производили березовый деготь, древесный уксус и синьку. Речка, омывавшая остров с севера, стала называться Ждановкой — отсюда и Ждановская набережная. Все очень достойно.

На Ждановской набережной мы поселились в доме номер одиннадцать — монументальном сооружении сталинского ампира, напоминающем триумфальную арку. Две части этого дома, построенного в 1955 году на месте двух деревянных домов, и в самом деле соединяет арка, под которой боязливо пробегает Офицерский переулок. По этому переулку маршировали офицеры и курсанты Военно-космической академии, направлявшиеся для построения на стадион Петровский (когда-то — им. Ленина).

Квартира наша была двусторонней: окна большой комнаты выходили на мост через Ждановку и стадион Петровский, окна спальни и кухни — на Офицерский переулок. По которому, повторю, маршировали военнослужащие в своем несуетном движении на стадион. Заслышав барабанную дробь в переулке, я подходил к окну спальни и наблюдал их приближение. Когда первые шеренги скрывались под аркой, переходил к противоположному окну. Любовался тем, как, игнорируя колебательный закон, они самозабвенно чеканили шаг на мосту. И ничего, вопреки школьному учебнику физики, с мостом не происходило.

По мосту ходили также болельщики "Зенита". Ходили, как и следовало ожидать, нестроевым шагом, так что за них я был в целом спокоен. В отличие от скупых на слова военных, болельщики много кричали, а еще больше — мочились, заходя во двор. Чтобы остановить этот поток, наш сосед выводил своего бульдога. Бульдог, и сам способный при случае пометить территорию, входил в ступор: такого количества меток он не видел никогда. А ведь от своих высших достижений "Зенит" был тогда еще очень далек.

Помимо бульдога, в связи с домом на Ждановской вспоминаются птицы. Одна из них — соседский попугай, которого мне довелось спасать. Как-то раз в нашу дверь позвонила соседка и сказала, что ее попугай, залетевший в щель между шкафом и стеной, не может выбраться. Она просила о помощи. Вероятно, в ее глазах я был тем, кто способен помочь попугаю. Я не люблю птиц, хотя люблю, скажем, котов (тут уж, видимо, либо одно, либо другое), но отказать соседке не смог. По условиям задачи шкаф не отодвигался, его можно было только разобрать, и мне пришлось забраться на него по стремянке. За стенкой шкафа, где-то у самого пола, я увидел маленького попугая. Он находился так далеко, что достать его казалось делом совершенно невозможным. Получалось, что хозяйке следовало выбирать между шкафом и попугаем.

Чтобы сделать для попугая хоть что-нибудь, я затребовал швабру. Я был уверен, что он испугается и забьется еще дальше, но не предпринять ни одной попытки не мог. Протолкнув ручку швабры вниз, я начал осторожно подводить ее к птице. К моему изумлению, спасаемый не стал капризничать и проявил благоразумие. Без лишних слов (неизвестно, являлся ли этот попугай говорящим) он схватился за ручку обеими лапами и был извлечен на поверхность. Зная свою хозяйку, попугай, возможно, подозревал, что выбор будет сделан не в его пользу.

Птицы на Ждановской набережной залетали в окна, садились на балкон — сказывалась близость зеленого Петровского острова. Однажды рано утром я проснулся от громкого карканья ворон. Карканье, даже тихое, имеет оттенок скандальности. Уж это, видимо, дар такой, особенность породы: есть у меня знакомая (не ворона) — что бы она ни говорила, создается стойкое впечатление скандала.

Накрыв голову подушкой, я все еще пытался заснуть, но не тут-то было: зазвонил телефон. Обругивая ворон, звонившего, испорченное утро, я снял трубку. Звонили из дома напротив. На моем балконе, как выяснилось, сидел совенок, которого и атаковали разъяренные вороны. "Если вы снимете совенка с балкона, — пообещали в трубке, — мы готовы взять его себе". Есть просьбы, выполнить которые соглашаешься только спросонья. Я, поколебавшись, пообещал попробовать. Пусть я не знал, как с балконов снимают совят, но, утешал я себя, не знал ведь я и того, как из-за шкафов достают попугаев. Я снял с дивана плед и подошел к балконной двери.

Сидевшая на балконе птица опровергала все мои представления о совятах. Единственный совенок, с которым я до этого имел дело, была игрушка, подаренная моей дочери, — он был размером с ладонь. Совенок на моем балконе (использую доступную мне систему мер) был больше громадного плюшевого кота, также подаренного дочери. Птица подслеповато смотрела по сторонам и вяло уворачивалась от ворон. Вороны пролетали над ней на бреющем полете, но касаться ее, кажется, остерегались. Раздумывая, как на такого совенка набросить плед, я начал осторожно открывать балконную дверь. Здесь мне повезло меньше, чем с попугаем. Не догадываясь, что спасение близко, сова (назовем вещи своими именами) взмахнула крыльями и в сопровождении ворон улетела куда-то в глубь двора.

В дом на Ждановской залетала ко мне еще одна птица, но о ней я рассказал в романе “Соловьев и Ларионов”, так что не буду повторяться.

Роскошь и основательность нашего дома, как это нередко случается с помпезными вещами, были чисто внешними. Так, сооружение дворцового типа почему-то не имело лифтов. Стены между квартирами (намеренно?) были исчезающе тонкими, так что я оказывался невольным свидетелем семейных ссор на этаже, не говоря уже о меланхолических фортепианных экзерсисах нашей соседки. Бывали странные дни, когда события непреднамеренно соединялись — утренний марш военных, вечерний футбол, бурная ссора, переходящая в “Лунную сонату”, и я, печатающий на машинке (ушедший из жизни звук) очередную научную статью.

Позднее, когда кое-что из этого было мной описано в упомянутом романе, кто-то из критиков поставил мне на вид то, что безденежный аспирант (герой романа) не мог поселиться в таком монументальном доме. Но, во-первых, дом оказался не столь уж монументальным, а во-вторых, будучи вчерашним аспирантом, я ведь — поселился. И вообще, выражение *не мог* в отношении русской действительности следовало бы использовать как можно реже. Я, младший научный сотрудник — что в определенном смысле хуже аспиранта, — жил в этом доме, не подозревая, что делать этого не могу. Хотя денег, это правда, не было: занятия древнерусской литературой их не предусматривали. Но я пытался подрабатывать.

Идея подработки пришла (есть в научном мире солидарность) от наших западных коллег. Время от времени они стали присылать к нам студентов для совершенствования их русского языка. Мы селили их в большой комнате, а сами — с дочерью нас было трое — жили в спальне. Очередного нашего гостя мы обучали русскому на перемену с женой. Занятия проходили дважды в день: утром, на свежую голову, грамматика, вечером — чтение и разговорная речь, включавшие постановку произношения. Где-то и сейчас ходят по Европе наши языковые клоны, и сквозь их ощутимый акцент нет-нет да и промелькнут наши с Таней интонации. А может быть, и мысли — мы многое с ними обсуждали.

Одной из первых наших учениц была, помнится, француженка Катрин. Мы читали с ней хрестоматию, включавшую хорошо написанные и легкие для понимания русские тексты. Одним из таких текстов был фрагмент “Аэлиты” Алексея Толстого, в котором желающие лететь на Марс приглашались к семи вечера на Ждановскую, 11. Я, не перечитывавший "Аэлиты" с дней ранней юности, не поверил своим ушам: красиво смягчая согласные, Катрин воспроизводила мой нынешний адрес.

Есть люди с обостренным вниманием к цифре. Таким, без сомнения, был мой одноклассник, который после диктовки списка литературы на лето подошел после урока к учительнице за уточнением. Занося в тетрадь по внеклассному чтению повесть Вс.Иванова "Бронепоезд 14–69", он, оказывается, не успел записать номер бронепоезда. Он боялся прочесть о бронепоезде не с тем номером. Напомнив себе одноклассника, я переспросил у Катрин номер дома. Уже начиная понимать невероятность совпадения, девушка повторила адрес: Ждановская набережная, дом 11.

Прежний деревянный домик под этим номером (а если учитывать левую часть нынешнего строения, то два домика) был невзрачен. Но именно в его дворе размещалась мастерская инженера Мстислава Сергеевича Лося, прототипом которого, как считается, был Юзеф Доминикович Лось, преподаватель Первой высшей школы авиационных техников им. Ворошилова, располагавшейся в соседнем здании. В отличие от Мстислава Сергеевича, Юзеф Доминикович в космосе не был. В 1937 году он попал в НКВД, вернуться откуда было, пожалуй, труднее, чем с Марса. Он и не вернулся.

Нужно сказать, что литература и жизнь на Ждановской набережной сталкивались не только в лице двух инженеров. Область реального была представлена прежде всего автором "Аэлиты", жившим по возвращении из эмиграции в доме номер 3, комфортабельном по тем временам здании с видом на Тучков мост. В этом же доме находилась квартира Федора Сологуба и его жены Анастасии Чеботаревской, в чьей жизни Тучков мост сыграл роковую роль. В 7 номере Ждановской набережной около года прожил Н.Г.Чернышевский, персонаж набоковского "Дара" и автор одного из самых странных текстов русской словесности. Наконец, компанию перечисленным лицам составлял — по созвучию с названием набережной — А.А.Жданов. Подобно Чернышевскому, Жданов художественных произведений не писал, но опубликованный им в 1946 году текст оказал на литературный процесс существенное влияние.

Возвращаясь к Ждановской, 11, замечу, что, помимо запуска космического корабля, там происходили события менее, возможно, масштабные, но совершенно реальные и достойные упоминания. Так, в девяностые годы прошлого уже века, время многочисленных взрывов, гремевших по самым разным причинам, я нашел в нашем парадном торт. Перевязанное кокетливой ленточкой изделие лежало на подоконнике и, несомненно, готово было взорваться. Собственно, если бы не эта ленточка, я прошел бы мимо и не обратил на торт внимания — мало ли что лежит в питерских парадных… Но ленточка на торте показалась мне штрихом избыточным, созданным как бы для контраста с грядущей катастрофой. Если угодно, кондитерским вариантом профессора Плейшнера, который с таким беззаботным видом понятно ведь, что попадет в западню.

Я приложил к коробке ухо: в ней не тикало. Подумав, позвонил в две квартиры на моей лестничной площадке и спросил, не забывали ли их обитатели на окне торт. Нет, не забывали. Особенно это касалось квартиры, населенной алкоголиками (сам не знаю, зачем я к ним позвонил), которые в ответ только улыбнулись — стеснительно и беззубо. От того, чтобы выбросить все это из головы и сесть за пишущую машинку, меня удерживало одно обстоятельство: в течение часа-двух домой должна была вернуться жена. Во времена пишущих машинок не было мобильных телефонов, и я не мог позвонить ей с предупреждением. Да и о чем, строго говоря, я мог бы ее предупредить? О коробке с тортом? Я мог бы только встретить ее внизу, провести мимо коробки и, если что, взорваться вместе с ней. Но для этого мне бы пришлось караулить ее внизу — неопределенное, повторяю, время.

Я выбрал путь, к которому призывали листки, приклеивавшиеся в те дни к парадным дверям и предлагавшие о подозрительных предметах сообщать в милицию. "Не знаю, — сказал я в трубку, — является ли торт сам по себе подозрительным предметом, но то, что он лежит в парадном, кажется очень..." Мне не дали закончить и велели не подходить к торту. Ровно через четыре минуты в описанный Алексеем Толстым двор влетела спецмашина. Из нее вышли люди в чем-то вроде скафандров, что опять-таки связывало происходящее с полетом на Марс. На вытянутых руках один из них внес в парадное штангу с прибором и медленно приблизил к торту. Подержав ее так некоторое время (напряженные лица стоящих), он сказал, что в коробке — кондитерское изделие. А еще поблагодарил за бдительность и спросил, могут ли они с товарищами это изделие съесть. Я отдал им его без колебаний. Весь двор следил за тем, как из нашего парадного космонавты выносили торт. Глядя на отъезжавшую машину, я не мог избавиться от чувства, что перевязанная ленточкой коробка все-таки взорвется. Что, погрузив зубы в первый же кусок… Нет, торт они съели без единого взрыва.

Жизнь на Ждановской набережной вообще была спокойной. Берега небольших рек дышат умиротворением. Годы спустя после одной из встреч с читателями ко мне подошел человек, представившийся краеведом Петровым. Он подарил мне свою книгу о Ждановской набережной, из которой я много чего узнал о моем бывшем доме. Стоит ли говорить, что часть жизни краеведа Петрова, как и моей собственной, прошла на Ждановской, 11. Только он жил там в шестидесятые годы, а я в девяностые. Подозреваю, что в поисках хозяина торта я звонил в ту квартиру, где Петров, тогда еще не краевед, провел свое детство.

Тему совпадений уместно завершить рассказом о письме Катрин из Парижа. Студентка Сорбонны сообщала, что на семинаре по русскому языку ее группа читала “Аэлиту”. Когда на первой же странице романа было указано место полета на Марс, Катрин поделилась с одногруппниками, что по этому адресу она жила. Никто не отреагировал, потому что сообщение Катрин сочли шуткой не во французском духе. Чтобы замять неловкость, преподавательница подтвердила, что да, ей известно: девушка действительно была в Петербурге. “И жила по этому адресу!” — повторила Катрин, осознавая, что доверие аудитории уменьшается с каждым ее словом. “И жили… — согласилась преподавательница, — главное, не волнуйтесь”.

Легко сказать. Попробуй тут не волноваться, когда мир настолько тесен. Когда даже на одной маленькой набережной друг с другом связано столько событий — литературных и реальных, столько людей, адресов и времен. Все соединено в единую цепочку, и одно звено вытягивает за собой другое. И ничто не исчезает.

Михаил Шемякин

Унылые места — очей очарованье

Детство мое прошло в послевоенной Германии, сначала в Кёнигсберге, бывшей столице Пруссии (впоследствии переименованной в Калининград). Затем Дрезден и многие другие города Саксонии, где мой отец занимал должность коменданта. Силуэты немецких городов времени моего отрочества обладали причудливым рваным контуром — результат советских и американских бомбардировок. Небольшие городишки, в которых я жил, были расположены в гористой местности, и узенькие улочки то уходили в гору, то катились под нее, благодаря этому конуры домишек казались скособоченными.

В конце сороковых и в самом начале пятидесятых мы с сестренкой и родителями гостили иногда у моей бабушки в Ленинграде на улице, которая именовалась Большой Зелениной. Некоторые дома, расположенные на ней, были обезображены немецкими бомбами, мне напоминали и Дрезден, и Кёнигсберг. И наоборот — сохранившийся от бомбежек Ленинград поражал и удивлял своей строгой вычерченностью и линейностью. Удивляли бесконечные перспективы улиц, ошеломляющая прямолинейность Невского проспекта. Архитектура этого непривычного и удивительного города пугала и одновременно притягивала, завораживала меня.

В 1958 году моя семья вернулась из Германии в Россию. Мы поселились на Загородном проспекте в доме под номером 64, один из углов которого выходил на Подольскую улицу. В этом доме родился мой любимый композитор Дмитрий Шостакович, а я прожил в нем долгие шестнадцать лет, вплоть до моего ареста и изгнания из СССР. Жили мы на шестом этаже в густо заселенной коммуналке. Квартира была беспокойная. Народец, обитавший в ней, был довольно шумным, крикливым и драчливым. Шофера-дальнобойщики, моряк дальнего плаванья, трамвайная кондукторша и деревенские тетки, заселившиеся в эту квартиру во время блокады. Их оттеняла своим утонченным высушенным ликом и такой же иссушенной фигурой графиня Максимова, которой когда-то принадлежал не то этот, не то соседний дом.

А нынче она обитала в углу за ширмочкой, в небольшой комнате со своей племянницей, преподающей историю керамики в художественно-прикладном училище имени Мухиной.

Родители мои в беспокойной, скандальной шумливости от соседей особо не отличались. Мой отец, бывший кавалерист, гвардейский полковник, уволенный в запас за приверженность опальному маршалу Жукову, с которым он прошел боевой путь Гражданской и Великой Отечественной войн, оставшись не у дел, беспробудно пил и устраивал пьяные дебоши, бесконечно выясняя отношения с моей матерью, которая в свое время воевала в кавалеристской дивизии отца, имела своенравный характер и ни в чем своему супругу не уступала. От этого пьяного угара, табачной вони и шума перебранок мы с младшей сестренкой Танюшей сбегали на улицу, где и бродили без дела до наступления темноты, в надежде, что "бузотеры" наконец-то выяснят свои отношения и хоть как-то угомонятся.

Город того периода моей жизни — до поступления в Среднюю художественную школу при Институте им. Репина — остался в моей памяти почти всегда осенним, печальным, холодным и туманно серым. Выбравшись из нашей "вороньей слободки" на Загородный проспект, мы с Таней размышляли, по какому маршруту мы сегодня намерены слоняться, пока окончательно не продрогнем и будем искать убежища, где можно отогреться.

Парадные двери в те времена не закрывались, и, заходя в любой подъезд, всегда можно было натолкнуться на работяг, торопливо пьющих "из горла" московскую водку, "соображенную на троих", или отогревающихся детей, сбежавших с уроков. Да мало ли на что и на кого можно было наткнуться в полутемных парадных ленинградских домов, провонявших кошачьей мочой и кухонными "ароматами".

Но кроме парадных, где можно было отогреться, существовало на Загородном проспекте одно не совсем обычное место — Военно-медицинский музей при Военно-медицинской академии (там же располагалась и больница, в которой проходили лечение наши военные разных чинов и званий). Здания этих учреждений тянулись по Загородному проспекту от Технологического института до Введенского канала, который соединял воды реки Фонтанки с грязно-серо-зелеными водами Обводного канала, уходящего за Витебский вокзал. Вход в музей был с Загородного проспекта и, что главное было для нас в этом музее, — вход в него был бесплатным. Тем не менее посетителей в пустынных залах этого музея, кроме меня и моей сестренки, не бывало. Впрочем, иногда какой-то военврач торопливо проводил толпу стриженных "под ноль" новобранцев, громыхающих "кирзой", задерживая их ненадолго перед стендами, посвященными венерическим заболеваниям. Видимо, надеясь, что вид восковых муляжей, наглядно демонстрирующих поэтапное разрушение носового хряща, носоглотки и причинных мест, надолго отобьет у молодых защитников Отчизны охоту до случайных связей. Оторопевшая от увиденного и услышанного “салака” спешила к выходу, тяжелые двери запахивались, и мы с сестрой оставались одни среди натуралистически сделанных восковых ужасов, коими являлись лица людей, пораженных проказой или обезображенные черной оспой, восковые подмышки и пахи с папулами бубонной чумы, изъязвленные различными болезнями ступни ног и кисти рук. В шкафах под стеклом скалили зубы уцелевшие части черепов времен Отечественной войны, демонстрирующие различные пулевые и осколочные поражения. В одном из шкафов пылились колосья пшеницы, которые “поедали” чучелки семейства грызунов, оставляя на колосьях и зернах чумные бактерии. Мою сестренку-чистюлю особенно поражала выставленная напоказ провшивевшая насквозь рубаха окопного солдата. Интерес к музейным экспонатам у нее был неподдельный, и, вероятно, это сыграло не последнюю роль в том, что она долгие годы проработала в госпиталях России и Франции медсестрой, ухаживающей за умирающим людом. Побродив по этим залам несколько минут, можно было понять, почему, несмотря на бесплатный вход, входить в этот музей людей не тянуло.

Нам с сестренкой, как и другим детям войны, выраставшим среди руин разрушенных домов и загородных особняков Кёнигсберга, среди изувеченных войной советских солдат, немецких жителей, взрослых и детей, нам, натыкавшимся на усохшие трупы, нам, играющим с черепами и костями (кто-то из нас погибал, подорвавшись на найденных в пыли гранатах и минах), — нам в этом музее страшно не было. Отогревшись, мы шли на наше любимое место вынужденных прогулок — на набережную Введенского канала. Длина канала была небольшой — километр с лишком, не более. Там всегда и в любое время года было пустынно. В теплое время канал "благоухал". На мутной воде покачивался вздутый трупик кошки или какой-либо мелкой живности, пахло гнилой застоявшейся водой, тиной — одним словом, витал аромат каналов средневековой Венеции. С ним, с этим ароматом, мой нос столкнулся в 1972 году, когда я разгуливал среди венецианских каналов, где вздувшихся котов и крыс было в разы больше, чем во Введенском канале. Помню, я тогда закрыл глаза, вдохнул… и память мгновенно перенесла меня на набережную Введенского канала.

Запах запахом, но Введенский канал являл собой зрелище неимоверной красоты! Дело в том, что стены канала состояли не из гранитных камней, а из потемневших бревен! Эти бревна время превратило в органные трубы темно-серо-голубоватого цвета, вода порой приобретала тепло-зеленый оттенок, удивительно гармонирующий с цветом бревен. Стволы тополей, тянущихся вдоль канала, перекликались цветом и формой с "трубами Введенского органа". Ни булыжника, ни тем более асфальта вдоль канала не было, только серая или темная от дождя земля, поросшая мелкими пучками чахлой травы, и тишина, тишина. Мы с сестренкой, взявшись за руки, медленно бродили вдоль деревянных, искривленных перил, опоясывающих с двух сторон канал.

Уже тогда я размышлял, как и какими красками можно отразить красоту этого пейзажа. С одной стороны — обветшалые стены Военно-медицинской академии, больницы, музея, с другой стороны — четыре кирпичные трубы, виднеющиеся за стенами небольшого заводика, неизвестно что производящего, но производящего неустанно, ибо трубы испускали из себя удушливый черный дым денно и нощно. А посреди всего этого — чудо-канал — одно из многочисленных свидетельств красот моего любимого Петербурга.

Впоследствии, овладев навыками масляной живописи, я написал полутораметровое полотно, изображающее мой любимый канал, а поняв, что из себя представляет офорт, я воспел Введенский канал и в цветном офорте.

P. S.

Восемнадцать лет спустя я прилетел на свою выставку, которая открылась на Крымском Валу в Москве. После бюрократических проволочек нам с супругой все же разрешили посетить Ленинград, в сопровождении сотрудника КГБ, ровно на 24 часа, ни часом, ни минутой более. Мои друзья, которые не чаяли меня когда-либо увидеть на этом свете, не отпускали меня ни на минуту, но все же я пробежал по любимым залам Эрмитажа, был принят директором Эрмитажа Пиотровским-старшим, обнял

Ольгу Николаевну Богданову и Фаину Павловну, под начальством которых я греб снег, колол лед у Эрмитажа и иногда таскал по этажам старинные шкафы, картины, скульптуры. Но! — Введенский канал! Хоть на минуту, но надо взглянуть на него, вдохнуть его! Друзья почему-то пытались отговорить меня, но безуспешно. И вот я заворачиваю за угол знакомого мне Военно-медицинского музея… и вдруг из-за угла на меня несется легковой автомобиль, за ним другой. Я стою остолбенело, не веря своим глазам: Введенского канала нет — вместо него асфальт и километровая дорога, соединяющая мостовую набережной реки Фонтанки с Загородным проспектом. Снесены мосты, снесены гранитные фонарные столбы, с четырех сторон их венчавшие.

Есть такие книги со страшным названием: "Осталось только на фотографиях". Боже мой! Как хотелось, чтобы эти книги не пополняли фотографиями домов, мостов, каналов нашего неповторимо-прекрасного Петербурга–Ленинграда.

Сергей Носов

В торце Большой Московской

Он умеет зябнуть, особенно после дождя, когда крупные капли стекают по его спине. В солнечную погоду он бросает длинную тень, он видит ее, когда она направляется в сторону храма. Он словно поднимет голову сейчас и что-то скажет, а пока он в задумчивости отвернулся от вывески курса обмена валют и ювелирного магазина, — вывески поменяются много раз, а этому “пока” длиться и длиться. Многим он запоминается гранитным, и правда — его как будто вырубили из камня, хотя на самом деле это бронзовый памятник, гранитный лишь постамент.

Он — как человек. Не в том смысле, что слишком похож (действительно похож — на известный портрет кисти Перова), а в том смысле, что максимально активно — насколько на это способны, вообще говоря, памятники — обнаруживает себя в поведении: то события создает, то побуждает к эксцессам, то провоцирует происшествия. Живет, одним словом. И живет среди людей.

Первое из таких событий запечатлел Александр Сокуров в документальном фильме, который так и называется "Петербургский дневник. Открытие памятника Достоевскому". Жизнь любого памятника начинается, понятное дело, с его открытия, но от того, что произошло 30 мая 1997 года, благодаря Сокурову останется свидетельство не просто факта истории, а особого коллективного переживания. "Сиди спокойно, Федор Михайлович", — произнес Андрей Битов, и эта фраза, наверное, комичная вне контекста, была до странности уместна тогда. Да вот и Битов говорил об "уместности", уместности памятника по формуле *этого* времени — "между рынком и храмом". Говорили, что он как будто всегда был здесь. Что это долг города самому петербургскому писателю. Шостакович не мешал церковному хору, губернатор помнил имена создателей монумента: Любовь Михайловна Холина, Петр (ее сын) и Павел (ее внук), оба Игнатьевы… А когда закончились речи, и городское начальство село в машины, и допустили к монументу неприглашенных, камера сосредоточилась на том, что для Сокурова всегда главное, — на лицах людей — тех, кто просто пришел побыть, посмотреть, постоять. И это, да, — документ.

“...На лица людей смотреть надо чаще”, — прямо прозвучало за кадром.

“Наверное, чтобы любить их больше, — добавляет голос Сокурова. — Ну и, наверное, чтобы литература не ушла от нас”.

Тут что-то очень личное — про лица и литературу.

Ну а что до любви...

Начиная с 2010 года, в первую субботу июля (“В начале июля, в чрезвычайно жаркое время, под вечер, один молодой человек вышел из своей каморки...”), в общем, в начале июля отмечается в Петербурге, если кто не знает, День Достоевского. Во многих отношениях это веселый праздник. “Достоевский *forever*”, “Достоевский рулит!”, “Родя, ты не прав!” — плакаты, шествие героев романов, перфомансы, акции, флешмоб. А что? Достоевский был склонен к эксцентрике, чувством юмора обладал — может быть, своеобразным чувством юмора, но тем не менее. Любил шутку и розыгрыш. Но дело даже не в этом. Достоевский не то чтобы “наше все”, а теперь он для нас как бы мы сами (так нам, наверное, чувствуется, когда поднимаем плакат “Родя, ты не прав!”). Трудно представить, чтобы так запанибратски обращались с героями Солженицына. А с персонажами Достоевского мы уже как-то срослись.

И бронзовому Достоевскому в торце Большой Московской это должно быть известно лучше, чем кому-нибудь другому. Перепад людских настроений он испытал на себе. Строгость почестей, оказанных ему в самом начале на открытии, вовсе не отменяла в перспективе возможность карнавальных настроений читателей и почитателей. И вот уже на гранитных тумбах — перед его глазами и на радость публике — в урочный час могут появиться такие объекты, как “живые статуи” персонажей “Преступления и наказания” (если сам он — “бронза под гранит”, то они — “живое тело под бронзу”). Один ли, с Анной ли Григорьевной, “живой” Достоевский появляется в этот день у себя на балконе в Кузнечном переулке — чтобы поприветствовать гостей праздника: внизу на воздвигнутых подмостках произойдет главное представление. Правда, взору памятника оно недоступно — может, это и к лучшему.

В обычные дни ему, конечно, спокойнее. Но и в обычные дни он в постоянном контакте с миром людей. Или мир людей с ним в постоянном контакте (если встать на позицию, что мир его “достает”). Перед ним часто копают — здесь проложены какие-то трубы, и, когда их меняют, он вынужден на это смотреть. Пространство вокруг него часто переблагоустраивается. Деревья за спиной то спиливают, то сажают. Два фонарных столба, стилизованных под старину, привлекают к себе расклейщиков несанкционированных объявлений. Чтобы избежать расклейки непосредственно на столбах, к одному из них на уровне фонаря однажды приделали отвлекающий щит, и действительно, объявления, что покрупнее, посолиднее (формат А4 и без отрывунчиков), стали появляться закономерно на этом щите (“все виды юридической помощи", "возвращение водительских прав", "срочный кредит"), а те, что попроще, помельче и с отрывунчиками ("комната у метро", "массаж в любое время суток"), все равно находили себе место непосредственно на столбах, отчего создавалась видимость, что столбы шелушатся. В конце концов щит убрали, и это хотя бы потому уже было правильно, что он Достоевскому загораживал фонарь. Справедливости ради отметим, что пьедестал памятника расклейщики объявлений, по-видимому, берегут, а ведь мы знаем в городе немало постаментов, подвергающихся суровой обклейке.

Однажды я увидел возле пьедестала не что-нибудь, а мотороллер — это ж надо было завезти его за гранитные тумбы с оградой, чтобы площадку, относящуюся к зоне монумента, использовать как место парковки... С одной стороны, мотороллер смотрелся здесь диковато, но с другой — было в этом что-то и трогательное. Словно доверили памятнику посторожить ценную вещь, и он за ней в самом деле присматривает.

Впрочем, так откровенно памятник редко используют. Обычно его назначают местом встречи. Здесь всегда кто-нибудь кого-нибудь ждет, поглядывая на часы. Я и сам много раз договаривался о встрече "у Достоевского", и мне приходилось быть свидетелем, а иногда и участником всяких сцен.

Почему-то пьяненьких, и особенно сильно пьяненьких как магнитом притягивает к памятнику Достоевскому, наипаче в летнее время: то один прикорнет у пьедестала, то другой. Вроде бы в округе есть и более укромные места, где бы можно было прилечь, так ведь нет, почему-то именно здесь, у пьедестала на видном месте появляется время от времени чье-нибудь тело, свернувшееся калачиком. А не выражается ли этим жестом знак интуитивного почтения Достоевскому — за, допустим, замысел романа "Пьяненькие", образ Мармеладова, интерес к теме? И не отдает ли пьяненький таким образом себя под защиту памятнику? Ни разу я не видел, чтобы милиция-полиция нарушала тут чей-либо покой. Словно высшею санкцией оделяет бронзовый Федор Михайлович тех, кто с открытым сердцем к нему.

Но обычно выпивохи, бомжи, а иногда и профессиональные нищие с паперти храма, в котором Достоевский был прихожанином, обустраиваются тут на длинной скамье, поближе к площади — медитируют себе, иные спят. Это место им полюбилось.

Сейчас я расскажу одну историю, которая, на мой взгляд, только и могла произойти здесь — "у Достоевского". Это совершенно невероятный, совершенно фантастический случай. Одна из самых немыслимых и невозможных сцен, происшедших когда-либо на моих глазах.

Представьте себе летний день две тысячи какого-то года: двое встречаются в условленное время и на условленном месте — здесь, "у Достоевского". Двое — это Павел Крусанов и я: вообще-то мы ждем третьего, уже не помню кого, да это и не важно, он все равно опоздает. Писатель Крусанов пришел раньше меня, и я увидел его издалека, еще не перейдя площадь. А подходя к памятнику, отметил боковым взглядом тот самый клуб здешних

24

Достоевский. Большая Московская, 2

сидельцев, разместившийся на каменной скамье, — совершенно обычный для данного места. Необычным был только один из них (из-за него эта компания и обратила на себя внимание) — он резко выделялся каким-то уж совершенно запредельным видом, просто не заметить такого и пройти мимо невозможно было, ну я и царапнул по нему взглядом.

Подхожу к постаменту, жму руку Крусанову, он достает из сумки две бутылки пива, одну мне дает, открываем, делаем по глотку. Сейчас бы мы не стали вот так пить пиво, и не потому, что на улице теперь запрещено, а потому, что оба и как-то синхронно давно уже разлюбили этот напиток. А тогда это было, в общем-то, в порядке вещей, особенно если ждешь и стоишь на месте. Вот мы стоим у гранитной тумбы, ждем опаздывающего товарища, говорим о чем-то — да о литературе, наверное, — и тут я замечаю, что тот субъект жуткого вида отделяется от скамейки и направляется к нам. Понятно, что сейчас последует просьба о вспомоществовании, и я внутренне готовлюсь к этому. Вид у него… как бы это сказать… появись такой на экране, никто бы не поверил в реальность образа. Это когда хочется отвернуться: "О, Господи!" (Ну вот, снова вспомнил Сокурова — про лица людей, на которые надо смотреть, чтобы их полюбить…) Лицо неравномерно опухшее, глаз заплыл так, что века не видно, но тут лучше остановиться в описательной части… И по одежде видно, что где-то лежал, где лежать не принято. Поддат, но в движениях верен, и подходит он к нам достаточно целеустремленно — с видом человека, понимающего, какой вызывает эффект. Подходит и, подобострастно извинившись, осипшим голосом страдающего алконавта просит добавить на пиво — войти в положение.

Я и пошевельнуться не успел, а Крусанов — раз, и отдает ему свою бутылку, практически полную. Субъект немного ошалевает от такого дара и что-то начинает бормотать благодарственное. А Крусанов запускает руку в карман, достает, сколько достается, и не глядя отдает ему. Субъект еще те деньги не спрятал, а Крусанов уже из другого кармана снова достает и ему протягивает, и еще. Я и сам несколько изумлен отзывчивостью Павла Васильевича, я и сам — не столько из сострадания, сколько по-конформистски — ужасное слово: *подаю*… а этот просто ошеломлен. “Мужики, да вы кто?.. Художники?” Меня часто принимают за художника, обычно “типа того” отвечаю. А ему, по-видимому, хочется отблагодарить нас фигурой общительности, и он о себе начинает говорить — гонит пургу, а иначе что это? “Вы не поверите, а я тоже писатель”. (“Тоже” — это кивок в сторону Достоевского.) “Вы не поверите, у меня столько книг написано!.. Меня вся страна читала!.. Вы не поверите, у меня миллионные тиражи были!..” Крусанов, к моему удивлению, произносит что-то вроде “да нет, почему же… мы верим… мы знаем…” — только тот не слышит Павла Васильевича, а гонит и гонит свое про тиражи да гонорары, но уж очень неразборчиво как-то. Наконец выдыхает: “Ну, пойду!” — и уходит за угол — там, двенадцать ступенек вниз, винный магазин в подвале.

“Что это значит?” — спрашиваю. “Он меня не узнал”, — произносит в пустоту Павел Васильевич. “Кто это? — спрашиваю, слегка обалдев. — Вы что, знакомы?” Крусанов называет фамилию, ровным счетом мне ничего не говорящую, — простую такую фамилию, которую я, впрочем, скоро забуду (восстановить сейчас не сложно, только зачем?). “Так он что, в самом деле писатель?” И слышу: “Ну да”.

Оказывается, дело вот в чем. В начале девяностых Крусанов работал редактором в одном очень крупном издательстве. Был пик книжного бума. Издательство делало ставку на жанровую литературу, спрос на нее был очень велик — фэнтези, детектив… А тут подвернулась рукопись, которая идеально проходила по жанру “бандитский роман”, — прислали ее из мест заключения, и отличалась она от ей подобных незаурядным знанием предмета и живостью языка. “Мне даже править почти ничего не пришлось”. Ухнули большим тиражом, и сразу книга была раскуплена. Скоро и сам дебютант вышел на свободу. Крусанов перешел потом в новое издательство, а это занялось новичком вплотную, зарядило его на “бандитские” романы, которые он и стал печь один за другим, благо ему еще подрядили помощников. Гонорары были огромные. Да и время в известной мере было “бандитское”. Конечно, это не та литература, которую замечает критика, но успех есть успех. Одной его книги тираж превышал суммарный всех наших с Крусановым книг вместе взятых, написанных уже в другую эпоху. А потом? Крусанов не знает, что было потом.

Потом — суп с котом.

Встреча автора и редактора у памятника Достоевскому — вот что потом.

Я был потрясен. Я сказал, что такая сцена только здесь и могла произойти — только на этом месте.

Мы стояли по левую сторону от памятника, у гранитной тумбы, и Федор Михайлович, склонивший голову, глядел прямо на нас. Ощущение нереальности было столь велико, что я был готов поверить, что это все сон, причем его — смотрящего на нас Достоевского, это мы приснились ему.

Пиво, кстати, дрянь было. По-моему, не допил.

Александр Городницкий

Васильевский остров

Мы старые островитяне…

Вадим Шефнер

Моя память с возрастом, как и слабеющее зрение, делается дальнозоркой, — я начисто забываю события недавних дней и неожиданно для себя отчетливо вижу разрозненные картинки далекого детства. Так, например, мне ясно вспоминается, как в тридцать шестом году с Андреевского собора, неподалеку от которого стоял наш дом на Васильевском острове, срывали кресты. Примерно в то же время была взорвана часовня Николы Морского на Николаевском мосту, названном так по этой часовне. После революции мост переименовали в честь лейтенанта Шмидта. Саму же часовню, по преданию, не трогали до смерти академика Ивана Петровича Павлова, жившего в “доме академиков” на углу Седьмой линии и набережной Невы. Великий физиолог был верующим и регулярно ее посещал. Сразу же после его смерти часовню взорвали, но то ли постройка была крепкой, то ли взрывчатку пожалели, а вышло так, что распалась она на три больших части, которые долго потом разбирали вручную. Отец рассказывал, что мы с ним как-то проходили мимо взорванной часовни, и я спросил: “Папа, когда ее склеят?”

Я родился на Васильевском острове и могу считать себя островитянином. Первые зрительные воспоминания связаны для меня с такой картиной: в начале моей родной улицы, перегораживая ее, сереют грузные корпуса судов, а над крышами окрестных домов торчат корабельные мачты. Седьмая линия Васильевского острова между Большим и Средним проспектами, где располагался наш дом, берет свое начало от набережной Невы и в конце упирается в речку Смоленку. Как известно, по дерзкому замыслу Петра василеостровские линии и должны были быть поначалу не улицами, а каналами, соединявшими рукава Невы. Обывателям же василеостровским вменялось в обязанность иметь лодки, “дабы по этим каналам ездить”. Однако первый санкт-питербурхский губернатор, вороватый “светлейший” герцог Ижорский большую часть отпущенных казной для рытья каналов денег употребил на обустройство своего роскошного дворца на василеостровской набережной, развернув его фасадом, вопреки воле Государя, к Неве вместо здания Двенадцати коллегий. Каналы получились узкие, непроточные и такие грязные, что их пришлось засыпать.

Я называю себя ленинградцем, ибо "Ленинград" было третьим словом после слов "папа" и "мама", которое я услышал в жизни. А про "дедушку Ленина" и все его замечательные качества узнал значительно позднее. Кроме того, мне трудно называть блокаду "Петербургской". Конечно, умом я понимаю, что великому и многострадальному городу необходимо вернуть историческое имя, и все-таки… Я родился в 1933 году, когда большинство старых "питерских" названий улиц, площадей, мостов и даже пригородов было уже изменено на новые "послереволюционные". Дворцовая площадь носила имя Урицкого, которого здесь застрелили, Марсово поле называлось площадью Жертв Революции. Это название всегда представлялось мне нелогичным, так как жертвы революции, как мне тогда казалось, — это прежде всего капиталисты и помещики. Невский проспект переименовали в проспект 25 Октября, а Садовую — в улицу 3 Июля. В связи с этим рассказывали анекдот. Старушка спрашивает: "Скажи, сынок, как мне к Невскому добраться?" — "А вот садись, бабка, на остановке 3 Июля, — как раз к 25 Октября и доедешь". — "Что ты, милок, мне раньше надо". Уже после войны, когда отовсюду активно вытравливался немецкий дух, Петергоф был переименован в Петродворец. Другое переименование породило чисто питерскую шутку, непонятную москвичам: “Как девичья фамилия Ломоносова?” — “Ораниенбаум”. Интересно, что в годы моего довоенного детства пожилые люди обычно употребляли старые питерские названия, упорно игнорируя советские переименования. Теперь — когда вернули старые названия — я сам стал пожилым и предпочитаю привычные уху имена моего детства, называя Каменноостровский Кировским, а улицу Первой роты — Первой красноармейской. Будучи коренным василеостровцем (или василеостровчанином?), я всегда интересовался происхождением питерских названий. Так не без удивления я обнаружил, что название Голодай (отдаленный приморский край Васильевского) к слову “голод” никакого отношения не имеет. Просто заселившие Васильевский остров при Петре иностранцы в конце недели отправлялись сюда на взморье проводить свой *“holiday”*. Название пригородного поселка Шушары по Московскому шоссе тоже появилось при Петре. Там на тракте стояла городская застава, и обывателей, имевших документ, пропускали в столицу, а “беспачпортную шушеру” тормозили здесь, за пределами города, где она и селилась.

Дом 38 по Седьмой линии, где мои родители занимали узкую, как щель, тринадцатиметровую комнатушку с окном, упершимся в черный колодец двора, был старым шестиэтажным доходным домом. И наша коммунальная квартира, видимо, прежде принадлежала одной весьма состоятельной семье — об этом говорили лепные узоры на высоких потолках прежних больших комнат, рассеченных тонкими перегородками на тесные клетушки… Мои отец и мать родились в губернском городе Могилеве, откуда отец приехал в Ленинград учиться в конце двадцатых годов. В феврале 1930 года мать приехала к отцу в Питер из Алтайского края, где работала учительницей, и они поженились. Все имущество молодой семьи состояло из ломберного столика, двух стульев, раскладушки и табуретки. Отец в это время работал в фотокинотехникуме и учился заочно в Московском полиграфическом институте. Мать пошла работать учительницей начальных классов в среднюю школу на Восьмой линии и поступила на заочное отделение физико-математического факультета пединститута им. Герцена, который закончила в тридцать шестом, когда мне было уже три года. Дом наш, казавшийся мне тогда огромным, с высоким лепным фасадом и сохранившейся с дореволюционных времен красивой парадной с литыми бронзовыми украшениями, выходил на бульвар, где на моей памяти были посажены молодые деревца. В блокаду их спилили на дрова, а потом посадили снова, на этот раз почему-то ели, и всякий раз, проходя по Седьмой линии мимо родного дома, я с грустью вспоминаю довоенный лиственный бульвар. Родители дома почти не бывали — днем они работали, а вечером учились. Поэтому первые четыре года я большую часть времени проводил с няньками. Институт нянек в Ленинграде в начале тридцатых был весьма развитым и вполне доступным даже для таких малоимущих семей, как наша.

Няньки мои были в основном женщины средних лет или пожилые из псковских, новгородских или вологодских краев, чаще всего верующие. Отправляясь утром на уроки в школу, мать обычно снаряжала нас гулять. Местами ежедневных прогулок были бульвары на Седьмой или Большом проспекте, а при дальних прогулках — Соловьевский сад на углу Первой линии и набережной. В Соловьевском саду с его стройным Румянцевским обелиском, увенчанным бронзовым орлом и гордой надписью "Румянцева победам", по субботам и воскресеньям играл обычно военный духовой оркестр. Исполнялись по большей части старинные марши и вальсы. Мне почему-то более других запомнился часто звучавший вальс "Осенний сон". Зрительная память связывает с глухими ударами вздыхающего барабана и грустным напевом труб огненно-красную акварель сухих кленовых листьев на песчаных дорожках сада. До сих пор, услышав этот старый вальс, я испытываю странное чувство мечтательной грусти, как будто кто-то теплой и влажной рукой осторожно берет тебя за сердце. Может быть, именно поэтому всю жизнь более всего я люблю вальсы. Навсегда остался в памяти и старинный марш "Прощание славянки", уже через много лет снова вернувшийся ко мне со сцены МХАТа в финале "Трех сестер".

В доме на углу Восьмой и Среднего помещался ресторан "Лондон", превратившийся после войны в заштатную столовку. Здесь дежурили извозчики в высоких черных пролетках с откидным верхом и лаковыми черными крыльями. В отличие от нынешних такси, проблем с ними практически не возникало. Звонкое цоканье конских копыт по еще булыжной мостовой, ржание и всхрапывание лошадей, ласково зазывающие голоса извозчиков, ударяющий в ноздри острый запах лошадиного навоза населяли мертвые каменные городские просторы реальной жизнью окрестной деревенской природы, вытравленной нынче смертоносной гарью отработанного бензина. Все это вновь приходит мне на память, когда я перечитываю замечательные строки Самойлова: “Звонко цокает кованый конь о булыжник в каком-то проезде”.

Одна из моих нянек, набожная старуха из-под Крестец, во время прогулок ежедневно таскала меня в Андреевский собор на церковные службы, строго-настрого наказав не рассказывать об этом матери. Более всего любила она отпевания. Торжественность мрачноватого этого обряда, усугубляющаяся странной неподвижностью лежавшего человека, бледное лицо которого ярко освещалось свечами в таинственной полутьме храма, необычно выпевавшиеся слова, терпкий запах плавящегося воска — все это внушало мне тоску, побуждало скорее выйти наружу, под яркий солнечный свет, на нагретые каменные ступени, где играли другие дети. Я не мог разгадать пугающей тайны смерти и понял тогда только одно: смерть — это неподвижность. В тридцать шестом церковь свое существование прекратила. Вместо свергнутого Бога появлялись другие. Помню, как над воротами домов на нашей линии прибивали странный знак Осоавиахима — с винтовкой, пропеллером и противогазом, напоминающий языческий тотем. Этот языческий символ должен был как будто защитить дома от бомб и снарядов, но, увы, не защитил…

Даже в те дни, когда отец и мать были вечером дома, они, как правило, работали. Мать проверяла бесконечные ученические тетради, а отец готовился к занятиям или штудировал очередную полиграфическую литературу, которая тогда в основном была на немецком языке. По вечерам, засыпая, я видел отца или мать, склоненных над столиком при неярком свете настольной лампы. Зрелище это вселяло чувство покоя и уюта. Зато настоящими праздниками были те нечастые дни, когда отец ненадолго освобождался, и мы отправлялись гулять. Основным местом этих гуляний была набережная Невы, куда няньки не слишком любили ходить, предпочитая ближние бульвары и садики. Здесь начинался другой мир. Под сырым, пронизывающим до костей балтийским ветром поскрипывали у причалов самые разные суда — от гигантских (так мне тогда казалось) пароходов до маленьких, густо дымивших буксиров, которые все почему-то носили имена героев Великой Французской революции — “Сен-Жюст”, “Демулен”, “Робеспьер”. Веселые матросы курили на палубах. Иногда там же можно было услышать звуки баяна и лихие матросские песни, из которых запомнилось: “По морям, морям, морям, морям. Нынче здесь, а завтра там”. За маленькими круглыми окнами в медной оправе, светившимися в черном борту, происходила какая-то таинственная жизнь — уже не на земле, а в другой, хотя и близкой — не далее шага — но совершенно недоступной стихии. Это детское ощущение сладкой притягивающей тревоги и непреодолимого любопытства я вспомнил уже взрослым, когда впервые прочел строки Мандельштама:

Зимуют пароходы. На припеке
Зажглось каюты толстое стекло.

Другим любимым местом был зоопарк на Петроградской. Туда надо было ехать на трамвае, хотя и не слишком далеко, а все-таки — настоящее путешествие через мосты. Трамваи тогда были с открытыми площадками и колокольчиком, объявлявшим отправление. Вечером на них зажигались разноцветные огни — для каждого номера свой, чтобы можно было опознать в темноте нужный номер. В зоопарке, полюбовавшись на слонов, жирафов и львов, мы обычно шли кататься на "американские горы". Маленькая тележка с лязгом и звоном взлетала вверх и стремительно неслась вниз по крутым головокружительным виражам, проскакивая через какие-то тоннели. Сердце замирало от ужаса и восторга. Кстати, именно здесь, на Петроградской, несколько позднее, когда я уже мог по складам читать объявления на стенах и вывески, я сделал неожиданное для себя открытие. Зная наизусть "Доктора Айболита", я пришел в восторг, увидев на угловом доме надпись: "Бармалеева улица". Вот оно что — оказывается, даже улица есть в честь Бармалея! Мне тогда, конечно, было невдомек, что все как раз наоборот. Здесь прежде жил богатый купец Бармалеев, по фамилии которого и была названа улица, а уже по названию улицы придумал Корней Чуковский имя своему герою. Любил я и праздничные демонстрации, особенно первомайские, куда отправлялся либо с мамой и ее школой, либо с отцом. Второй вариант был гораздо привлекательней, поскольку колонну картфабрики обычно возглавлял большой военно-морской оркестр, да и в самой колонне было довольно много людей в морской форме. Это вселяло иллюзию причастности к морю. Да и сама морская форма осталась любимой на всю жизнь. Хорошо помню последнюю предвоенную демонстрацию 1 мая 1941 года. Колонна наша, двигавшаяся по улице Герцена (сейчас Большая Морская) через Исаакиевскую площадь, остановилась у здания немецкого консульства, на котором развевался огромный красный флаг с белым кругом и черной свастикой в середине.

Почти каждое лето родители выезжали вместе со мной в Белоруссию, под Могилев, к своим родителям или под деревню Полыковичи "на Полыковские хутора". После тесной василеостровской комнатушки и питерских дождей белорусская солнечная деревенская вольница казалась сказочной. В памяти смутно брезжат протяжные белорусские песни, и до сих пор звенит в ушах лихая "Левониха" с замечательными четырехсложными рифмами:

Левониха — душа ласковая,
Черевичками поляскивала.

Собирались мы поехать в Белоруссию и в сорок первом году, однако отцу не выдали вовремя зарплату, и билеты купить было не на что. Это нас спасло. Всех моих родных, живших в Могилеве, в сентябре того же года уничтожили фашисты.

В сороковом году у меня вдруг отыскали "музыкальный слух", и родители загорелись идеей обучать меня музыке. В начале сорок первого года отец получил довольно большой по тем временам гонорар за учебник по полиграфии "Производство клише для высокой печати", который ему перевели на сберкнижку. Было решено купить пианино, однако внезапно грянувшая война порушила эти наивные планы. А деньги со сберкнижки мать смогла получить только в сорок четвертом, в эвакуации, в Омске — мы на целую неделю накупили хлеба, масла и яиц. Так что не могу сказать, что мое несостоявшееся музыкальное образование не стоит выеденного яйца.

...Почти сразу после начала войны, в июле 41-го года, моя мать вместе с начальными классами своей школы выехала, забрав меня с собой, в деревню под Валдай. В соответствии с планом эвакуации, составленным еще перед Финской войной в 39-м году, туда отправили несколько тысяч ленинградских детей. Но немцы уже в первый месяц войны вплотную подошли к Валдаю, в то время как Ленинград еще был относительным тылом. Многие родители кинулись оттуда за своими детьми, чтобы забрать их обратно. Одним из последних эшелонов нас вывезли назад, в Питер. Помню бомбежку на станции Малая

Вишера, когда нас загнали под вагоны, а все вокруг было озарено яркими осветительными ракетами. 8 сентября немцы взяли Шлиссельбург, и началась блокада.

Осень сорок первого года выдалась сухой и ясной. Бомбежки учащались, а скоро к ним прибавился артобстрел. Пайки все время урезались. К декабрю деревья на бульваре вырубили на дрова. На улице и во дворах исчезли кошки и голуби. Ходили небезосновательные зловещие слухи, что ловят и убивают детей и продают их на Андреевском рынке как телятину.

Дом наш загорелся в январе сорок второго года не от бомбы и не от снаряда. В квартире выше этажом умерла соседка и оставила непогашенной "буржуйку", а гасить понемногу разгоравшийся пожар было нечем.

...В апреле сорок второго, уже через ладожскую трассу, мы с матерью отправились в эвакуацию в Сибирь. Машины шли по кузов в воде, с погашенными фарами, чтобы не привлекать внимание немцев, и нередко проваливались под лед.

...Осенью сорок пятого мы возвратились в Ленинград. Поскольку дом наш на Васильевском сгорел, отцу выписали ордер на комнату в коммунальной квартире большого дома на углу Мойки и Фонарного переулка.

В этой комнате я прожил вместе с родителями более десяти лет. Однако своей "малой Родиной" я считал и считаю Васильевский остров, если, конечно, Родина может быть малой.

Слово о Питере

Наталии Соколовской

Что могу я сказать о родном моем Питере?
Не пристало в любви объясняться родителям,
С кем с момента рождения жили обыденно,
Без которых и жизни бы не было, видимо.
Я родился вот здесь, на Васильевском острове,
Что повязан и днесь с корабельными рострами,
На Седьмой, не менявшей названия линии,
Где бульвар колыхался в серебряном инее.
Я родился за этой вот каменной стенкою,
Меж Большою Невой и рекою Смоленкою,
Под стремительных чаек надкрышным витанием,
И себя называю я островитянином.
Что могу написать я сегодня о Питере,
Облысевший старик, "гражданин на дожитии",
Сохранивший упрямость мышления косного
Посреди переменного мира московского?
Переживший эпоху Ежова и Берии,
Я родился в столице Великой империи.
Я родился в заштатной советской провинции,
Населенной писателями и провидцами.
Вспоминаю ту зиму блокадную жуткую,
Где дымился наш дом, подожженный "буржуйкою",
И пылали ракет осветительных радуги
Над подтаявшим льдом развороченной Ладоги.

Переживший здесь чувство и страха, и голода,
Полюбить не сумею другого я города.
Испытав ностальгии страдания острые,
Полюбить не сумею другого я острова.
Что могу написать я сегодня о Питере?
Я хочу здесь остаться в последней обители,
Растворившись в болотах его голодаевых,
Где когда-то с трудом выживал, голодая, я.
Мне хотелось бы, братцы, над каменной лесенкой
Безымянной остаться единственной песенкой,
Что и в трезвости люди поют, и в подпитии.
Вот и все, что могу написать я о Питере.

17 июля 2014

Татьяна Москвина

“На Васильевский остров я пришла…”

Умирать! — воскликнут читатели, невольным хором продолжая заезженную цитату из Бродского. Вот, понимаете ли, каприз гения — зачем-то пообещал заявиться умирать именно на Васильевский остров, с которым особо тесно связан не был, не родился и не жил там, а скорее всего, регулярность этого необыкновенного района напомнила ему кладбищенскую правильность: остров с юга на север пересечен “линиями” (в нормальном городе линия — одна сторона улицы), а линии — тремя проспектами, Большим, Средним и Малым. Все как будто проведено недрогнувшей рукой, расчерчено жесткими, неумолимо прямыми именно что "линиями", по линейке, никаких петляющих переулков и тупиков. "Вход" на Васильевский — пышный, парадный, явно со Стрелки, где до сих пор по праздникам пылают Ростральные колонны и высится Биржа. А "выход" — непонятно где, может быть, в таинственном месте, где я родилась (конец Семнадцатой линии, возле набережной речки Смоленки) и где расположены три обширных кладбища: Смоленское православное, Смоленское армянское, Смоленское лютеранское. Так что тема, куда приходить умирать, заявлена Бродским неспроста, но он действовал, исходя из категорий стиля и вкуса, пренебрегая советом тихого мудрого Арсения Тарковского:

Не описывай заранее
Ни сражений, ни любви,
Опасайся предсказаний,
Смерти лучше не зови…

И ведь не в том беда, что все возьмет и сбудется, — а в том, что все может обернуться как раз фарсом несбывшегося или сбывшегося с точностью до наоборот. Так что не стану утверждать, будто я пришла на Васильевский остров с известной целью — но так случилось, что жизнь нарисовала круг: я родилась на Васильевском острове и вернулась в 2005 году туда же. Туда же, да не туда: детство прошло на Васильевском "захолустном", непарадном, пред-кладбищенском, дико очаровательном — а поселилась я нынче на Университетской набережной, рядышком с Академией художеств. Чуть дальше по набережной, уже Лейтенанта Шмидта (мосту Лейтенанта Шмидта вернули историческое название “Благовещенский”, но набережная сохранила имя этого странного парня, ужасно возлюбленного когда-то русской интеллигенцией), расположен причал, где швартуются экскурсионные корабли. Причаливая и отчаливая, корабли издают дивный, густой и печальный звук. Я живу в центре Петербурга, смотрю на Неву и думаю, что — без спора, я счастливица. Правда, решительно ослабела мотивация деятельности — вот к чему мне стремиться, если я в окне вижу Исаакиевский собор и могу каждую ночь с апреля по ноябрь наблюдать аттракцион, за которым люди едут со всего света, — развод невских мостов?

Говорят, всё надоедает. Нет, Нева надоесть не может — ох и странная это река, да и река ли она? Под Благовещенским мостом она вообще непонятно куда течет, не разобрать... Однажды зимой, когда был салют в день снятия блокады, я стояла в лютый мороз на этом мосту, ожидая первый залп, и вдруг увидела в небе бесшумную быструю стаю из сотен белых птиц. Стая пронеслась над Невой в сторону Петропавловской крепости, откуда в городе и раздаются все салюты. Никакие это были не чайки, чайки такими огромными и бесшумными стаями не летают. Души погибших блокадников? Не знаю. Стояла на Благовещенском мосту в счастливом ужасе... Желая чудес, мы никак не приспособлены для встречи с ними.

Но вернемся к реальности. Васильевский остров — район, наименее пострадавший от “нашествия варваров". Дома там крепкие, плотно стоящие друг к другу, и вштырить что-либо чрезвычайно трудно. Новых строений — единицы. Старая застройка идет километрами. Некоторые места не изменились за полвека вообще никак. Скажем, мой родной дом № 70 по Семнадцатой линии — рядовой образец стиля "модерн", серо-зеленый, угловой с набережной Смоленки. Квартира 29, где мы жили с родителями и бабушкой, несколько лет назад была выставлена на продажу, и я под видом покупателя съездила на ностальгическое свидание. Конечно, все стало маленьким, это обычный эффект, но примечательно другое — мало что изменилось! Разве что на берегу Смоленки водрузили бизнес-центр (это в двух шагах от кладбища, ну правильно, буржуи, мементо мори!) да погиб трамвай, сняты рельсы, те самые, по которым еще недавно разъезжал герой фильма Балабанова "Брат". Я враг гибели милого животного — трамвая, видела своими глазами: трамвай бодро колесит по Цюриху, по Праге, никому не мешает. Трамвай в моем детстве-то был единственный громкий звук с улицы, звук из добрых, привычных, никогда не мешающих. Трамвай бросал дрожащие отсветы на стены, немножко скрипел, тормозя, а потом нежно звонил звоночек, предвещая закрытие дверей и отъезд.

Звук трамвая — и опилки — почему-то вспоминаются первыми. Древесными опилками посыпали каменные полы магазинов, так боролись со слякотью. Грязь с ленинградских ботинок стекала в слой опилок, впитывалась, и обувь становилась сухой, а опилки время от времени обновлялись. Конечно, маленький человек всегда внимательно смотрит вниз, но у меня тут была особая причина: монетки, падая в опилки, иногда “пропадали”, оказывались незаметными, не ударялись об пол, настораживая покупателя. Так что я, к примеру в булочной, немножко шевелила опилки ногой и могла обнаружить потерянную кем-то монетку, даже в пять копеек. А пять копеек в каком-нибудь 1963 году это детское состояние…

Кто ворожит Васильевскому острову, отчего он почти в сохранности? Возможно, это “общество мертвых художников”. На Васильевском художники селились компактно возле Академии. Сам Иван Иванович Шишкин проживал не в сосновом лесу, но в Пятой линии В.О. Рядом с Академией квартиры, ясно, были подороже, но дальше, “в линиях”, цена снижалась. В повести Гоголя “Портрет” читаем про художника Чарткова — “усталый и весь в поту дотащился он к себе, в Пятнадцатую линию на Васильевский остров”.

Иногда представляю себе этих чудесных художников позапрошлого столетия, преисполненных отборных иллюзий и настоящего огненного честолюбия — где-то тут они ютились, в мансардах, иногда даже не полноправные ученики Академии, а всего лишь вольнослушатели на птичьих правах. Как художник Хруцкий, который притащился в Город из Витебской губернии и пребывал вольнослушателем, однако получил серебряную медаль за картину “Цветы и плоды”. Люди советского времени знают прекрасно Ивана Трофимовича Хруцкого с его цветами и плодами (иногда к ним он пририсовывал живую птичку) — картины его были на открытках и широко известны. Где-то здесь, на В.О., обитал Иван Трофимович, скудно питаясь, мечтая, совершенствуя свое трогательное умение писать цветы и фрукты… Так что, несмотря на строгость облика, Васильевский остров довольно благосклонен к артистическим мечтам. И могли же мастера, отправившись на работу в Небесную Россию, помочь своей "земной квартире" выстоять и сохранить прекрасные черты?

Университет. Он, конечно, дает громкую и звонкую ноту жизни острова. При парадном "входе" расположены несколько главных факультетов — филологический, исторический, философский… Но на В.О., уже в линиях, обитают и не менее важные очаги образования — скажем, кузница государственных кадров, юридический факультет. Юриспруденция вообще важная тема острова. Здесь всегда было множество "контор", есть они и сейчас. Связано ли это как-то с "немецкой темой"? Немцы издавна селились именно на В.О., была "Немецкая слобода", Лютеранская церковь на Большом проспекте (в сохранности) — атмосферу этой жизни можно найти в романе Лескова "Островитяне". Юридическая и немецкая темы образуют на В.О. упорное стремление к порядку, закономерности, регулярности, точности, строгости и — покою. Васильевский — самый спокойный по характеру район Города. Он резко отличается, скажем, от замороченной, резко-контрастной, психованной "Петроградки" (Петроградского района). Он как будто предлагает "идти прямо" — но при этом, смирно и спокойно шагая, можно забрести Бог весть куда.

Это прекрасно знал трогательный писатель Вадим Шефнер. Васильевский остров — не такой уж частый персонаж русской литературы, но герои повестей и рассказов Шефнера неукоснительно обитают именно здесь, как и их автор (Шефнер много лет жил в Шестой линии). Шефнер упорно писал о великих людях, изобретателях и подвижниках, которых никто не замечает и не ценит. Они по обывательским меркам — неудачники, и самые грандиозные их свершения никого не впечатляют. Писатель рассказывал о жизни своих прелестных пораженцев исключительно с юмором. Фантастический элемент его сочинений даже как будто и не заметен — с таким невозмутимым лицом автор повествует о каком-нибудь работнике бани, который изобрел коньки для бега по воде. Ведь это нормальное дело для жителя Васильевского острова, где самые невероятные мечты будто строго впаяны в круговорот регулярного и правильного. Здесь правильно мечтать и делать фантастические вещи — потому что в самом появлении острова, в его родовых основаниях впаяна мечта.

Говорят, эта мечта сбылась лишь отчасти: *Tsar Piotr* хотел, чтобы между линиями пролегли каналы, как в Венеции. Причем многие приезжие убеждены, что каналы таки и были, только они засыпаны при Советах. Во всяком случае, *Tsar Piotr*, видный мне из окна Медный всадник, ликом обращен именно в сторону Васильевского, и к нему обращена торжественная царская длань. Приветствует ли царь свою несбывшуюся мечту? Нас ли, островитян, ободряет?

Меня что ободрять — если с утра никто не отравит новостями, я и без того в радости живу. В бассейн иду мимо дворца Меншикова, Университета, Кунсткамеры и Зоологического музея — к Бирже: там, на набережной Макарова, у меня очаг оздоровления. Вздумается гулять вечером — направо, по набережной, к Горному институту, прекраснее места и не сыскать. Церковь моя — Андреевский собор в Шестой линии, идти 200 метров. Рядом — рынок, автошкола, аптека, магазинчик и прокуратура. Ни одного новодела на километр кругом! Что еще нужно человеку, я вас спрашиваю?

Неприятности жителя Васильевского — всегда пространственные. Скажем, ремонт любого моста означает крутой транспортный коллапс: мостов мало, они перегружены, а ремонтируют их всегда в питерском стиле — то есть будучи погруженными в летаргический сон. Меняют трубы под Большим проспектом — еще один коллапс. А ежели два коллапса сразу? Да у нас и три кряду возможны. К примеру, перекрывают мост, проспект — а заодно и станцию метро “Василеостровская” отправляют на капремонт. Или: при губернаторе Валентине Ивановне, женщине исключительной жизнерадостности, по городу расставили что-то вроде огромных чупа-чупсов, мигающих разноцветными огоньками. Один такой штырь водрузили напротив моих окон, так что несколько лет у меня словно нарыв пульсировал в зрительных нервах — проклятый чупа-чупс вырабатывал счастье сутками. Потом демонтировали, и вот она опять — радость.

Споры вокруг того, кто таков Василий (Васильевский же остров), закончились в районе празднования 300-летия Петербурга твердым ответом историков в античном духе: не знаем и не узнаем. Памятник неизвестно кому стоит на пешеходной зоне, в Седьмой линии. Бронзовый. Похож на артиллериста (при нем пушка), с усами, приветливый. Люди охотно фотографируются рядом с Василием — люди любят бронзовые памятники почти так же страстно, как святую воду. Но по силе выразительности Василий значительно уступает памятнику Ленина на Большом проспекте, у здания районной администрации. Это исключительно маленький и грустный вождь на высоком постаменте. На Васильевском Ленин вряд ли бывал по своим скорбным подпольным-то делам. Заводов и фабрик здесь мало, памятных досочек о сходках и стачках нет. Вообще нет адресов, связанных с революциями. Морской дух, художнический, юридический, немецкий — революционного духа на Васильевском не было. Так и то сказать, Октябрьский переворот разве был законным? Это юридический казус…

Да, не забудем о море. До него можно дойти — по Большому проспекту. Вот и Гавань… Тяжелые серые волны, ветер…

Как не хочется умирать, прости Господи!

Александр Мелихов

Как бы нам остаться варварами?

Архитекторы лишь закладывают семена городов, а взращивают их поэты: чего бы стоил Петербург без “Медного всадника”!

И чего бы стоила сказка о Ленинграде без ленфильмовского Медного всадника, восходящего на прожекторных лучах ежевечерне на миллионах экранов от Калининграда до Чукотки!

В наш утопающий в щебенке шахтерский поселок моего отца забросила рулетка НКВД, и среди бескрайнего казахстанского мелкосопочника он оказался самым культурным человеком на территории, равной трем

Франциям. И всячески демонстрировал, что и в любом медвежьем, волчьем и барсучьем углу можно оставаться благородным, уважаемым и счастливым человеком. Центр мира можно разместить всюду!

Но однажды меж черных голов нашего клубного барака как-то по-особенному взошел Медный всадник в направленных на него прожекторных лучах — словно это были горящие глаза мира, устремленные к сердцу вселенной, на которое сейчас и в самом деле взирали тысячи и тысячи глаз в тысячах и тысячах клубов на тысячах и тысячах верст нашей необъятной родины. И я понял, что если я когда-нибудь не оседлаю этого красавца-коня, застывшего на гребне каменной волны, мне конец.

Увы, мир до ужаса неодинаков — в нем есть равнины, на которых человека не видно уже с трех верст, есть чащи, где еще что-то можно разглядеть разве что с десяти шагов, есть расщелины, в которые вообще никто никогда не заглядывает, — и есть вершины, видные со всех концов земли. В захолустье бессмертия не бывает, и наше влечение ко всему центральному, доминирующему есть не что иное, как тяга к бессмертию.

И когда, абитуриент волшебного матмеха, со своим оранжевым фанерным чемоданом, одурев от блеска, сини и Ниагары красот, по каменной кольчуге я устремился к Неве, а простукивавший мимо буксир осчастливил меня по колено *настоящей* невской волной, я ощутил это как крещение в ленинградцы!

И сколько бы я ни странствовал по прекрасному и яростному миру, ничто не заставляло мое сердце биться с таким предвкушением, как приближение к Ленинграду, звуки имени которого заставляли меня вздрагивать не менее, чем графическая красота этого слова. Я еще над уральскими речками предвкушал, как, смакуя, побреду Кузнечным переулком мимо Кузнечного рынка, мимо пышущих значительностью совковости, занюханности, криминогенности — к гордой Фонтанке, заплаканной известкой из гранитных стыков с раскустившимся там безалаберным бурьяном. Потом — облокотиться на узор чугунный и замлеть от свободы, свернуть направо — к Аничкову мосту или налево — к дому Державина…

Не только гении и кинофирмы — каждый из нас тоже заселяет любимые города собственными идеями и призраками. К своему пятидесятилетию я пустил пятидесятилетнего героя прогуляться по любимым местам университетской юности, вне которых для него весь мир чужбина, — и теперь сквозь его странствия сам не вполне различаю знакомые улицы. Любимая университетская линия испоганена беспросветно советским памятником Ломоносову. Приподняв пухлое лицо, Михайло Васильевич щурится через Неву на Медного всадника, словно передавая вызов одного ваятеля другому: пошляк не потупит взора перед гением! Зато спуск к Неве, где я принял крещение в ленинградцы, все тот же…

У центрального входа в Двенадцать родимых коллегий гордые ордена на трезиниевском фасаде теперь кажутся мне кровавыми болячками, но скрижаль подвигов "1905–1906 года" уже не оскорбляет памятных досок Менделееву-Докучаеву: Девятьсот пятый год и далек, и воспет. И хмурые своды смотрели сквозь сон на новые моды ученых персон…

Белые больничные колонны, мраморные доски с длинными списками павших университантов, самый длинный в мире коридор, услужливое эхо, бесконечные шкафы старинных, с позолотой томов (половину не достать без лестницы, но они никогда никому и не потребуются: дело храма — хранить высокое и бесполезное), бесконечная аркада окон, разделенных портретами укоризненно взирающих Отцов. Левая даль по-прежнему перекрыта грандиозным полотном — лысеющий заочник В.Ульянов сдает экзамен, повергая в изумление и негодование вицмундирных профессоров — кто привстал, кто, наоборот, откинулся в кресле…

О, так здесь уже новая мазня — советники в буклях выслушивают петровский завет: "Университету быть!" Темный канцелярский коридорчик, непарадная лестница, ударил в глаза узор на плитках — тени, знайте свое место! — внезапная, ни к селу ни к городу реклама Промстройбанка, а в гардеробный закут и вахтер не пустит.

Снова Нева, горячий гранит, пластилиновый асфальт, неумолимая жара, беспощадное низкое солнце — скорее под арку, мимо блоковского флигеля, мимо фабричного кирпича огромного спортзала, где мы выхлопывали друг дружкой брезентовые маты, не догадываясь, что вот-вот на них же начнет хлопаться будущий президент России.

ВАСЯ

Шестнадцатая линия Васильевского острова

Пока же на красно-копченой стене две прежние белые доски: первый зал для игры в мяч, первая радиопередача инженера А.С.Попова.

Строгий серый бастион — БИБЛИОТЕКА АКАДЕМИИ НАУК. Заниматься в БАНе — это был большой снобизм среди нашей золотой молодежи, которой туда пока что не полагалось; и какие часы возвышенного счастья я впоследствии там просиживал, прображивал по коридорам!.. И каким спазмом отозвалось известие о пожаре в БАНе!.. Но что делать: захватчики, хозяйничающие в чужом городе, рано или поздно сожгут его дотла.

Ба, площадь перед БАНом теперь носит имя Сахарова!

А вот и памятник ему, зеленый, как бы увешанный тиной, — наверняка кто-то из студентов додумается назвать его Дуремаром.

Думали ли мы?..

Слева отозвалась коротко и косо натянутая леса Биржевого переулка — смесь складских задворок со скромным классицизмом мимолетного просвета на Волховский тупичок, упирающийся в немедленно воскресший этот самый, забыл название... да, Тучков переулок, вливающийся в Средний.

Постоянное представительство новорожденной республики Саха "Бастайааннай бэрэстэбиитэлистибэтэ". А вот и тысячу раз истоптанная брусчатка — черные полукружия, как в переспелом подсолнухе, — Тучков переулок. Эта арка — вроде бы проходная до Съездовской линии, — на месте ли стойкий одноногий Аполлон на внутренней стене?

Екнуло в груди: вдавленная плитка в сквозном подъезде все та же — и я выныриваю лицом к лицу с Первой линией. Ба, на месте родного подвальчика "Старая книга" — кафе "Реал"! Призраки уступают напору реальности — куда более текучей, чем наши старые добрые фантомы: завтра здесь появится вывеска "Вижен-сервис", послезавтра — какое-нибудь "Аудио-выудио", а послепослезавтра — салон "Интим" с платой за право полюбоваться налившимися дурной кровью фаллосами и истошно розовыми, стоматологически вывернутыми вагинами при ухарски подвитых нафиксатуаренных усиках. Нет, никакое порно не превзойдет те сладострастные часы, что были здесь пролистаны, пока не решишься наконец овладеть каким-нибудь Багрицким или, скажем, Бернсом копеек этак за семьдесят. А при виде той аккуратненькой синенькой шеренги десятитомного Пушкина я, наверно, и сам посинел: боже, и письма, и "История Пугачева"!..

Угловые электротовары превратились в "Лайн" с пояснением "Орион" — мудрый Эдип, разреши. Сливочные эмали невиданных ванн и раковин в окне... да, а булочная с кофейным стоячим уголком, где можно было после тренировки навернуть ватрушку-блюдце — ага, здесь теперь цветастое кафе, все наверняка на высшем уровне: пицца с нарисованной начинкой, хот-доги, подплывшие кетчупом, гамбургеры, чизбургеры — одно слово, *бистро*, наивный стиляга начала шестидесятых не додумался бы о таком и мечтать.

Зазывают посетить Египет, Израиль, Канары — уже не вздрагиваешь даже от слова "Израиль", вечно сулившего какие-то неприятности. Как быстро все сделалось будничным... Уже не “Сберкасса”, а “Сбербанк”, да еще и “России” — тоже непривычное на улице слово. Ага, вот и “Интим”. А вот муляжный готический собор — бывшее не то РЖУ, не то ЖРУ, — ныне евангелическая лютеранская церковь; расписание воскресной школы (воскресная школа, Том Сойер!), а в придачу еще и библейский час для новеньких.

Пушистые лиственничные детеныши вдоль Шестой превратились в долговязых, изнемогающих от духоты подростков. Асфальт с чего-то разворочен, вдоль щебенки разложилась истекающая потом барахолка. Продают именно барахло — какие-то старые выключатели, покоробленные туфли... А этот достойный общественный сортир на пьедестале — метро “Василеостровская” — я помню еще волнующей новинкой: все ринулись прокатиться до “Гостиного”, а у меня подлый автомат сожрал жетон и вдобавок пребольно лязгнул по самому уязвимому месту.

На стене через улицу уже не проступают буквы НОМЕРА “ЛОНДОНЪ” — по диккенсовской закопченной растрескавшейся стене раскинулось агентство недвижимости “АДВОКАТ”.

Восьмая линия — трамвайное столпотворение. “Чувствую, кто-то меня толкает, оборачиваюсь — трамвай”, — возбужденно рассказывал гениальный Цетлин, как обычно, ни к кому не обращаясь. Скорее протрусить до угловой табачной фабрики имени какой-то революционной Карменситы — Веры Слуцкой, Клары Цеткин? Или просто-напросто Урицкого?

На углу Девятой "Рыба" прежняя, но пивного ларька уже нет (двое работяг прихлебывали пиво, рассудительно разглядывая пропитанную розовым разъезженную кучу песка: "…На скорости… Мозги сразу вытекли…") Ага, на месте и "Кондитерская", где неутомимая машинка безостановочно вынимала из кипящего жира бронзовые кольца пышек, награждавшие сластолюбцев пивной отрыжкой. Над пышечной на унылом брандмауэре огромный плакат — кроткие пингвины прохаживаются вокруг прозрачнейшей бутылищи "*Smirnoff*". Никогда не замечал, какой милый, украшенный цветной плиткой северный модерн предваряет последний путь к былому матмеху — я в ту пору был убежден, что архитектура не должна служить человеку, меня влекло лишь грандиозное.

Иссушенное временем и пóтом сердце все-таки снова начало наращивать удары — когда-то я готов был триста шестьдесят пять тысяч раз в году, замирая, перечитывать вывеску "Математико-механический факультет", — отколотый угол лишь добавлял ей ореола: у джигита бешмет рваный, зато оружие в серебре. Мемориальная доска "Высшие женские (бестужевские) курсы — Н.К.Крупская, А.И.Ульянова, О.И.Ульянова…" была на месте, а что за контора здесь сейчас расположилась — не все ли равно, кто донашивает тапочки из шкуры любимого скакуна.

За дверью открывается незнакомый, а потому нелепый розовый туф. Ирреально знакомые ступени. Последняя дверь, как и тогда, по плечу лишь настоящему мужчине. Ощущение бреда полное — тесный вестибюль с громоздким пилоном посредине был запущенный, но *тот же*. Нов был только застарелый запах давным-давно вырвавшегося на волю сортира. Несмываемый позор…

Выходец с того света, влево уходил полутемный коридор, нырявший под темные своды гардероба, предварительно выпустив узкий рукав — ответвление в столовую, близ которой подоконник был вечно завален охапищей польт и курток, что строжайше запрещалось, поскольку их время от времени тырили. Но не тратить же целую минуту на гардероб! Столовский котяра был жирен и ленив до такой степени, что даже лечь ему было лень — он брякался набок со всего роста и замирал прямо среди шагающих ног.

А перила главной лестницы завершаются все тем же деревянным калачом, на который так любили надеваться карманы наших всегда распахнутых пиджаков. В глазах стоит мясистый регбист и щеголь Каменецкий, с абсолютно не свойственной ему растерянностью разглядывающий надорванный карман своей тройки. У меня же при моих темпах оказались оторванными полполы, полезли какие-то парусиновые кишки… Я лишь через неделю сообразил, что вместе с изувеченным пиджаком запихал в фаянсовую урну и студбилет, и зачетку.

Подвальная теплота вестибюля на улице показалась прохладой. Я брел от врат провонявшего рая, словно из запертой жилконторы.

Ба — угол Шестнадцатой линии, фанерные бельма, — а как любила моя будущая жена, которой тоже уже нет (поживешь — до всего доживешь), здешние рассыпчатые, бесконечно плоские пироги с лимоном! А там, где сходятся трамвайные пути, маячит еще один тарахтящий автобусный проспект корейского КИМа промеж двух осененных издыхающими кронами кладбищ — нашего и армянско-лютеранского, ведущий в недра таинственного в своей провинциальности Голодая.

Справа же вот-вот откроется дощатая стена Смоленского кладбища…

Но вместо саженного щитового забора взгляд ухнул в бесконечность — запущенную, неряшливо заросшую, захламленную бесконечность сровнявшихся с землей могил, покосившихся и вовсе упавших ниц и навзничь крестов: какой-то рыцарь истины из городской администрации решил открыть нам правду о нашем будущем, заменив трухлявый забор благопристойной металлической решеткой. Мы-то, впрочем, и не нуждались в заслонах: мы сами через проломы лазали на Смоленское загорать с конспектами, играть в волейбол, целоваться — я сам не раз целовался на мраморе одного знакомого статского советника, с будущей супругой в том числе. Там, за чересчур разросшимися на этой перекормленной земле деревьями, поближе к церкви начинались надгробия вполне респектабельные. А у пирамиды погибших солдат Финляндского полка я всегда останавливался с глубоким почтением — не к их гибели, к подвигу Халтурина.

Я спокойно хаживал через кладбище в темноте, если только не разыгрывалось воображение. Но если разыгрывалось, все равно себя заставлял, перед каждым кустом собираясь, как на ринге. И все же заледенеть по-настоящему меня заставило только искусство: рижанин Корсаков, напудрившись, ворвался в нашу комнату, пылая своими черными глазищами. Только что одна наша девушка попросила мужчину проводить ее через кладбище, а когда он проводил, начала благодарить его: спасибо, а то я так боюсь мертвецов!.. "Глупенькая, — ответил он, — чего нас бояться?.."

Ага, это здесь был вход, через который моей к тому времени уже настоящей жене открылся сумеречный эксгибиционист — она тоже прибежала, будто напудренная, как Рижский-Корсаков, глаза по пятаку, рот тугим кольцом, ноздри раздуваются, словно у кобылицы... "Он тебе что-нибудь сделал?.." — "Он этот, *ваш*... теребил". Я покатился со смеху — *теребил*!.. В качестве молодого супруга я совершенно не чувствовал себя оскорбленным. Народ хотел идти на розыски, но я отговорил: его уже давно и след простыл. Я бедняге даже сочувствовал: что за жизнь у человека! Правда, понемногу начал сочувствовать все меньше — сколько же можно: он или какой-то его единоверец время от времени появлялся в темноте под нашим окном возле женской умывалки. Я был удивлен, узнав, что в жизни женщин эта публика играет довольно заметную роль.

Нет, не хочу я смотреть в глаза этой кладбищенской правде — пусть лучше слепит неутомимое солнце.

Ага, вот она, реальность во плоти: справа — трамвайное кольцо, слева — бензоколонка... Отчего-то я задерживаю взгляд на все той же марганцовочной почте, прежде чем взглянуть в лицо выходцу с того света, всплывшей

Атлантиде, возвращенному Эдему — нашему общежитию на улице Детской.

Языки копоти по ирреально родным стенам цвета бочкового кофе, и по ним, словно вышибленные зубы, черные дыры, дыры, дыры, дыры… Ни одной даже рамы. Подальше влево у бетонного крыльца по вечерней пыли какие-то восточные люди бродят вокруг бесконечного прицепа с откинутым бортом, открывающим многочисленные желтые дыньки, выглядывающие из мятой соломы.

Я свободно мог бы вспомнить, что и в какой из черных дыр, не выпускающих на волю света, когда-то творилось, но от искусственного напряжения меня начинает мутить. Я вперяю в черные прямоугольники грозный взор шарлатана, умеющего взглядом исцелять рак и передвигать поезда, и — окна с еле слышным треньканьем затягиваются стеклами, за ними вспыхивает свет, клавиши паркета разбегаются по всем углам ксилофонной трелью — остается плюнуть и растереть их мастикой, отчего они в иных местах обретают прямо-таки гранатовую глубину. В общих кухнях начинают теплиться неугасимые ради экономии спичек голубые газовые лампады, жирные дюралевые баки вспухают объедками, приподнимая набекрень крышки, худой носатый венгр со своей венгеркой, оба блеклые, как моли, принимаются вдвоем целый вечер варить одну сосиску, приближаются оба негра — один тонкий, пепельный, отрешенно колеблется в недосягаемой вышине, другой небольшой, очень черный, порывисто улыбается всем встречным. Скользит крошечная вьетнамочка, легкомысленно распевая “мяу-мяу, мяу-мяу”, покуда ее хрупкий вьетнамец черным глазом подглядывает через сточную дыру в подвальном душе за нашими невероятно, должно быть, в сравнении с их заморышами пышными девицами, но они заслоняются лопатой. Грустно-улыбчивый кореец с глянцевым журналом в руке деликатно разыскивает меня, чтобы показать, как туристическая группа почтительно вглядывается в огороженное место, на котором маленький “отец-вождь” товарищ Ким Ир Сен когда-то поставил на колени маленького японца, обидевшего корейского мальчика. Подвергнуться пропагандистскому воздействию посланца Народной Кореи любопытства ради согласились бы многие, но ему почему-то нужен именно я. Наши остряки в свою очередь набрехали ему, что во время полночного гимна в Советском Союзе полагается стоять навытяжку, и все под разными предлогами заглядывают в их комнату полюбоваться на этот почетный караул, где кого застал удар оркестра: “Союз нерушимый, сижу под машиной”…

А вот и мы с моей будущей женой, еще не до конца сломавшие стену дружбы, треплемся у ее комнаты (глаза говорят больше, чем губы), а мимо нас проходит в умывалку с тазом в руке гэдээровская брунгильда в зеленом балахоне и одних только черных рыцарских колготках — это задолго до Аллы Пугачевой. Еще с полгода назад мы бы сделали вид, что не замечаем ее, но сейчас уже улыбаемся друг другу. Катька даже решается рассказать, что в умывалке немка раздевается совсем, тогда как остальные — только сверху.

Что-то бредень мой захватывает все экзотическую рыбу — вот два пузатых немца, вернее, один пузатый, веселый "Швейк", женатый на казашке Фатиме, которая, будучи беременной, досиделась ночами за прокуренными картами до того, что отекли ноги; а другой, тощий, белесый Ганс, попросивший вернуть ему пятнадцать копеек за кефирную бутылку, — ему, дескать, летом потребуются деньги на поездку в Сталинград — разыскивать могилу отца. Мы выслушивали со сложным чувством: отец, конечно, дело святое… Но ехать туда, где он наворотил таких дел… Да еще просить деньги за бутылку, которыми каждый из нас был бы только рад поделиться в качестве хоть маленькой контрибуции…

Что-то всё глупости всплывают из глубины. Но умное-то было еще вдесятеро глупее.

Я заглянул на задний двор, где мы рубились в бадминтон, — там красовалась импровизированная мусорная куча, современная, яркая и пестрая, как праздничная толпа. Это и была сказка о загранице — тамошний мусор казался нам праздником.

Хватит Детской, пора к Среднему.

Не такая уж, оказывается, и громадная громада кинотеатра "Прибой" — на крыше ржавеют сварные буквы "КИНОТЕАТР", но брошенный у ступеней, как плуг, якорь блестит черной краской. Меркнущий глаз успел схватить какой-то пасьянс: "Кожаная мебель", "*thermex*", "Выставочно-торговый зал «Демос»". Да мы и тянулись-то больше к *старым* фильмам в ДК Кирова, в "Кинематограф", тогда еще не заслоненный мелкой кирпичной гармошкой

"*Hotel «Gavan»*", поглотившей скромное чугунно-стеклянное чрево Гавани "Стеклянный рынок".

Мы чувствовали: если фильм дожил до наших дней, значит, что-то из реки времен он вынес. А что останется от нас, еще очень большой и очень грустный вопрос — борьба с прошлым с тех пор развернулась в индустриальных масштабах: от небрежения к истреблению.

◆ ◆ ◆

Когда во время Октябрьского переворота в Москве артиллерийским огнем изувечили Кремль, эстет Луначарский в знак протеста пытался выйти из правительства. И впоследствии с восхищением вспоминал, сколь мудро его распек Владимир Ильич: красота эксплуататорской старины — ничто в сравнении с той красотой, которую создаст освободившийся пролетариат.

Ничего сравнимого с Кремлем освободившийся пролетариат вроде бы не создал, но памятник своему вождю перед Финляндским вокзалом вбил. Однако и этот Медный пехотинец недавно пал жертвой мести освободившегося от большевистского гнета народа. Взорвавшие скульптуру радикалы решили следовать рецепту глупого начальника из прекрасной пьесы Григория Горина "Забыть Герострата!" — восклицать как можно громче: "Забыть Ленина! Забыть Ленина! Забыть Ленина!" Молодежь тогда уж точно убедится: Ленин действительно бессмертен.

Нужны не новые взрывы, а новые памятники жертвам красных расправ. Как-то показывал потрясающий шемякинский памятник напротив Крестов сыну испанского коммуниста — пустой глаз черепа был залеплен мороженым: так повеселились наши юные соотечественники. А дивный памятник зодчим Петербурга — рабочий столик с разными милыми предметами старины под аркой — и смотреть не пришлось, арка была пуста. У кого-то не отсохла рука сломать, у кого-то — принять в переплавку…

Зато бесхитростного вандализма, мне кажется, в последние годы стало поменьше. Похоже, мы и впрямь шагнули в цивилизацию. При старом режиме, ежели вдруг возникала нужда позвонить из уличного автомата, то в первом какими-то сволочами непременно оказывалась вырвана вместе с кишками телефонная трубка, во втором разбит диск, а если в третьем были всего только выбиты стекла, написано на стене или на пол, то ты мог считать себя счастливчиком. Да и сами надписи были чрезвычайно скудными в рассуждении как смысла, так и почерка. Зато в демократическом Петербурге при невероятно усовершенствовавшихся технических средствах — пульверизаторах — эти наследники Сикейроса из своеобразной деликатности покрывают виртуозной вязью все больше ставни закрытых магазинов. Правда, двор вытесненного в подвал некогда знаменитого магазина Старой книги на Литейном они покрыли росписями такой вышины и густоты, что в этом уже начал ощущаться некий Большой стиль, некое лицо эпохи.

И тем не менее я имел одно виденье, непостижное уму: я подхожу к Зимнему дворцу и вижу, что над его кровлей развернулась грандиозная надпись — "БИЗНЕС — ЭТО ИСКУССТВО!" А в Георгиевском зале обнаруживаю элитный ресторан. А в Рембрандтовском — фитнес-центр. А...

Но, конечно же, у нас это невозможно, никто не посмеет покуситься на нашу национальную гордость! И тем не менее, когда идешь по Мойке от Невского к Исаакиевской площади, за памятником Николаю Первому, над нордической крышей бывшего германского посольства открывается колхозная теплица. Зачем, почему именно здесь, ужели в огороде для репы нету места?

А почему бы и не здесь? Как бы ни была прекрасна и, простите, священна эта площадь, вероятно, в какие-то списки нацгордости она все же не входит. Но тогда уж тем более в них не входят рядовые архитектурные массы исторического центра. Ну что из того, что сюда когда-то с рукописью Достоевского прибежали Григорович и Некрасов, восклицая: "Новый Гоголь явился!", а здесь были написаны "Алые паруса" и отсюда же под конвоем увели Гумилева. А по этим улицам с топором за пазухой проходил Раскольников. А у этого моста привидение с преогромными усами показало коломенскому будочнику такой кулак, какого и у живых не найдешь. А здесь народоволец Николай Морозов под наблюдением жандармов дожидался свою возлюбленную Ольгу Любатович...

Тот, кто разнес телефонную будку или нацарапал на штукатурке краткое ругательство, отнял у нас только деньги. А тот, кто уничтожил старое здание, нарушил сложившийся городской ландшафт, — тот уничтожил послание из прошлого, уничтожил декорацию, на фоне которой разыгрывались исторические драмы, в том числе вымышленные, литературные, а значит, еще более реальные для исторической памяти. Для драгоценной для каждого человека связи с вечностью необыкновенно важно ощущать, что его жизнь протекает в тех же декорациях, что и жизнь самых значительных его предшественников.

Даже обычный доходный дом времен Достоевского или Мусоргского — один из ликов эпохи. И даже советский конструктивизм или ампир времен Зощенко или Шостаковича — это тоже эпоха. А стеклянный аквариум или пузырь без роду без племени — он не посылает нам никаких сигналов ни о времени, ни о стране, если даже в нем прекрасно работают вентиляция и канализация.

Цивилизация против варварства — звучит очень пышно. Но каждый раз, когда я вижу, как исполненная поэзии историческая декорация стирается ординарностью, мне на ум приходят бесчисленные примеры, как "цивилизованные" народы стирали с лица земли неповторимые "варварские" культуры.

Как бы нам остаться варварами?.. Ведь современная цивилизация — это движение от дикости к пошлости…

Дмитрий Быков

Елагин остров

К вопросу о семантическом ореоле двухстопного анапеста

1. Двухстопный анапест в русской поэзии берет начало от Пушкина, как практически всё у нас, — “Пью за здравие Мэри, милой Мэри моей”. У Барри Корнуолла в оригинале размер более шаткий:

Here's a health to thee, Mary,
Here's a health to thee;
The drinkers are gone,
And I am alone,
To think of home and thee, Mary, —

и эпиграф из Бернса (*Here's a health to thee, Jessy*).

С тех пор как Тарановский открыл, а Гаспаров подробно исследовал один из важнейших "механизмов культурной памяти" — семантический ореол метра, — за каждым стихотворным размером закреплен свой набор мотивов. В этом смысле двухстопный анапест не то чтобы самый употребительный размер в моей практике, но чувства, который он у меня вызывает, больше всего нравятся мне самому. В XX веке этот размер — прежде весьма редкий — распространился широко, ибо поводов хватало; ключевыми я назвал бы три текста. Первый — стихи Иннокентия Анненского, которые Кушнер считает самыми удачными во всей парадигме:

Полюбил бы я зиму,
Да обуза тяжка…
От нее даже дыму
Не уйти в облака.

Эта резанность линий,
Этот грузный полет,
Этот нищенский синий
И заплаканный лед!

Это в самом деле изумительно современный — а точней, вневременной — текст, который даже самому опытному читателю мудрено было бы датировать 1906 годом; скорей уж я подумал бы на семидесятые, явно постпастернаковские. Два других наиболее влиятельных случая, определивших тематику двухстопного анапеста на век вперед, — “Я убит подо Ржевом” Твардовского и “Вакханалия” Пастернака, стихотворение в высшей степени загадочное, потому что оно гораздо шире темы, заявленной в названии и автокомментарии; дело, разумеется, не в интеллигентской московской пирушке после премьеры и даже не в пастернаковском автопортрете, скрытно туда помещенном (“В третий раз разведенец, и, дожив до седин, жизнь своих современниц оправдал он один”). Однажды крупный композитор, человек весьма желчный, относящийся к попыткам истолкования музыкальных опусов с тем же раздражением, что и живописцы — к так называемой “литературщине” и “сюжетчине”, мне пояснил: нельзя объяснить, про что соната, — соната про то, как главная тема разговаривает с побочной. Вот и “Вакханалия” про то, как двухстопный анапест переходит в четырехстопный ямб, про то, как первые четыре главки — служба в церкви, премьера, языческое пиршество — сменяются утренним беспамятством, как бы посмертным. “Цветы ночные утром спят”, — это ведь те самые цветы, которые у гроба Юры Живаго “как бы что-то совершали”, то есть очищали память, отпускали душу, стирали прижизненный опыт. Отсюда “Состав земли не знает грязи”. Наиболее точно воспринял этот опыт все тот же Кушнер; хорошо помню, кстати, как в слепаковской кухне, о которой ниже, я ее убеждал: смотрите, ведь есть же у Кушнера только своя, чисто личная тема! “Не помнит лавр вечнозеленый!” И Нонна Слепакова — которая на самом деле Кушнера очень любила и среди современников считала ближайшим, — демонически улыбаясь, мне процитировала: “Прошло ночное торжество, забыты шутки и проделки, на кухне вымыты тарелки, никто не помнит ничего". Тьфу, блин, действительно.

Какая долгая разлука!
И блекнет память, и подруга
Забыла друга своего,
И ветвь безжизненно упала,
И море плещется устало, —
Никто не помнит ничего.

Разумеется, я попал к ней в обучение не совсем диким человеком. Ее умиляло, сколько я всего знаю наизусть, в том числе из разной советской дряни — но где было взять другое? Чем кормили, то и ел. Однако за десять лет учебы у Слепаковой я узнал и понял больше, чем за двадцать предыдущих и двадцать последующих, и множество стихов связаны у меня с ее голосом, с местами и обстоятельствами, в которых она мне прочла то или это. А двухстопный анапест — о, двухстопный анапест, как она это умела! Я вообще, по-толстовски говоря, "слаб стал на слезы", но и тогда не мог без дрожи в голосе читать вслух "Балладу о свече":

Ночь идет быстротечно.
Вдруг Он Ей говорит:
"Разойдемся навечно,
Чуть свеча догорит!"

Безнадежен и жарок
Этот шепот в ночи.

Но остался огарок —
Половинка свечи.

Тут Он пойман на слове,
Отвертеться невмочь.
Повторенья любови
Назначается ночь.

Поутру без заминки
Из высоких свечей
Жжет Она половинки
Для повторных ночей,

И дрожит огонечек
В белом свете окна…
Так огарки отсрочек
Припасает Она.

И свечу подменяет
Осторожно в ночи,
И над спящим склоняет
Свет подложной свечи.

Отчужденно, сурово
Дремлют брови, плеча…
Он проснется — и снова
Не сгорела свеча!

И нетленный огарок
Всё чадит в потолок,

Как прощальный подарок
И как вечный залог.

Он пылает прилежно
В полуночной тиши —
Не обман, а надежда,
Ухищренье души.

Выделена та строфа, на которой происходит высший взлет. Слепакова это очень умела — закончить не на кульминации, а чуть позже, чтобы избежать, как она это называла, “расклона под занавес”. (Я сейчас подумал — вдруг это совсем не про любовника? Вдруг это про Бога? Ведь в автографе у нее Он с большой буквы, и Она тоже — но, может, не только как персонажи, а как душа и ее вечный хозяин? Тогда еще интересней.)

И вот семантический ореол двухстопного анапеста — это как раз те чувства, которые вызывает Елагин остров. Какие именно чувства? А вот примерно те самые, что “На Васильевский остров я приду умирать” — текст в некотором смысле на пересечении “Вакханалии” и “Убит подо Ржевом”. Причем, что интересно, Пастернака Бродский ставил ниже остальных в великой квадриге, а Твардовского просто не любил. Но вот поди ж ты.

2. Попробуем это понять, хотя бы назвать. Ну, навскидку — вот Шефнер, которого Слепакова так любила и который к ней относился почти отечески. (Однажды, в давно сгоревшем Доме литераторов на Воинова, пьяненький Шефнер спускается с лестницы, навстречу — роскошная Слепакова в новой лисьей шубе. Шефнер, раскрывая объятия: “К-киса! Вот из-за таких к-кис и гибнет русская литература!”) Это стихи о том самом карусельном парке, об аттракционах Елагина острова, где находился питерский ЦПКиО:

Я, как прочие дети, уплатил пятачок,
а потом мой билетик оборвал старичок.
К карусельным лошадкам он подводит меня,
с карусельной площадки я сажусь на коня.
Конь пожарной окраски, хвост клубится, как дым,
конь бессмертен, как в сказке, конь мой неутомим —
вот мы скачем над лугом, над весенней травой,
все по кругу, по кругу, по кривой, по кривой…
И знакомая местность уплывает из глаз —
мчит меня в неизвестность карусельный Пегас.
Развороты все круче, все опасней круги,
то взлетаю я в тучи, то впадаю в долги.
Я старею, старею, где мой тихий ночлег?
Все скорей, все скорее, все стремительней бег,
мы летим над больницей, над могильной травой —
а вселенная мчится по кривой, по кривой.

Это вещь совершенно бесхитростная, а поскольку я на все свое любимое привык смотреть снобским безжалостным глазом, — даже и беспомощная; но в ней как раз весь ореол метра явлен с великолепной полнотой.

Стремительность, смерть, светлая тоска, вечер в парке аттракционов — в бывшей столице бывшей империи, на закате уже и советского ее извода. Но на этом переломе — от жизни к смерти, от зрелости к старости, от расцвета к распаду — открывается нечто гораздо большее, чем тупик и гибель; нет, двухстопный анапест как раз и есть проступание чего-то бесконечно более радостного и подлинного сквозь ветшающие земные декорации. Сравни у того же Шефнера:

> Звезды падают с неба
> К миллиону мильон.
> Сколько неба и снега
> У Ростральных колонн!
>
> Всюду бело и пусто,
> Снегом все замело,
> И так весело-грустно,
> Так просторно-светло.
> <…>
> Жизнь свежей и опрятней,
> И чиста, и светла —
> И еще непонятней,
> Чем до снега была.

Как все хорошо и как непонятно!

Елагин остров получил название в честь Ивана Елагина, не поэта (кстати, двоюродного брата Новеллы Матвеевой, о чем ниже), а обер-гофмейстера. Елагин был один из первых и самых активных русских масонов, человек просвещенный и добродетельный. В 1786 году был возведен его дворец и разбит парк. Но сам Елагин скоро умер, и остров выкупила у его наследников императорская семья. Сразу после приобретения стали перестраивать дворец и перепланировать английский парк, в котором разрешено было прогуливаться публике. Дворец в конце концов оказался резиденцией вдовствующей императрицы Марии Федоровны, второй жены Павла I. После ее смерти в 1828 году Елагин дворец пустовал (она и сама его посещала редко, предпочитая Павловский). С восемнадцатого года в нем разместился Музей истории и быта, потом — институт растениеводства АН СССР, а впоследствии — музей, где устраивались художественные выставки всякого народного творчества. Плюс, само собой, на первом этаже показывались дворцовые интерьеры, гамбсовская мебель, гобелены и прочая скромная роскошь.

При всяком посещении Елагина острова отчетливо были видны — и, думаю, не только мне, а всякому благодарному наблюдателю — три слоя, три отпечатка, оттиснутых на нем главными русскими эпохами. Это были, так сказать, три версии увядания, двойная и даже тройная экспозиция: сквозь постсоветский распад проступала советская бодрая радость, тоже с печатью обреченности, а сквозь нее — два века упадка Петербурга, сменившего блистательный век Елисаветы, Екатерины, Павла. Вот парадокс: то, что мы знаем как расцвет русской культуры, шестидесятые годы позапрошлого века, — было, в сущности, упадком, чахоточным румянцем, последним цветением. “Когда Россия молодая мужала с гением Петра”, Елагин остров был подарен Шафирову, но Шафирову было не до острова; строительство и освоение там начались, когда уже царствовала Екатерина, а век Екатерины был маньеризмом, и с эпохой Петра он соотносился, как всякая оттепель с революцией: *light, soft*. Вот этим упадком, прощальным расцветом все было пропитано на острове. ЦПКиО, когда я его застал, тоже находился в упадке, все крутилось со скрипом, в веселье ощущался надрыв, — это было уже совсем не похоже на тот парк, о котором Слепакова, вспоминая детство, написала:

Где в майках багряных и синих
Над веслами гнутся тела,
Где остроугольных косынок
Стрижиные вьются крыла
<…>
И в блеске хорошей погоды,
Отпущенной щедрой рукой,
Маячат тридцатые годы
Высоко над синей рекой.

Где совершился перелом — после которого, как полагал близкий друг Слепаковой Лев Лосев, история российской империи решительно пошла на спад, — понять очень трудно. Сам Лосев полагал, что последним блестящим успехом России был иностранный поход 1813 года; я склонен думать, — вероятно, вслед за Слепаковой, хотя прямого разговора об этом у нас не было, — что последней вспышкой величия, хотя уже и болезненного, и с оттенком безумия, была эпоха Павла. Павел, которого Герцен назвал "русским Гамлетом" (и поэма Слепаковой о нем называется "Гамлет, император всероссийский"), рожден был для великих преобразований, не хуже петровских; но он попал на эпоху упадка, а потому остался в истории как опасный, истерический безумец. Думаю, что и Петр, родись он в иное время, остался бы в истории как истерик. На правление Павла пришелся застой, всероссийский маразм; реформатором выпало быть его сыну, и десять лет он с этой должностью справлялся, а потом началась война, которая, как обычно, все списала. (Впрочем, к началу войны Сперанский был уже отставлен — война для того и нужна, чтобы легитимизировать заморозок.) На Елагином острове Павел вспоминался постоянно, ибо его вдове предназначался дворец; соседство дворца и ЦПКиО создавало самый масштабный символ Петербурга, обнажало его душу. Самое же печальное состояло в том, что и блистательный век, и бодрая аттракционная советскость пребывали в одинаковом упадке, они отчасти примирялись — потому что их в равной степени накрывало нечто новое, тогда еще непонятное. Как написал Пелевин — и это, по-моему, самое точное из написанного им, — вишневый сад уцелел в морозах Колымы, но погиб в позднейшем безвоздушном пространстве. На Елагином острове присутствовали две России, два высших ее взлета: петровская империя и советский ее извод; на все это наползала не столько даже энтропия, сколько обычное болото. На петербургский период русской истории решительно наползала Москва, азиатчина, мы живем в эпоху ее реванша. Тогда это было еще не очень понятно, но сейчас, по-моему, очевидно.

А в этом петербургском расцвете, скажу я вам, изначально было нечто болезненное и чахоточное: Петр указал нам европейский путь и построил европейский город, но в этом городе работать — хорошо, а жить — почти невозможно. И потому на расцвете российской культуры, на всем, чем мы гордимся, на Толстом, Достоевском, Чехове, балете и передвижничестве, на вырождающейся гемофилической династии, на терроре и парламентаризме, — всегда лежал закатный отсвет. Процвесть, так сказать, и умереть. Мы живем сегодня не при распаде советской власти и не при возрождении ее, а при триумфе московской азиатчины. Порфироносная вдова долго выжидала, но нанесла-таки ответный удар. Полагаю, что этот ее реванш — окончательный.

Обо всем этом, повторяю, не говорилось вслух. Но Елагин остров был любимым местом слепаковских прогулок, поскольку именно в него упиралась Петроградская сторона — район, в котором Слепакова прожила всю жизнь.

> В ноябре, в ночном тумане, в скудный год после войны,
> над скалистыми домами Петроградской стороны
> мчалась тень, полуодета, намерзал на крыльях лед, —
> мировой души поэта совершался перелет.

Скалистые дома, да, хотя тоже тронутые распадом, содрогающиеся всеми своими кирпичами от трамваев, закопченные, осыпающиеся, иногда с деревцами на фасадах. Там был роскошный северный модерн, превосходные, хоть и потемневшие мозаики — городские трубы, порт, набережная, билибинские русские облака над индустриальным пейзажем начала XX века. (Господи, зачем Билибин вернулся? Умер в блокадном феврале 1942 года.) Вот это было еще одно чудо — сочетание северного модерна Большого проспекта Петроградской стороны и лепящихся друг к другу домишек, советских магазинчиков, скудных и малолюдных; Петроградка никогда не была богатым районом, и в девяностые упадок ее был заметен повсюду. Ее как бы размывало на глазах.

Как любили непогоду
Стихотворцы старины!
В дождь и снег, в большую воду
Были просто влюблены!

Вот несется Медный Всадник,
Весь как Божия гроза —
Аж оттаптывает задник
У бегущего шиза!

Дождь с упорством аккуратным
Монотонит не спеша,
Под подъездом под парадным
Мокнет ржавая душа...

А пурга такая, Спасе,
Что воистину простор
То ли бесу, то ли массе,
То ли выстрелу в упор!

Ах, поэты! Как вы правы
В этой сумрачной любви!
В дождь ансамбли величавы,
Схожи граждане с людьми.

Дождь пройдет — и загуляет
Равнодушный каннибал,
Что дышать мне позволяет,
Мне за тихость ставит балл…

На окно аппаратуру
Ставит добрый людоед.
Веселят его натуру
Водка, музыка и свет.

Солнцем сладко припеченный,
Он глядит из шалаша,
Визгом Аллы Пугачевой
Вопли смертников глуша.

Все так и было.

И во время одной из прогулок по Елагину острову, когда мы присели на лавку около лодочной станции и Слепакова как раз рассказывала о своем подростковом романе, который как раз на этой станции разворачивался, — она мне вдруг сказала, вне всякой связи с воспоминаниями (как сейчас помню, прикуривая у меня):

— В лучшем случае из тебя получится такое же говно, как я.

Я и посейчас считаю это самым лестным предсказанием, которое мне доводилось слышать; и мне кажется, оно отчасти сбывается.

В самой Слепаковой, кстати, тоже различимы были эти же три ипостаси петербургского характера: имперский расцвет с оттенком упадка, советская бодрость с оттенком обреченности — и общая трагедия петербургско-ленинградского периода российской истории, накрываемого азиатчиной. Россия имперская, петровская, европейская — на наших глазах превращалась в "кондовую, избяную, толстозадую". Это иссякание чувствовал Блок, который потому и написал "Скифов", — в "Поле Куликовом" он еще пытался этой азиатчине противостоять, но ровно десять лет спустя под нее лег.

В Слепаковой многое было от светской женщины, при всем ее мещанско-пролетарском происхождении: на фоне Ленинграда шестидесятых она действительно была аристократкой, человеком огромной культурной традиции, дед ее был директором типографии Академии наук (именно он отважился взять на работу освобожденного из Соловков Лихачева; именно его кладбищенский памятник был разрушен неизвестным варваром в девяностые, и Слепакова его восстанавливала — "в конце концов я деда подниму: поставлю за неслыханную плату для вечности, не нужной никому”). И в ней, как в проспектах Петроградской стороны, удивительным образом сочетались эта утонченность петербургского модерна, богатство и роскошь Серебряного века, упоение гибелью и хрупкостью, — с феноменальной укорененностью в жизни, умелостью, выносливостью, универсальными дарованиями и замечательным пренебрежением к быту, пренебрежением не барственным, а именно профессиональным. Она все это умела, а потому и не заморачивалась. Слепакова была очень аристократичной и одновременно очень советской, потому что между этими понятиями нет онтологического противоречия; а вот постсоветское для них обоих оказалось губительно. Елагин остров выжил при большевиках, а после них пришел в запустение. О сходстве большевиков с Петром — “Великий Петр был первый большевик” — Слепакова думала и говорила много, и цитируемую строчку Волошина я впервые услышал от нее. Поэму “Россия” она знала наизусть и читала мне задолго до перестроечной публикации. Большевизм не был азиатчиной — он был, напротив, ею съеден, и очень скоро.

Мне доставляет наслаждение вспоминать, как Слепакова *все умела* — одинаково легко справляясь с литературными задачами любой сложности и с бытовыми вызовами любой противности. Она за три минуты писала на заданную тему классический сонет на две рифмы — и того же требовала от учеников (я и сейчас это умею); переводила с английского и французского, читала по-итальянски и по-испански (ничего не понимала только по-немецки и не любила его). Она помнила наизусть тысячи строк Некрасова и Блока — вообще не припомню человека, который бы так любил Блока и так много думал бы над ним; Михайлов, Минаев, Курочкин, Шумахер, Агнивцев — весь этот прекрасный второй ряд русской поэзии был у нее любимым источником цитат на разные случаи. "Нонна — ослепительно богатый человек, может сесть к столу и написать шедевр", — говорил про нее Александр Зорин, один из немногих истинных друзей, спутник ее поездок в Юрмалу. И при этом богатстве ее поэтического дара и памяти, при универсальности ее литературных умений Слепакова легко и с удовольствием делала все, что традиционно отвращает людей утонченных и книжных: она любила и умела готовить, и все это изобретательно, а не рутинно; рябиновое варенье, соленые грузди, собираемые на Карташевской даче, изумительные черноплодные наливки, вишневые настойки, запеченный сом, сливочный помидорный суп, купаты, — да из обычных кулинарных котлет, поджаренных на гусином жире, она делала чудо. "Ну почему бы не любить мне быт моих времен? Люблю я то, что есть у всех и что доступно всем", — это не пустая декларация. Гостей она тут же вовлекала в процесс готовки, уборки, закупок — никто у нее не скучал и не бездельничал. На моей свадьбе, весьма многолюдной — человек тридцать, — она умудрилась изготовить сациви из кедровых орехов. Я не встречал человека более выносливого и физически мощного: если надо было за две недели перевести сложную английскую сказочную повесть — она справлялась. Если нужно было выручить старого литератора — в любую погоду отправлялась на другой конец города, везла продукты, готовила обед, развлекала разговорами. В Карташевке вовлекла всех местных детей в постановку собственной пьесы, и все шили костюмы и готовили антураж, и все были счастливы. Когда она описывала в любимом жанре "советского символизма" советскую комсомолку, она же "Страна", — "Ее керосинка чадила. Под мышками блуза горела. Она и себя не щадила, не только других не жалела", — в этом была линия внутренняя, автобиографическая, она знала в себе эту советскую закваску и не только не тяготилась, а гордилась ею. Уметь надо всё.

И при этом, как Елагин остров, она в жизни была — и считала себя — одинокой. Она и была одинока. И учила меня сознавать себя островом, а не полуостровом. Елагин остров потому и может уцелеть среди постсоветского распада, что расположен как бы на отшибе; возможно, на нем и впрямь укроются последние.

3. Как всякий неуроженец города, я связан с ним не столько биографически или географически, сколько литературно: для меня Петербург — это служба в армии на Славянке, увольнения сначала раз в месяц, потом раз в неделю, и потом почти еженедельные визиты туда, потому что оторваться я от него в первое время не мог вообще; а главное — это Слепакова. После нее от меня отвалилась огромная часть жизни, и весь Петербург стал не тот, и все, что я здесь пишу, — это отчасти автоэпитафия. Как говорила Лиля, "когда

Петропавловская крепость

застрелился Володя — это застрелился Володя, а когда умер Ося — умерла я". Думаю, узнав о смерти Слепаковой 12 августа 1998 года, на следующий день после рождения моего сына, я представить себе не мог, до какой степени действительно перестал существовать вместе с ней. Когда потом от меня отсох Крым — сначала со смертью Володи Вагнера, главного артековского человека, а потом и с переменой статуса самого Крыма, — это тоже был огромный кусок жизни, но все-таки меньший. Двухстопный анапест — он про то, как больше ничего никогда не будет или, верней, как нечто огромное и очень важное перешло в другой пласт существования. Оно есть, безусловно, и чувствуется, но — "Но от чашки нашей вечной, от немеркнущего ситца в край скудеющий, беспечный невозможно отпроситься".

Со Слепаковой я познакомился благодаря ученичеству у Новеллы Матвеевой, к которой пришел в шестнадцать лет просто потому, что любил ее песни и стихи; Матвеева иногда проводила учеников на "Предсказание Эгля" в ЦДТ, а один раз там была замена, и вместо "Эгля" шла слепаковская пьеса в стихах "Бонжур, месье Перро!". Пьеса была совершенно детская, Слепакова ее всерьез не принимала, но стихи были отличные, и Матвеева в антракте сказала: "Так хорошо, будто не сейчас написано". Для нее это был серьезный комплимент.

А потом, в 86-м, во время первой своей ленинградской командировки, я зашел в Дом книги на Невском, в поэтический отдел легендарной и знаменитой Люси, и увидел, что все очень быстро раскупают серую книжечку стихов. То есть буквально все, кто приходил, ее брали. Ажиотажа не было, но просто каждый, кто заходил в этот отдел, покупал книгу Слепаковой “Петроградская сторона”. Ну, и я купил, поскольку имя помнил, и уже на улице раскрыл, и сразу вместе с сырым апрельским воздухом стал глотать эти стихи: открылось у меня, как сейчас помню, на “Неизвестном поэте”. “В доходном дому на Литейной — не точно, но кажется, так…” К возвращению в Москву я уже эту книжку знал наизусть, как знаю и сейчас. А потом я просто нашел в “Ленсправке” телефон Слепаковой, позвонил — уже это был второй год моей армейской службы, случались увольнения, — и честно сказал: Нонна Менделевна, здравствуйте, я пишу диплом по вашим стихам (это была правда), нельзя ли к вам зайти и задать несколько вопросов.

И она меня пригласила, и я поехал к ней на сорок пятом автобусе, который тогда ходил с Невского прямо к ее дому на Большой Зелениной. Она сначала думала, что морячок, пишущий по ней диплом, — это какой-то розыгрыш ее друзей. В их кругу были приняты такие шутки. Она меня встретила автоцитатой — “Звонили, открываю, молоденький моряк, он хочет видеть Валю, он топчется в дверях”… Убедившись, что я действительно много ее текстов знаю и диплом действительно пишу, она в первую же встречу дала мне еще не напечатанный “Монумент”, поэму, где вместо Медного всадника — Ленин на броневике, а вместо Евгения — диссидент; вещь отнюдь не фельетонная, глубокая и страшноватая. И потом я стал к ней бегать из части каждое воскресенье, а когда однажды опаздывал к себе в Славянку, она позвонила дежурному офицеру, представившись моей больной ленинградской теткой, и предупредила, что я бегал за медикаментами и потому могу не успеть к одиннадцати вечера в часть; и это меня спасло.

Интересно, что Павел, и Пален, и Саблуков, о котором она написала потом лучшую свою балладу, были постоянной темой ее тогдашних размышлений (но не разговоров, а стихов); она видела в эпохе Павла некоторое сходство с перестроечной, которая ей, кстати, вовсе не нравилась. В отличие от большинства петербургских писателей, испытывавших либеральный восторг и демократический экстаз, она очень скептически отзывалась о наступающих временах, понимая, что распад империи никому ничего хорошего не сулит; и в этом она оказалась совершенно права. Как-то она умудрилась на своем Елагином острове остаться в стороне от заблуждений, назначений и заграничных поездок. И потому, может быть, всеобщий распад затронул ее меньше, — и никакие тогдашние заблуждения ее не отравили. Написав "Час пик" и напечатав его в "Новом мире", она, что называется, решительно отмежевалась — от всех сразу. Ее избранное называлось "Полоса отчуждения". А могло бы и "Елагин остров", потому что именно на него она была похожа больше всего.

Но почему же только Елагин? Она и Петроградку свою знала, как свою квартиру, сравнительно поздно полученную, старую и очень питерскую. Помню, как возила она меня в часовню Ксении Петербургской, скорой помощницы, которая была ее любимой святой и стала моей любимой. Русское юродство — величайший вклад России в религиозную культуру православия, в христианскую историю вообще. Особенно она любила гулять по блоковским местам Петроградки и однажды отвела меня в тот самый сбербанк, тогда сберкассу, где прежде был трактир, в котором Блок был пригвожден к трактирной стойке. Может, и легенда, но я там постоял у столика и представил себя глубоко пьяным, провожающим взглядом свое счастье; отличный был поход, она из любой прогулки легко делала праздник.

Обозреть Елагин остров и вообще Петроградскую сторону с приличной высоты мне выпало при обстоятельствах экстремальных. Однажды Слепакова узнала, что в пивном ларьке на Лодейнопольской, совсем рядом с ее Большой Зелениной, появилось свежее пиво. Я был туда отправлен с огромным бидоном, на ближайшем рынке куплены были раки, затеялся пир. Был для него и повод — из Пскова приехала другая ученица, непременная участница "Пажеского корпуса" Ирка Парчевская. Во время распития пива Слепакова увидела на крыше котенка, который никак не мог слезть. "Быка! — воскликнула она. — Немедленно спаси кота!" Мне пришлось по тайной лестнице забираться на чердак, а весна, март, скользко, и высоты я не то чтобы боюсь, но как-то не очень ее люблю, скажем так. И вот закатное солнце, все блестит, вдалеке сияет Исакий, дом семиэтажный, но с очень высокими потолками, 1911 года, большой, короче. Я был несколько пьян и только поэтому полез, тем более Слепакова все время меня подбадривала: “Ну чего ты? Левка бы давно слазил”. Мочалов вообще всегда приводился в пример как образчик мужества, рыцарства и физической ловкости. Как я попал на эту крышу и как по ней ходил — помню смутно, но вид открывался действительно очень красивый. Собственно, только вид я и помню. Я шел вдоль конька, ставя ноги по разные его стороны, чтобы, если поскользнусь, не рухнуть, а сесть на шпагат. Кот, что удивительно, при моем появлении довольно шустро дернул в слуховое окно и там исчез, а вот меня снимали всем домом, то есть масса жильцов высыпала во двор и давала советы. Что интересно, Мочалов, поставленный в пример и как раз в это время вернувшийся из своего Русского музея, устроил Слепаковой грандиозную выволочку: “Я понимаю, что этот молодой идиот… но ты-то!” Слепакова кротко кивала и приговаривала: “Вот так он со мной…”

Прогулок по Елагину было много, и в разные сезоны, — чаще всего летом и осенью, но дворец, например, мы осматривали мягким и снежным зимним днем, когда огромные пласты мокрого снега сползали с веток и тяжело плюхались, и пахло уже весной (“запах свежий и тлетворный подобравшейся весны”). Все эти прогулки для меня описываются одним слепаковским стихотворением — “Последний раз в ЦПКиО”, — где сказано все самое главное, где дан тот портрет острова, лучше которого уже не напишешь. Эту вещь Слепакова мне показала году в 95-м; обычно в каждый новый приезд — ежемесячный, как правило, потому что я никак не мог себя заставить реже туда приезжать, — она приносила на кухню новую порцию стихов (писала в последние годы довольно много). И вот я прочел “ЦПКиО” и сказал: ну, ваше величество, — это была принятая форма обращения в так называемом Пажеском корпусе, в кругу учеников, величество или Мажесте, — либо с вами общаться, либо вас читать. Как-то в личном общении начинаешь панибратствовать и забываешь про масштаб. Я эту вещь поныне считаю не то что лучшей у нее, — там конкуренция большая, — но безупречно сделанной и в каком-то смысле самой откровенной. Когда у Житинского… каждое слово тянет за собой историю, все время приходится отвлекаться: ведь Житинский чуть не завел со Слепаковой романа, у него я тоже ходил в учениках, и Слепакова не раз его подкалывала, что я их несостоявшийся внебрачный сын (в самом деле, никто и никогда не был мне — кроме семьи — так близок, как эти двое). После смерти Слепаковой Житинский издал ее пятитомник, который мы со Львом Мочаловым собрали. Вышло три тысячных тиража подряд, сейчас его уже нигде не достанешь. Так вот, Житинский собирал свое виртуальное ЛИТО в Комарове раз в году, в августе. Все съезжались и развиртуализировались, визуализировались, напивались, самые удачливые совокуплялись. Однажды он устроил вечер любимого стихотворения, сам читал Блока — “Когда в листве сырой и ржавой” — и “Август” Пастернака. А я, хотя знаю наизусть действительно очень много, вдруг выбрал в качестве любимого — к своему и общему удивлению — именно “Последний раз в ЦПКиО"; многие недоуменно переглядывались, потому что на них это никак не подействовало. Но чтобы подействовало, надо было, наверное, в самом деле часто гулять по этому осеннему парку, по Масляному лугу, на котором устраивались знаменитые масленичные гулянья с бесплатными блинами; надо было остро и болезненно переживать советский упадок — последнее эхо петровского проекта — и за всей советской брутальностью чувствовать обреченность; надо было, наконец, иметь с Родиной примерно такие отношения, какие у Слепаковой были с матерью. А у Слепаковой с матерью были очень тяжелые отношения, которые она не побоялась со страшной точностью описать в единственном своем романе "Лиловые люпины". Ведь это про нее сказано — "Это ненависть, ненависть ходит в поздний час у меня за стеной, водку глушит, пластинки заводит, одичалой трясет сединой".

Ну вот, короче, сейчас я эту вещь наконец процитирую.

Однажды с перепою, с перerугу,
С тоскливого и злого похмела,
Сочтя меня — ну, может, за подругу,
Она ко мне в каморку забрела

И так сказала: "Я ведь не волчица,
Лишь ты при мне, а больше — никого…
Я даже согласилась бы лечиться…
Свези в последний раз в ЦПКиО!"

Был день октябрьский, резкий, желто-синий.
Парк впитывался в лиственный подстил.
Никто под физкультурницей-богиней,
Помимо нас, не мерз и не грустил.

Спеша, считая время по минутам,
Я шла. Она ползла едва-едва,
Семейственным и пасмурным уютом
Окрашивая тощие слова.

Ее уют — придавленный и ржавый,
Аттракционный, инфантильный рай —
Где все противогаз носили в правой,
А в левой — попрыгучий раскидай…

Мы шли, как шла она тому лет сорок —
При муже, при любви, при до-войне,
Но давних лет осколок или спорок
Не впору был, не пригождался мне.

Смотрела я скучливо и тверёзо
На пестрый сор в общественном лесу
И жилки перепойного склероза
На влажном, вспоминающем носу.

И все ж сидела с ней на той скамейке —
На Масляном Лугу, к дворцу спиной,
Где муж-покойник снял ее из “лейки” —
Разбухшую, беременную мной.

…Но помимо “общественного леса” — о, какое определение, сколько в нем всего! — был и дворец. И во дворце, показывая мне его комнаты и выставку стекла на втором этаже, Слепакова сказала: разбогатеешь — выкупишь этот дворец и в угловой комнате с видом на парк поселишь меня. Непременно, сказал я. Выкупить дворец мне не удалось и вряд ли удастся, но в каком-то смысле я его присвоил, потому что в романе “Орфография” Слепакова, переименованная в Ашхарумову (то есть как бы в Берберову), живет там именно в угловой комнате первого этажа. Описывая Ашхарумову, я имел в виду именно молодую Слепакову, ту самую, которая запечатлена была на прелестной, страшно обаятельной фотографии 61-го года, где они с Мочаловым, только что поженившиеся, сидят на каком-то крыльце в Комарове.

Удивительным образом сегодня все даже пахнуть перестало, как тогда; Петроградская перестала рушиться, но словно законсервировалась, а на Елагин остров я и вовсе не хожу, потому что зачем мне столько воспоминаний сразу при чувстве полной невозвратимости? Плохо ведь вот что: раньше мне казалось, что все это можно как-то восстановить или, по крайней мере, что все останется в стихах. Но теперь и сами стихи — надеюсь, временно, — ничего не значат. Это связано не с исчезновением “советской вечности”, описанной тем же Пелевиным, но с временной девальвацией слова как такового: оно ничего не остановило. Вообще вербальная культура, составляющая будто бы главную российскую ценность, исчезла, закончилась вместе с петербургским периодом русской истории. Вот тогда — начиная с Ломоносова и заканчивая последним советским поколением, — слово действительно определяло картину мира. Но европейская эпоха закончилась, и последний ее памятник — Елагин остров, подлинно парк культуры в самом буквальном смысле, — теперь со всеми своими аттракционами никому не нужен. Мы этим жили, и это любили, и были последними, кто в этом что-то понимал.

Впрочем, как любила Слепакова цитировать из Кушнера, несколько подправив, — "Какой не думал век, что он последний? А между тем они толклись в передней". Культура Петербурга была бы немыслима без постоянного ощущения закатного румянца, и можно утешаться тем, что умудряется же, например, Венеция вечно тонуть и никак не утонуть. Иной чахоточный переживет сочного здоровяка, и угасание, бывшее вечным нашим стимулом, окажется бессмертней любого строительства. Именно Блок, с которым тут связано все, мечтал о чем-то подобном: в неотправленном письме Маяковскому есть золотые слова — должно явиться что-то третье, "равно непохожее на строительство и разрушение".

Вот оно и явилось, и живет на болотистом Елагином острове.

Блекнет конус фонарный,
И шумит за версту
Только поезд товарный
На железном мосту —

Проползает, нахрапист,
И скрывается там
Под двухстопный анапест:
Тататам, тататам.

Пастернак, патер ностер,
Этим метром певал,
И Васильевский остров
Им прославлен бывал
В утешение девам,
И убитый в бою
Подо Ржевом, на левом…
Вот и я подпою.

Елена Чижова

Дворовые уроки истории

Иногда я пытаюсь понять, что чувствуют люди, которые никогда и никуда не переезжали. Жизнь, прожитая там, где родился, — долгий спектакль в одних декорациях: действующие лица (с течением лет — все больше их исполнители) приходят и уходят, но всегда остаются на сцене памяти. Слова, которые они произносят, да и сами их образы меняются неуловимо, и уже трудно сказать, так или немного иначе выглядели мать и отец в тот единственный день, когда главный герой своей непрерывной жизни вышел во двор с новыми, только что подаренными формочками, или, наоборот, вошел в парадную со школьным аттестатом, или привез из больницы неделю как родившегося первенца.

Поскольку речь о Петербурге, тема декораций — и шире: театральности — отнюдь не нова. Еще Астольф де Кюстин, перефразируя известное высказывание итальянского литератора Ф.Альгаротти: “Петербург — окно в Европу”, назвал его жителей “ордой калмыков, разбивших стан среди декораций античных храмов”. Ему вторит Меттерних: “Россия подобна большой и роскошной театральной декорации, выстроенной в виду Европы; но с нашего места можно увидеть, как работают механизмы за кулисами, и понять, что сработаны они очень скверно”. Я не во всем согласна с перечисленными авторами: напротив, некоторые наши механизмы работают как часы.

Во всяком случае, те, что отбивают время за кулисами моей памяти.

Доехав на автобусе № 3 или № 27 до Театральной площади, я могу превратиться в пятилетнюю девочку, идущую домой с родителями: молодой мамой и не таким уж молодым отцом. Мы переходим на ту сторону, к Консерватории (кстати, я еще не знаю, что означает это слово, потому что в Консерваторию меня не водили, а водили в Мариинский театр, в моем детстве — Кировский, но в семье его всегда называли по-старому, как и Офицерскую улицу, задолго до моего рождения переименованную в непонятных Декабристов), проходим вдоль сквера, где стоит композитор Глинка, опоясанный полукружьем перил, по которым удобно лазать, открываем дверь в единственную парадную дома 6 и входим наконец в нашу квартиру 10 на третьем этаже. Я говорю "наконец" — потому что все мои детские пути-дороги домой всегда длинные, откуда ни иди: хоть от Никольского собора по набережной мимо черных угловых атлантов, хоть от Львиного мостика, если мы гуляли в скверике, хоть от галантереи на Печатников, куда мы с бабушкой ходим раз в месяц на другой день после ее пенсии, чтобы купить мне очередную ленту в косу. В одно из таких возвращений — кажется, мы шли из Никольского сада — бабушка, вдруг остановившись и оглядевшись, озадачила меня новым словом "большевики": сказала — не мне, а, как принято говорить в театре, когда что-то произносится вслух, но не в расчете на уши партнера, *в сторону*: "Пожить бы еще лет двадцать, поглядеть, чем кончится дело у большевиков… Разворуют царское и сдохнут". О "царском", в отличие от всех, окружавших меня в те годы, бабушка говорила со знанием дела, потому что родилась в середине восьмидесятых теперь уже позапрошлого столетия и бабушкой приходилась не мне, а моей маме, но мне, пятилетней, это было все равно. Потому что у человека должна быть бабушка, а других бабушек и дедушек у меня нет, все они умерли или погибли. Зато есть прабабушка, мама и папа.

Собственно, та часть моей жизни прошла в окружении упомянутых действующих лиц, к которым через год, когда мне исполнилось шесть, добавилась младшая сестра, а все остальные: соседи по коммунальной квартире, дети, с которыми я играла на прогулках, и даже две бездетные балерины, жившие этажом ниже (время от времени они звали меня в гости, в свою квартиру, полную волшебных безделушек, засохших и свежих букетов, толстых занавесей с кистями и прочих невиданных вещей, казавшихся продолжением театрального волшебства), — существовали где-то далеко. Что уж говорить о Елагином острове, куда меня лет с четырех возили на уроки английского, пока не нашли группу поближе, хорошую, с точки зрения мамы.

На прогулках бабушка чинно сидела на садовой скамейке и коротала время за разговорами с аккуратными ленинградскими старушками, чьи внуки и внучки составляли мою прогулочную компанию. Если же бабушке не приходилась по вкусу другая бабушка, мы уходили в противоположный угол сада, где я знакомилась с новыми мальчиками и девочками, что меня нисколько не огорчало, потому что главными в моей жизни были не формочки для куличиков, не желуди, которые можно собрать на газонах, и даже не венки из разноцветных кленовых листьев, а то, чем можно заняться дома: тихие игры и чтение. Чтению я предавалась самозабвенно с четырех лет, с той самой минуты, когда, открыв маленькую книжечку (из набора книжек-малышек — штук тридцать, с ладошку величиной, в одной картонной коробке — мало ли, вдруг кто-нибудь тоже помнит?), пережила волшебство букв, сложившихся в слова. Кстати, интересно понять, чем отличаются дети вроде меня от других детей, которые учились читать по вывескам, складывая буквы в “гастроном”, “булочную” или “аптеку”. Вывесок я совсем не помню. Возможно потому, что на Театральной площади их вовсе не было, кроме разве что угловой булочной, но что там читать, если она всегда была булочной. Собственно, в ней и познакомились мои родители: мама заканчивала вечернюю школу, а днем работала кассиршей. Может быть, поэтому они сюда и переехали, сменяв две комнаты на одну.

Я училась в первом классе, когда нашей семье вместо этой самой комнаты в коммуналке, в которой нас, учитывая новорожденную сестру, стало пятеро, дали двухкомнатную хрущевку в Купчино (проспект Славы, дом 10, корпус 3, квартира 21). Аттракцион невиданной щедрости со стороны государства. Но вопросы жилищной политики в те годы меня не занимали.

В сравнении с красотой, окружавшей меня в раннем детстве, купчинские декорации выглядели уродством. Я помню растерянный вопрос бабушки, с которым она, выбравшись из такси прямо в черную грязь у подъезда, обратилась к маме: “Господи, Вера, куда ты меня привезла?” Только потом, через много лет, я узнала: после десятилетий жизни в коммунальном аду (про который в наши дни любят рассказывать ностальгические сказки: дескать, жили тесно, зато дружно) советские люди радовались и таким отдельным курятникам с потолками два сорок и пятиметровыми кухнями. Мое отношение к этому жилищу определил ответ мамы: “Не бойся, бабушка, мы скоро уедем обратно. В Ленинград”, — с той же решительной и сильной интонацией, с какой она рассказывала про возвращение с Урала, куда в 1943-м, после двух блокадных зим, эвакуировали остаток семьи — без отца, которому еще предстоит погибнуть на Синявинских болотах в день снятия блокады (тогда еще просто день, а не праздник), и маминого младшего брата, годовалого Вити, умершего в первую зиму, — безо всякой гарантии возвращения. Но после войны это все-таки удалось. Не в последнюю очередь потому, что на восьмиметровую комнату на Первой Красноармейской (бабушка говорила, на Первой роте), в которой до войны они жили вчетвером: мамины родители, сама мама и Витя, — никто не позарился, даже управдом. Позарились на бабушкину жилплощадь (роскошную двадцатиметровую комнату на Международном, позднее — Сталинском, ныне — Московском проспекте), причем не кто-нибудь, а дальняя родственница их соседки, седьмая вода на киселе из черниговской деревни. Накануне эвакуации бабушка прописала ее к себе с условием, что после возвращения та пустит ее обратно. Не только не пустила, даже вещей не отдала. Впрочем, дубовый обеденный стол и шкаф красного дерева к тому времени уже перекочевали в соседнюю квартиру — полагаю, в оплату за хлеб.

Кроме случая с чужой родственницей, от этой комнаты на Международном в нашем семейном эпосе остались еще две истории; каждая по-своему поражает воображение.

До революции бабушке принадлежала вся квартира. В советское время, когда начались уплотнения (в город, опустевший в начале двадцатых, спасаясь от голода, ужасов Гражданской войны и снова от голода, хлынули беженцы), но бабушку пока что не трогали, она, поняв, куда дует революционный ветер, уплотнилась сама: не дожидаясь навязанных государством соседей, подселила к себе трех, как она говорила, *порядочных* женщин — двух сестер, старых дев и деклассированных дворянок, и одну тайную монашенку. Их жизнь в этой псевдокоммуналке в каком-то смысле была продолжением "царского времени", чего не скажешь о маминой коммунальной квартире, сотрясаемой кухонными дрязгами и пьяными скандалами. Вспоминая свое довоенное детство, мама говорила, что в чинной бабушкиной квартире, куда родители отправляли ее время от времени на денек-другой, она сама себя не узнавала, превращаясь в *другую* девочку. У бабушки обедали за столом, покрытым скатертью. Кузнецовские тарелки, тяжелые серебряные приборы. Тихие голоса. Эти голоса отчего-то запомнились особенно, видимо, по контрасту с вечной коммунальной ораниной в ее родной квартире. Сообразно "царскому времени" маму переодевали в красивое платье: шерстяное или шелковое, в зависимости от сезона. Уходя от бабушки, она надевала свое: ситцевое, штапельное или фланелевое — обратное превращение в дворовую девчонку.

Кстати, другая мамина бабушка для меня оставалась фигурой умолчания, хотя жила в той же квартире, где и мама, и, казалось бы, должна была стать бабушкой номер один, которая следит за ребенком, пока родители на работе: встречает после школы, кормит, выпускает гулять во двор и все такое прочее. Но этими воспоминаниями мама никогда не делилась. Отделывалась туманной фразой: "Моя бабушка Маня всегда ходила с прямой спиной". Правда открылась мне только *нынешним* летом. До революции бабушка Маня была единственной и всевластной владелицей знаменитых в те годы Рябининских мануфактур, на которых производили ткани. Пролетарских вил восставших рабочих она — с четырьмя сыновьями — избежала, догадавшись бросить все и уехать в Ленинград (тогда еще Петербург), где полномочные представители этих самых рабочих, только в сталинских голубых погонах, рано или поздно все равно бы их всех доконали. Но бабушка Маня приняла второе судьбоносное решение. Уж как она всё объяснила сыновьям — не ведаю, но, по свидетельству мамы, взяла с каждого из них честное слово, что они даже мечтать не посмеют о высшем образовании, а отправятся прямиком на завод. Причем самыми что ни на есть рабочими. Метод социальной мимикрии сработал. Но с этих пор баба Маня замкнулась в себе и редко покидала свою комнату — видно, боялась выдать себя негнущейся спиной.

Мамина "царская жизнь" прервалась в первую блокадную зиму, когда бабушке пришлось переехать к дочери на Первую Красноармейскую, потому что на Международном было нечем топить. А на Первой Красноармейской дрова были: в июле, дня за два до ухода на фронт, мамин отец увидел на улице машину с дровами и вдруг, непонятно почему, купил — хотя обычно дровами запасались осенью, а до осени война уж точно должна закончиться, так обещало радио (телевизоров в те времена не было, иначе обещания давал бы телевизор). Зимой они голодали, но не холодали. Мама всегда говорила: “Без дров мы бы все умерли”. Деда я никогда не видела, но знаю: если бы не его дрова, я бы не родилась. Ближе к весне, хотя снег еще лежал замерзшими горбылями, бабушка, собравшись с силами и на всякий случай взяв с собой маму, отправилась навестить своих соседок и нашла их мертвыми — всех троих.

Подробности этих историй я узнала много позже. В детстве же перебивалась обрывками бабушкиной и маминой памяти, всплывавшими в их разговорах за утренним чаем, когда они, наряду с дневными планами: что купить, что сготовить, — вспоминали то довоенную жизнь, то войну, то эвакуацию. Меня кормили завтраком раньше и на этот ежеутренний *“ten o’clock”* не приглашали. Более того, если мама вдруг замечала мое навостренное ухо — другое плотно приникало к тряпочке, закрывавшей черную дырку радио, откуда лилась детская передача, — она решительно прекращала опасный разговор, в который то и дело вторгалось царское время. Но кое-что я все равно услышала и запомнила. Как запомнила обрывки маминых воспоминаний про эвакуацию, про уральскую девочку, ее подружку по местной школе. Выполняя пионерское поручение, мама помогала ей с уроками и однажды случайно пришла раньше, семья как раз обедала. Ее попросили обождать в прихожей или как там у них на Урале называется, и мама сидела, собравшись с силами, боясь упасть в голодный обморок — *так* пахло разной вкусной едой. Даже мясом, о котором они давным-давно забыли. Потом она уже знала, следила за временем, приходила позже. “А почему ты не попросила? Хотя бы кусочек, половинку шанежки”. Про запах этих чертовых шанежек, свежих, прямо из печки, мама и через много лет рассказывала так, что я исходила горькой слюной. Что же чувствовала она, десятилетняя, в ту первую уральскую зиму, когда они, если сравнить с Ленинградом, не голодали, но подголадывали — слово, до сих пор вызывающее тревожный спазм в моем никогда не голодавшем желудке. Мама ответила: “В блокаду мы выучили твердо: еду просить нельзя”.

Кстати, историю бабушки Мани и ее четырех сыновей можно рассматривать в том же ракурсе: побег из Тверской губернии в Ленинград — тоже эвакуация своего рода.

Думаю, именно эти разговоры, полные бытовых историй, памятных то маме, то бабушке, то им обеим, во многом определили мое понимание “большой” истории России и СССР. Она делилась на разные периоды, но главным было разделение на “до” и “после” революции. И дело даже не в том, что люди, жившие “до”, брали шоколадные конфеты специальными серебряными щипчиками, а в том, что сами они были какие-то *другие*. Как если бы в старых дореволюционных декорациях теперь играли новые актеры, причем различие между “теми” и “этими” заключалось не в уме или глупости, трудолюбии или лени, образованности или серости, а в чем-то неуловимом, что ни бабушка, ни мама не знали, как назвать. Впрочем, мне хватило и этого противоядия, чтобы с самого первого класса не попадаться на удочку октябрятской и пионерской шелухи о "замечательных советских людях", с которыми до отъезда с Театральной я, в сущности, не была знакома, а познакомилась уже в Купчино. Немедленно, как только вышла во двор.

Точнее, *на двор*. По правилам местной грамматики так называли прорехи между корпусами, заваленные кучами строительного мусора, лопнувшими цементными плитами, гнутой арматурой — на этот марсианский пейзаж я, что в данном случае важно, смотрела уже одна, без бабушки. Среди этих, как бабушка определила, *бараков* она раз и навсегда отказалась гулять.

Если выразить мой новый опыт одним взрослым словом, это была встреча с иной цивилизацией. Пока я, одетая так, как было принято на Театральной: клетчатое пальто с меховым воротничком, осенние туфли на шнурках и вязаная шапочка из белого козьего пуха — стояла, замерев на коротком асфальтовом язычке, проложенном от парадной до непролазной грязи, меня заметили и подошли. Человек пять, мои одногодки или чуть постарше. Первым заговорил мальчик, одетый во что-то черное с металлическими пуговицами: "Чё стала?" Не получив ответа, задал следующий вопрос: "Ты кто?" Я ответила так, как отвечала на Театральной, знакомясь с детьми: "Меня зовут Аленушка". До сих пор помню их леденящий душу смех. Надо отдать мне должное, я сообразила, что сморозила ужасную глупость, и назвалась полным именем, которым подписывала школьные тетрадки. "Ха, моя сестра тоже Ленка", — их главный перевел на местный язык. "Вару хочешь?" Что значит "вар", я не знала, но кивнула из дипломатических соображений и получила маленький осколок, блестящий, который, как тут же и выяснилось, надо жевать. "Ну чё, вкусно?" Я кивнула искренне, черный прообраз жвачки мне очень понравился. Видимо, обряд инициации на этом закончился. Теперь все болтали наперебой. В ближайшие два часа (пока мама, распахнув форточку, не позвала меня ужинать — тоже нечто новое и невиданное, если сравнить с жизнью на Театральной), я узнала много интересного. Во-первых, в других корпусах (первом, втором, четвертом и пятом, поперечном) живут наши враги, их надо опасаться, а если что — давать решительный отпор. Во-вторых, бочка с замерзшим варом стоит на пустыре, вкусные куски можно отбить палкой, но лучше — обломком арматуры. В-третьих, их родители работают на "Электросиле", в-четвертых, все они ходят в школу за дальним магазином: дальним не потому, что есть ближний, просто отсюда далеко. И, наконец, во второй *парадке* живут жиды. Вон там, на четвертом этаже. С их жиденком никто не играет. О том, что, согласно их картине мира, я тоже наполовину жиденок, я и понятия не имела. А если бы и имела, боюсь, у меня не хватило бы смелости дать отпор.

До сих пор удивляюсь, как мне достало ума не рассказать обо всем этом дома. А ведь могла — по тогдашней своей дремучей "досоветской" наивности. Как бы то ни было, к ужину я вернулась другим человеком, в общих чертах уже понимающим, как устроена настоящая жизнь. Уже через неделю, переодевшись в резиновые сапоги и толстые серые брюки, которые мама, хорошо помнившая свою недолгую жизнь на Урале, сшила мне из старого бабушкиного пальто, я лихо карабкалась по мусорным кучам, ловко отбивала кусочки вара и на равных правах со всеми аборигенами встречала прибывающих новоселов, уже не удивляясь незнакомым словам. От прежней жизни осталась белая вязаная шапочка, но и она вскоре превратилась в серую — невозможно стирать каждый день.

Надо признать, что по сравнению с уральской эвакуацией мое изгнание из Ленинграда было относительным — благодаря английской школе на площади Труда. Мама наотрез отказалась переводить меня в купчинское учебное заведение. Как выяснилось много лет спустя, это спасительное для моей дальнейшей жизни решение было вторым. (Кланяюсь бабе Мане: ее личная борьба с рабоче-крестьянским государством тоже не уложилась в один шаг.) А первое случилось года за два до этого, когда мы жили еще на Театральной. Отца, работавшего главным инженером ГИКИ — Государственного института керамической промышленности, вызвали в райком и, пригрозив лишением партбилета, приказали вместе с семьей переехать в Новгородскую область на должность инженера МТС. Тогда шла очередная советская кампания: по *усилению* (или, может быть, *укреплению*) сельских машинно-тракторных станций городскими кадрами — в советском новоязе люди перенимают функции арматуры и мертвых железобетонных конструкций. Услышав об этом предложении, от которого нельзя отказаться, мама отказалась наотрез: “Скажи *там*, что твоя несознательная беспартийная жена в любом случае останется в Ленинграде, скажи, что они разбивают крепкую советскую семью”. И уже не для *них*, а для отца, родившегося в Белоруссии: “Моя дочь — ленинградка в четвертом поколении”. Самое удивительное, но “крепкая советская семья” сработала, райкомовское начальство отступилось, найдя другую инженерскую жертву.

В Ленинград меня возили каждый день, кроме воскресенья и каникул. Образ дороги, оставшийся в памяти, выглядит так. Меня будят в полседьмого, вталкивают сперва в туалет, потом в ванную, потом — все еще в полубессознательном состоянии — выводят в кухню и кормят завтраком. За окном мрак, похожий на расплавленный вар. В этом мраке, размываемом редкими фонарями, мы с отцом идем и идем по мерзлому пустырю до платформы, где останавливается электричка (в Ленинград можно добраться и автобусом, но он едет к “Электросиле”, а значит, в него не втиснешься). Через много лет, проезжая на машине по проспекту Славы, уже плотно застроенному, я поняла, что расстояние от корпусов десятого дома до железнодорожной насыпи не такое уж большое, взрослым шагом минут десять-двенадцать, но это открытие никак не повлияло на память. Там все осталось по-прежнему: беспредельный мрак.

Из электрички мы выходим на Витебском вокзале. Отсюда до площади Труда идет одиннадцатый трамвай. Издалека, стоя не остановке, невозможно разобрать номер, но, к счастью, на широких трамвайных лбах горят разноцветные огоньки: у каждого номера — свои. У нашего — красный и белый. Еще минут двадцать, безвольным кульком, сплюснутым чужими телами, — и я уже проезжаю мимо родной Театральной, от которой всего одна остановка до площади Труда. Теперь это кажется странным, но роскошные "царские" декорации прежней жизни не заставляли екать мое сердце, как у тех эвакуированных, которые прижились на новом месте: что было, то прошло.

Иногда я ходила на продленку, видимо, в те дни, когда болела сестра, и бабушка боялась с ней оставаться, но обычно меня забирала мама. У нее была своя одиссея: успеть отовариться в привычных городских магазинах — в голом купчинском гастрономе с продуктами дело обстояло примерно так же, как в новгородском сельпо: хлеб, булка, молоко, картошка с морковкой и вечные советские консервы: мелкий частик в томате (до сих пор гадаю, встречался ли в родной природе крупный частик) да сгущенное — голубое, обязательно с сахаром, — молоко; но главное — осмотреть обменные адреса.

Как было твердо обещано бабушке, процедуру возвращения из купчинской эвакуации мама начала немедленно после переезда. По вечерам сидела на кухне, тщательно прорабатывая "Справочники по обмену жилплощади" — еженедельные брошюрки с разноцветными обложками. Переговоры, предшествовавшие осмотру, велись из единственной на всю округу телефонной будки — ближе к ночи, когда рассасывалась обычная очередь. Не исключено, что в обмен на двухкомнатную хрущевку мы могли претендовать на что-нибудь тоже отдельное, но не с мамиными "царскими" запросами: *никак* не выше четвертого этажа, *обязательно* высокие потолки и такие же — высокие, под потолок — окна, *непременно* глядящие не во двор, а на улицу, и *уж конечно* в десяти-пятнадцати минутах пешком от моей школы. Иными словами, район, который мама считала приемлемым, не выходил за границы Исаакиевской площади, набережной Лейтенанта Шмидта, Мойки и улицы Декабристов. Да, чуть не забыла: хорошие паркетные полы. Как правило, очередные телефонные переговоры заходили в тупик уже на первом, этажном вопросе: кто вырос в старом петербургском доме, поймет. Ближе к лету стало окончательно ясно: все это вместе возможно лишь в виде двух комнат в коммуналке.

Следующий и последний этап моей дворовой жизни начался в зимние каникулы моего второго класса, когда мы в конце концов обменялись — переехали на улицу Союза Связи, дом 13, квартира 11. Отсюда до Театральной площади было совсем близко, как, впрочем, и до Александровского сада с его горкой и Медным всадником, но бабушка, так никогда и не оправившись от купчинской эвакуации, больше не могла со мной гулять. Теперь она совсем не выходила. Даже в Никольский собор мама возила ее на такси — редко, раза два в году, по главным церковным праздникам. Самостоятельность меня не пугала, ведь между девочкой, уехавшей с "Театралки", и той, что всего лишь через год переехала по новому адресу, лежал опыт купчинской жизни: во двор-колодец я вышла во всеоружии. Во-первых, с изрядным запасом ненормативной лексики, во-вторых, с полным пониманием того, что, прежде чем заводить дружбу, надо понять, кто и кому здесь враг. Забегая вперед, скажу, что не все из перечисленного пригодилось. Например, здесь не было врагов в купчинском смысле, возможно потому, что не было отдельно стоящих корпусов. Но главное, в Купчино мы сбивались в мелкие стайки, соответствующие возрасту, так что дружить или воевать приходилось более или менее со сверстниками. Здесь, на Союза Связи, была одна большая стая.

В признанных главарях ходил большой мальчик-семиклассник, чья семья жила в подвальном этаже. То, что альфа-самец — он, я понятия не имела. Просто озиралась в поисках себе подобных, краем глаза отмечая сизые в потеках стены, ржавые дождевые трубы и огромную кучу чего-то неизвестного, припорошенную снегом. Эта куча сама собой притягивала взгляд. То, что я видела, никак не походило ни на строительный мусор, ни на гору земли, оставшейся от котлована под очередной фундамент: в Купчино их использовали вместо горок.

Мальчики и девочки делали вид, что меня не замечают. Я тоже стояла. Ждала, пока они подойдут. *Стояние на Калке* длилось и длилось, и каждая минута отгрызала еще один кусочек от моих шансов превратиться в "свою". Так я, во всяком случае, чувствовала. А еще понимала: надо что-то делать. Вот я и сделала. Ловко, по-обезьяньи, взобралась на неопознанную кучу и победно съехала вниз, попутно сообразив, что леденелые ветки, царапающие даже сквозь рейтузы, — никакой не мусор, а веники, которыми, насаживая их на палки, здешние дворники подметают дворы. Прежде чем ко мне *все-таки* подошли, пришлось взобраться и скатиться еще два раза, окончательно загубив не только рейтузы, но и пальто. Но создав себе правильную репутацию, которой хватило надолго.

Окончательно моя репутация сложилась и упрочилась, когда дворовый народ выяснил, что я умею рассказывать истории. Не то чтобы все другие не читали книг, но мне, благодаря тренированному воображению домашнего ребенка и врожденной попугайской памяти, удалось занять особое место в нашей дворовой стае. Без особых усилий завоевать почти монопольное право, которое в настоящих зонах, начавших редеть и рассасываться всего года за три до моего рождения (при Хрущеве, даровавшем свободу тем, кто сидел по 58-й), называется "травить" или "тискать ро́маны". До меня на нашей маленькой дворовой зоне эта "вакансия поэта" была пуста.

Ро́маны было принято тискать на чердаке, куда мы и забирались. Сперва небольшой компанией. Постепенно по двору пошли слухи, и компания разрослась. Свои романы — гремучую смесь из сказок народов мира с книжными россказнями о пионерах-героях, почерпнутыми из школьной библиотеки, я совсем не помню. Зато отлично помню ощущение власти над аудиторией, когда несешь черт-те что, а все тебя слушают, раскрыв рот. Видимо, мое глубокое уважение к силе слова выросло из тех дней. Во всяком случае, пустило росток, позже давший завязь еще одного знания, важнейшего для советской жизни, в которой, впервые сталкиваясь с человеком, приходится отвечать на главный вопрос: свой или чужой? Ответ можно прочесть по мимике, активному вокабуляру, способу строить предложения. Что, конечно, не исключает ошибки: тот, кого ты принял за "своего", на самом деле может оказаться еще и "своим среди чужих". Но эти тонкости и сложности все-таки относятся к взрослому существованию, до которого мне еще предстояло дорасти.

Подобно купчинской, моя жизнь на Союза Связи тоже делилась надвое: школа и двор. В школе не нужно было доказывать, что я — своя. Тем более я училась на отлично: в начальных классах это еще важный социальный критерий. Но, пожевав купчинского вара, я уже не довольствовалась осмысленным школьным существованием, из которого выросло родство, до нынешних пор связывающее меня с бывшими одноклассниками. Словно толстенным канатом меня тянуло *на двор*, в простую и беспощадную жизнь, чьи советские соблазны мне еще предстояло преодолеть.

В табели о дворовых рангах школьные оценки играли противоположную роль: отличников и отличниц презирали, дразня зубрилами и гогочками. Здесь ценили и уважали другие таланты: ловкость, с которой прыгаешь с гаража, точность попадания битки в нужную клетку "классиков", расчерченных на асфальте, или мяча в живую мишень, когда играешь в "вышибалы". В Купчино, за отсутствием подворотен, о "вышибалах" никто и не слыхивал. Эти навыки мне пришлось набирать с нуля. За несколько лет почти ежедневных тренировок я сумела выбиться в первые ряды по многим дворовым видам спорта, включая настольный теннис: уж не знаю, каким чудом, но однажды в нашем дворе появился теннисный стол со всеми причиндалами вроде поперечной сетки и нескольких ракеток. За этим столом я однажды обыграла Вовку, нашего нового альфа-самца. К тому времени прежний уже успел вырасти и исчезнуть: сперва говорили, будто бы завербовался на “комсомольскую стройку”. В те годы об этих стройках распевали песню: “Мой адрес не дом и не улица, мой адрес — Советский Союз”. Потом пошли слухи, что не завербовался, а “сел”. Глядя на его семейство: папаша-алкоголик, несчастная, вечно замотанная мать — в это верилось.

Кем были Вовкины родители, я точно не помню; знаю, что оба работали на Адмиралтейском заводе — обычная ленинградская семья с деревенскими корнями и чередой крестьянских поколений, разорванной переездом в город. Скорей всего, не в двадцатых, как моя баба Маня с сыновьями, а позже, когда волны принудительных госэвакуаций под крылом черных воронов окончательно опустошили петербургские дома. И по другой причине: с начала тридцатых, после великого сталинского перелома, в деревнях прочно голодали.

В остальном новый главарь был прежнему под стать. Разница в том, что с ним мы были одногодками, что придавало нашему соперничеству особую остроту. Девчонки шептались, что Вовка Смирнов в меня влюбился, иными словами, прочили на роль дворовой альфа-самки. Замечу,

Летний полдень

что в этом определении, учитывая наш двенадцатилетний возраст, нет ничего "стыдного": наша осведомленность в сексуальных вопросах была весьма скудной, в рамках тех коротких, но емких слов, которые пишут на заборах. В общем, если ему в голову и приходили разные фантазии, Вовка держал их при себе. Но, думаю, за этими шепотками и меловой надписью на стене в подворотне "Вовка + Ленка = любовь" все-таки что-то было, причем с обеих сторон. При мне он плевался особенно лихо, а если свистел, засунув в рот два пальца, то уж как истинный Соловей-разбойник. В его присутствии я тоже не плошала, становясь и ловчей, и красноречивей. Хотя и не одна я. Многие девчонки подпали под обаяние Вовкиной дворовой власти и, несмотря на его невзрачную внешность, даже находили красивым. Как бы то ни было, теннисный проигрыш Вовка мне великодушно простил. Тем более на другой день сумел отыграться.

Так мы и жили, то цапаясь, то мирясь, до того дня, когда, выйдя во двор, я застала Вовку — как обычно, в окружении многочисленных шавок и подлипал, — терзающим Борьку Каца, нашего дворового "жиденка". Кроме дремучего бытового антисемитизма, свойственного советским людям вопреки идеологической параше о "дружбе народов", свою роль здесь играло и то, что до двенадцати лет Борьку всюду водила бабушка. И, конечно, его не выпускали гулять во двор. То есть дело не только "в крови". О том, что я "половинка", во дворе, естественно, знали, но несмотря на это считали "своей". Возможно, в моем случае работал и основополагающий нацистский принцип, по которому половинка правильной крови осиливает любую "чужую".

Мои же представления о "национальном вопросе" сложились не во дворе и даже не дома (о папиной "еврейской судьбе" в семье не говорили, во всяком случае, при детях, хотя — но это выяснится много позже — обоим родителям было что порассказать), а именно в школе, причем помимо пионервожатых и учителей. Кажется, классе в третьем (сама я этой истории не помню, через много лет, когда пришлось к слову, ее напомнила мне моя школьная подруга Ира Эйгес, уже лет тридцать живущая в Израиле) один из наших мальчишек позволил себе какое-то антисемитское замечание. Дальше привожу цитату из Иркиного рассказа: "Я испугалась, даже съежилась. Ты сидела за партой и что-то писала. А потом подняла голову, отложила ручку и совершенно спокойно спросила: «Вот интересно, с кого бы ты, дурак, списывал, если бы не было евреев?»" Но одно дело школа, другое — двор.

Бедный Борька Кац стоял у стенки, а Вовка "расстреливал" его резиновым мячом. И хотя в цель намеренно не попадал — мяч отскакивал гулко, но Борька все равно всякий раз вздрагивал и закрывал голову руками. Я стояла и думала: не выпускали, и не хрен было начинать, такому в нашем дворе не выжить — как комнатной собачке среди бездомных псов, рано или поздно все равно порвут.

Заметив, что я подошла, Вовка перекинул мяч мне. Не с тем, чтобы "повязать кровью", — до *достоевских* мàксим наша дворовая стая никак не дотягивала. Скорее, как самец, бросающий приглянувшейся самке лакомый кусок. Этим куском я, не задумываясь, пульнула в Борьку — тоже мимо, не имея в виду попасть. В сущности, из этой этической коллизии было два хороших выхода: первый — Борька соберется с силами и всех на хрен пошлет, тогда можно будет посмеяться и перейти к другим развлечениям. И второй — дворовой стае наскучит. Борька выбрал третий, плохой: сел на асфальт и заплакал. Сказать по правде, мы даже растерялись. Шавки — и те перестали смеяться. Но это была не мирная тишина. Что-то тяжкое назревало в воздухе, требуя немедленного выхода, развязки, разрядки. Все смотрели на Вовку, ожидая его решения. Его дворовая легитимность, которую никто, включая меня, никогда не ставил под сомнение, позволяла сделать что угодно: подойти и пнуть Каца ногой (тогда остальные подскочили бы и запинали), или нассать Борьке на голову, не говоря уж о том, чтобы плюнуть в его жидовскую морду. Но, видимо, Вовка тоже растерялся, дал слабину. Еще не приняв окончательного решения, как поступить с хнычущей жертвой, он поднял с земли мяч, прицелился, на этот раз *по-настоящему* — и это видели все, — пульнул, но не попал. На дворовом языке это называется “промазал”. В то же мгновение все забыли про Борьку. Теперь они смотрели на меня. А я — на Борьку. Меня поразил его взгляд: жертва признавала право сильного, в какой-то мере даже восхищалась этим его правом.

В Борькин взгляд я и целила, когда подняла с земли мяч, примерилась и, в отличие от Вовки, не промазала.

Борька вскрикнул и снова затих. Казалось бы, инцидент исчерпан, можно вернуться к "вышибалам" или "классикам". Если бы не Вовкина *слабина,* о которой все помнили. Что выводило конфликт на новый виток: "Кто здесь главный?" — этот вопрос встал ребром. Отвечая на него, я повернулась к Вовке и, употребив значительную часть арсенала правильных выражений, сообщила, что я думаю о его косом глазе и прочих важных дворовых достоинствах. Теперь — по всем понятиям — настал Вовкин черед. Он должен был мне ответить, ведь на кону стоял не Борька, а дворовая корона. Минута промедления — и она сползла бы с его маленькой редковолосой головенки, явив двору и миру не альфа-самца местного разлива, а мелкое убогое существо, похожее на хорька.

"А ты — с-сучка". Я помню мутно-красную волну ярости, ударившую мне в голову. А еще помню, как присела — очень медленно, не сводя глаз с Вовки, будто он не человек, а собака, и начала шарить по земле. Не представляю, откуда там взялась сучковатая палка, но она легла мне в руку, как кусок купчинской арматуры, которой можно отбивать вар. Не будь Вовка альфа-самцом, он мог убежать, и тогда все как-нибудь бы обошлось: в конце концов, двор — еще не зона. Но он стоял, смотрел, как я замахиваюсь палкой. Хотя этого я не помню, помню только кровь, капающую на асфальт, и Вовкины скрюченные пальцы, которыми он вцепился в челюсть, выбитую моим дурным ударом.

Потом его родители приходили к моим. Меня, ясное дело, наказали, в районном травмпункте Вовкину челюсть вправили обратно, даже ссадина вскоре зажила. Наверняка он затаил на меня злобу, строил планы будущей страшной мести, хотя весь двор понимал — никакая месть тут не поможет, его блестящая дворовая карьера рассыпалась в прах.

Но все это было после моей победы, плодами которой я не воспользовалась, впервые в жизни почувствовав полное отчуждение — от себя самой. Той, что подняла с земли палку. Нет, этими взрослыми словами я тогда не думала, но с этих пор выходила во двор от случая к случаю и в прежние игры не играла. А еще через год в моей школе начался Шекспировский театр, и любовь, и наша дружная компания, и стихи Пастернака и Ахматовой, и *"Jesus Christ superstar"*, и *"Beatles"*, и *"Deep Purple"* с их фантастическим барабанщиком, и "Ромео и Джульетта" Дзефирелли, и Нино Рота с его пронзающей душу *"What is a youth? Impetuous fire. What is a maid? Ice and desire"*•, и "Совсем пропащий", и "Андрей Рублев", и остальное, включая Акиру Куросаву с его "Расёмоном", а потом Галич и Солженицын, — короче, все то, что про себя я называю продолжением *царской* жизни на Театральной площади или моей подлинной жизнью, от траектории которой я бы наверняка отклонилась, если бы моя семья навсегда осталась в Купчино.

Года через четыре, тоже стороной, я узнала: после восьмого класса Вовка поступил в военное училище или

• Пылает юноша огнем,
желанье девы скрыто льдом.
Все — чередом… (*англ*).

что-то в этом духе. Короче, стал бравым советским офицером. Ведь если отбросить все дворовые заморочки, в сущности, он был неплохим парнем, ловким, спортивным и, наверное, по-своему добрым, ему просто не приходило в голову, что за слово, всего-то за слово, самое обыкновенное, любой, в кого ни ткни, подтвердит, — можно получить ответ. Причем не словом, а делом. Тем более от девчонки.

Что касается иных, цивилизационных тонкостей: это до революции, как говорила моя прабабушка, офицеры были "белой косточкой". В мое время в армию и прочие силовые структуры шли те, кто не знал иной — не дворовой — жизни.

Впрочем, во мне она тоже осталась. Может быть, поэтому я считаю своей исторической родиной не "царскую" Театральную площадь, а, как ни прискорбно в этом сознаваться, улицу Союза Связи, в наши дни переименованную в Почтамтскую. С тех пор мартиролог моих бывших адресов существенно вырос, но, время от времени оказываясь среди этих домов, я знаю: здесь всё мне под стать. И темная подворотня, где мы играли в "вышибалы", и мое советское детство, из которого я вырвалась ценой чужой крови, и сами дома — довольно обшарпанные, во всяком случае, совсем не парадные, рядом с которыми я всегда чувствую тоску сродни той, что одолевает человека, живущего в эвакуации. Я понимаю, что, унеся отсюда ноги, спаслась от самого худшего, и все-таки иду и думаю: хорошо бы снова сюда переехать, конечно, уже не в коммуналку, а в просторную отдельную квартиру не выше четвертого этажа, с высокими окнами и потолками. А хороший паркет — бог с ним! Паркет можно переложить.

В сущности, не такая уж трудная задача. Продать свою нынешнюю квартиру — тоже в старом районе, только по другую сторону Невы, на правом берегу. Неподалеку — огромный парк: если открыть окно, можно расслышать детские крики. Дети не гуляют во дворах. В глазах покупателей это бесспорный плюс.

Миновав здание Почтамта, я замедляю шаги. Ведь это и мой дом. Кто сказал, что я должна оставить его Вовкиным потомкам? Разве история моей семьи не знает примеров временных эвакуаций, откуда рано или поздно возвращаются? В России ни от чего нельзя зарекаться: ни от плохого, ни от хорошего.

Денис Котов

Моя подьяческая история

Петербург — удивительное пространство. Я давно обратил внимание, что в топонимике Северной столицы много улиц с опорой на сословие, на социальное устройство города — Большая Разночинная, Депутатская, Червонного Казачества, переулки Кадетский, Филологический, Солдатский… Шкиперский проток… Гренадерская, Земледельческая улицы. Подьяческие. Кто-нибудь видел сегодня подьячих в Петербурге? А 150 лет назад аж три улицы в городе назвали Подьяческими: Большая, Средняя и Малая Подьяческие.

На Большой Подьяческой мне и довелось жить и расти. Правда, тогда, в детстве, я не задумывался — почему такое название. Хожу себе и хожу — вон Исаакиевский собор, вот Фонарный переулок… В шесть лет самостоятельно вышел в булочную за хлебом. Без мамы. Через проходной двор. С тех пор такие дворы стали любимым местом игр. В восьмидесятые годы прошлого века в Ленинграде для ребенка было раздолье: не было ни решеток между дворами, ни кодовых замков в парадных, да и на чердаки можно было попасть просто так. Разве можно сейчас такое представить!

Мальчик с Большой Подьяческой был прирожденным разведчиком. Он изучил сначала радиус вокруг своего дома, затем проверил все дворы на своей и соседних улицах (на предмет: что там такого интересненького и есть ли из них другой выход), потом пришел черед лестниц и чердаков, затем — слежка за горожанами и траекториями их движения. В общем, очень скоро Мальчик знал все, чтобы успешно играть в игры с преследованием и уходом от преследования, в большие прятки и поисковые операции. Проходные дворы Ленинграда мы изучили не хуже революционеров начала века, которым приходилось здесь скрываться и прятаться.

Ведь проходными дворами назывались не только те, через которые легко пройти на соседнюю улицу, но и те, где были подъезды, которые выходили на две стороны, на разные улицы. А некоторые парадные так хитро были спроектированы, что для того, чтобы обнаружить выход на другую улицу, надо было подняться на второй этаж.

Мы жили на 4 этаже: Большая Подьяческая, дом 12, квартира 7. К нашей квартире вела еще и черная лестница (вход со двора из-под арки) — плохо освещенная, с паутиной, она шла выше на чердак. И чердак, и лестница были страшными, таинственными — казалось, там что-то (кто-то) скрывается — но за все семнадцать лет жизни Мальчика на Большой Подьяческой на черной лестнице ничего не произошло — и это было тоже подозрительно, ведь вокруг постоянно что-то случалось.

Вот заброшенный дом напротив — мы любили по нему лазать. Сначала там случился пожар, потом его обнесли забором, потом полностью снесли и через некоторое время построили новый дом. Ходу туда уже не было — да и зачем?..

Или взять школу номер 241… Стояла она себе на углу улицы Майорова и Римского-Корсакова, прикрывала от несведущих проход на улицу Садовую — и дальше, к Юсуповскому саду… И вдруг привычный распорядок нарушился, пришлось переезжать в новое здание с неизведанной территорией вокруг. Наша школа — наша!!! — стала называться "старой", ее закрыли на ремонт и уже не открывали до моего выпуска. Не стало и привычного ландшафта: напротив "новой" школы был огромный пустырь, закрытый по сторонам глухими стенами соседних зданий без окон и дверей. Там выгуливали собак, а если пересечь его по диагонали, то можно было сократить путь, или просто послоняться, встретиться с друзьями вдали от учительских и родительских глаз. В один прекрасный день на месте пустыря тоже возникла стройплощадка... Так и обновлялся исторический центр Петербурга — и не могу сказать, что город от этого выиграл: в лучшем случае дома-новострои не добавляли красоты, в худшем — становились бельмом на глазу. Увы, в последующие годы эта "традиция" только закрепилась.

Но вернемся в восьмидесятые. Сколько же было всего таинственного и необычного. Как-то раз соседский мальчик рассказал по секрету, что, мол, в Крюковом канале можно наловить необычных значков. Представляете? Значки в канале! Вооружившись круглым магнитом (помните такие?) и веревкой, друзья пошли то ли на охоту, то ли на рыбалку. Встали со своими "удочками" на спуске к каналу у Никольской церкви — и уже через час у каждого было по десятку значков! Как они там оказались — никому не ведомо. Но теперь мы точно знали, что под водой водятся не только рыбы.

Самым любимым местом для прогулок и игр был Юсуповский сад (сквозь него можно было пройти от Садовой улицы на набережную реки Фонтанки). Зимой холм слева от центрального входа заливали водой — получалась отличная ледяная горка, она так и называлась — "горка номер один". Особой крутизной считалось проехать с горки стоя — удавалось это далеко не всем: деревья рядом с ледяным спуском с удовольствием принимали в свои объятия особо неустойчивых.

И еще в Юсуповском саду был пруд. О нем ходили разные легенды. Главная — что есть подземный проток из пруда в реку Фонтанку, и там когда-то утонул водолаз. Эта история долгие годы будоражила воображение, возникало желание проверить — нет ли там, в этом таинственном протоке, сокровищ. Поиск сокровищ — обычное дело для мальчишек того времени, особенно после фильма "Остров сокровищ"...

Зимой пруд замерзал, а по весне те, кто посмелее, включая Мальчика, выходили на лед, когда он становился уже мягким, и это рискованное путешествие всегда было подтверждением храбрости. Экстрим, как сейчас бы сказали. Особенно если проверять крепость льда на краю полыньи, подпрыгивая. Вес Мальчика оказался достаточным для того, чтобы сломить сопротивление ледяного покрова, и он окунулся в прохладные воды. Напомню, что в те времена в карманах мальчишек не было мобильных телефонов, беспокоиться было не о чем — разве что о возможном воспалении легких. Но все закончилось хорошо — и мама героя отнеслась с пониманием к его подвигу.

Футбол и хоккей на дворовых площадках и в Юсуповском саду — это отдельная тема. Именно там воспитывался — я уверен в этом — командный дух. Во дворе новой школы была прекрасная хоккейная коробка и большое бомбоубежище, с крыши которого было удобно наблюдать за игрой. Мальчик с Большой Подьяческой часто играл в хоккей, и однажды шайба так дала ему по ноге, что началось воспаление, его забрали в больницу и сделали операцию. Когда он проснулся после общего наркоза, то обнаружил в ноге большую медицинскую иглу, вставленную в кость — в нее каждый день закачивали лекарство для предотвращения остеомиелита. Тогда в первый раз Мальчик подумал о смерти… Хотя нет, о жизни и смерти мысли приходили — когда смотрел фильмы о Великой Отечественной войне или слышал рассказы старших… Блокада Ленинграда… Гуляя по городу, невозможно было не увидеть надписи: "Граждане! При артобстреле эта сторона улицы наиболее опасна" — Мальчик неосознанно стремился перейти на другую. На колоннах Исаакиевского собора он видел незаживающие раны от осколков: Исакий был для него центром единой ткани Города, как нос на лице у человека — разве он может принадлежать другому?..

Подьяческая, Фонтанка, Садовая, Юсуповский сад, Исакий… Со временем радиус расширился, появились и Васильевский остров, и Петроградская сторона, и регулярные прогулки по книжным магазинам Ленинграда. Большой проспект Петроградской стороны был одной из самых книжных улиц, наряду с Невским проспектом, а "Подписные издания" на Литейном в те времена были огромным книжным пространством, окунуться в которое считалось счастьем…

…Но вернемся к подьячим… Мальчик, который жил в советские годы, никак не мог выяснить, что значит это название — Подьяческая улица. Интернета не было, в учебниках не рассказывалось, кто такие подьячие, учителя — не помню, чтобы я их спрашивал…

Много, много позже пришло знание, что подьячие — это низший административный чин в русском государстве XVI–XVIII веков, люди, умевшие читать и писать, и работа их состояла в том, чтобы помочь неграмотному человеку написать нужный документ. Подьячие служили в приказах, местных государственных учреждениях, работали на площадях — помогали людям разговаривать с государственной машиной того времени, были своего рода толмачами, переводчиками с русского бытового языка на русский деловой и официальный. Челобитные, купчие, меновые — все проходило через их руки. Интересно из 2017 года смотреть на названия документов того времени: мы перестали "челом бить" и заменили краткое слово "купчая" долгим "Договором о купле-продаже".

Давайте попробуем сказать так: подьячие были "человекоориентированным интерфейсом программно-управленческого комплекса под названием Государственная система; благодаря этим людям обычный человек решал те задачи, которые были увязаны Правителями государства указами и установлениями с Базой данных управления в стране". Смешно, да? Но по сути верно.

Теперь понятно, почему целых три улицы последовательно назывались Подьяческими. В 1756 году появилась Первая (ныне Большая) Подьяческая, в 1767-м — Вторая и в 1796-м — Третья. Уже в те времена по количеству чиновников всех рангов Санкт-Петербург был крупнейшим городом, и можно только сказать спасибо Москве за то, что она в последние сто лет взяла на себя роль главного сервера по хранению и обработке чиновничьего аппарата, и это спасло душу и сознание Петербурга от полного разрушения.

Даниил Коцюбинский

Вечность вместо жизни•

У меня нет любимых петербургских мест. Как нет "любимых мест" в себе самом. Город — это я, и это то, что меня очаровало и обмануло.

Город стоит на холодном болоте
Город зимой лихорадка колотит
Летом его духота согревает
Город на сваи свои забивает
И погружается снова в болото.
Экскалибур не сберег Камелота...

• Текст печатается в пунктуации и орфографии автора.

Дома в центре города рушили столько, сколько я себя помню. Когда мне стукнуло лет четырнадцать, я стал таскать с развалов кирпичи с заводскими клеймами и обломки изразцов от разрушенных каминов. Складывал их под шкафами и диванами. Собрал почти все, какие были в старом Петербурге. Больше двухсот штук.

Кирпич скрежещет,
Ржавчина крошится —
Ломают дом.
По плану —
Бесфасадная теплица:
Стекло, бетон…

Чугунный шар,
Как тяжкая планета,
В пролом летит,
Сметая выдуманных где-то
Кариатид.

Бронзовые ручки в старых петербургских квартирах возбуждали меня больше, чем сложенные “нога на ногу” ляжки одноклассниц, заманчиво уходящие “куда-то в неведомую даль”…

Есть дом на Загородном — милый старый дом,
Останки мирового капитала.
Фонарь, рустовка — заяц с пухлым ртом,
И спящих окон сонные забрала.

Я пил там кофе, возмущался, ржал,
Напротив трепыхались две косички.
И шел потом на Витебский вокзал,
И ехал на зеленой электричке.

Театр квадратный, глупые спектакли,
Растерян близорукий Грибоедов.
Я полз на верх семиэтажной сакли
И грыз мечту, в тот день не пообедав.

Горела ночь. Застыли магазины,
Звенел трамвай внизу, на перекрестке.
И, душный рот спасительно разинув,
Стоял я, перепачканный в известке…

Мужчине не пристало розоветь!
Но прошлое — единственно прекрасно.
И вспомнить, и о чем-то пожалеть —
Так хорошо! Так чудно! Так напрасно…

Мысль о том, что старый город исчезает каждый день и что на его место приходит сплошной советский Уродск, терзала меня. Один раз я подговорил одноклассника, и мы — “в целях музеефикации” — свинтили две красивые круглые ручки с квартирных дверей одного из домов на Каменноостровском (в ту пору — Кировском). Поскольку свинчивал напарник, он забрал себе более красивую — из эбенового дерева. А мне досталась обычная круглая, деревянная, но с хорошим бронзовым “подножием”. Она и сегодня —

на моей двери. Сохранил ли свой воровской трофей мой одноклассник Коля? Трудно сказать. Он вскоре эмигрировал с семьей в США. Да и на дело он пошел не красоты, а азарта ради… Мы с ним потом много дрались. По другим поводам. Просто разные оказались люди…

Гудят, как нервы, провода,
Из тучи падает вода.

Дома стоят, как сундуки.
Пролеты поперек реки.

Санкт-Петербург давно смешон,
Хотя и недопотрошен.

Город был со мной каждый день все два года, которые я оттарабанил в дальних немецких гарнизонах. Я ему жаловался, искал утешения. Или спасения? Наверное, это были молитвы. Наверное, город был для меня чем-то вроде бога для верующих. Я не верил в бога. Да и черт с ним, с богом. Кто его видел? А вот город — я видел. И помнил…

В который раз я это вижу:
Гравюрных набережных снег,
Туманных игл застывший век,
Косую мартовскую жижу.

Весна ли, осень — все равно,
Не холод — сумрак и сомненье.

И мне понять не суждено
Природы вечное томленье.

Я помню. Это ли судьба?
Меня влекут и развлекают,
Пинают, головой кивают,
Роняют жирные слова.

Я забываю, забываю,
И снова помню. Что за черт?!
Уж не во сне ли я летаю?
Уж не в аду ли я пылаю —
В соцветье этих пьяных морд?

Мой город! Камень полувечный!
Тобой ли душу разодрать?
В степи гнилой, бесчеловечной
Кого мне звать?

1984, гарнизон Цайтхайн

Мне страшно хотелось, чтобы город взял реванш у судьбы. У Москвы. Чтобы растоптал ее, как Медный всадник — гадюку. Но я с самого начала не очень-то верил в то, что это возможно…

Погода в нашем городе
Дуреет год от года:

То слякотно,
То холодно;
Косит, на шпиль наколота,
Под некий старый зонт!
Когда мы будем молоды —
Случись такая мода! —
Мы сдернем это полотно
С архангельского золота
По самый горизонт!
Вот только что-то с модой этой —
Вечно не везет!

И все равно мечтал.

В этом городе
Черством, как черств
Саваоф,
У беременных плит,
У поклонных голгоф
Что-то рвется внутри,
Что-то желчью горит
И висят фонари,
И кобыла парит…

Но что-то держало этот город в оцепенении, не давало ему "воскреснуть". Что-то убило его или заколдовало навсегда. И это что-то — он сам, его проклятая нетерпеливая гордыня, превратившаяся в итоге в комок испуганных снов и закошмаренных "славных воспоминаний".

В этот вечер, когда расплетали деревья косы
И закуривал ножку козюю ветерок
Шли кого-то резать и потрошить матросы
И пускался цыганочкой пьяной лихой
большевистский курок.

И глядели на это дома, и глядели люди,
И под тучами, небо закрывшими, город стыл.
Ничего больше в этой могиле 5-миллионной не будет.
Будут белые ночи над ней.
И, как ребра в гробу, — разводные мосты.
Будут тени веков,
Промелькнувших, как сон поэта,
Будут ленты судеб, словно пелены на мертвецах.
Будет рифма — инфляцией сглоданная монета
И кудрявые боги — как видеокамеры на дворцах.

Девушка сказала мне: “Что ты ждешь от Петербурга? Он уже все, что мог, сказал и сделал. «Цивилизация на пенсии». Оставь его в покое. Поехали лучше в Москву!” Я не поехал. И она не поехала. Осталась здесь. И до сих пор, конечно, в обиде. На меня? На город? На все вообще? Не думаю, что она нашла ответ…

Нева, похожая на черный
Кисель,
И я, похожий на клоуна,
Идущего из цирка на Карусель,
Барышнями зацелованного,
В воздухе пыль, гарь, вонь,

Город речной тлеет,
Одинокая бродит в чане гармонь,
Вода на луну блеет…
И что за напутствие,
Что за китч,
В которой по счету позе…
Как ныне сбирается вещий Ильич
В Финляндию на паровозе…

Чем дальше город замирал в безвременье, тем больше напоминал прекрасного вампира, которого ты зачарованно любишь и который дарит тебе в ответ лишь бессмертные холод и пустоту. И возвращает тебя туда, откуда ты так хотел вырваться — чтобы спасти себя и его…

Золото по небу пролетело,
Смыло рукавом свинец и пыль
Тело влезло в тело —
И вспотело,
И заколыхалось, как ковыль.
…Медленно сужались междометья,
Радио хрипело о войне…
Радостно — и радостно вдвойне, —
Больше нет
Двадцатого столетья!
Некому обиды раскатать,
Некому прийти и извиниться.
Время — тать, пространство — тать
И город — тать.

Магадан, прикинувшийся
Ницщей.

И душит невыносимой памятью, которая повернута к тебе каменной черной пастью с каждого эркера, из каждой подворотни, каждой ступени каждого лестничного пролета…

Вереницы вагонов, как каторжники на перегоне,
Кандалами сцепленными раскачиваясь и громыхая,
Прут через мост, над усиками испуганного трамвая,
Монотонной своей предаваясь мантре-агонии.

Что везут они? Смерть? Или жизнь? Неважно.
Жизнь — убьет и умрет. А смерть — станцует.
Кровью грязной горит предночной небосвод бумажный,
И клянут мертвяки имя господа всуе.

Вот последний вагон исчезает, и грохот гаснет.
Город так же стоит — горбатым вопросом в небо.
И куском недоеденного Блокадой хлеба
Застревает в горле комком петербургское счастье.

Что остается? Бродить по улицам. Декламировать Хармса. Проклинать империю и любоваться ампиром. Писать стихи под подушку. И снова слоняться меж петербургских домов, как между силуэтов прекрасных чужепланетных надгробий. И делать вид, что продолжаешь жить и любить.

Был солнечный день,
Но холодный.
Я грелся в машине,
Черными очками заслоняясь от солнца.
Город моей мечты давно уже стал немодный,
И я его даже разлюбил слего́нца.
Но ехал куда-то,
И встречи ждал,
И в кафе стучался.
И то, что вокруг, хоть какой-то смысл всему придавало.
10 мая (или 11?) — нет, не останется в памяти эта дата,
Не родился никто,
Не скончался,
И не вылетели даже комары из подвала.

И снова бродить. Или просто смотреть из окна. И чувствовать, что стареешь и скоро умрешь. И отдавать этой убивающей и умирающей красоте последнее — в обмен на никчемную окрыленность.

Грифон на Банковском мосту.
Облезла позолота.
Царапки по всему хвосту —
Привет от санкюлота.
На этих крыльях не взлететь,
Когтями мост не сдвинуть.
Стоять покрашенным на треть
И в снах о прошлом стынуть.
И видеть правильных людей

С неверными мечтами,
И разжимать чугун когтей,
И молодеть летами,
И снова просыпаться зря,
И мост крепить в пролёте,
И ждать, когда лучом заря
Скользнет по позолоте…

Вздыхая, понимать, что не умер. И вдыхать полной грудью что-то невообразимо влажное и больное, что есть — петербургский воздух. Или душа?

Увы, товарищи, увы,
Ни я не вылуплюсь, ни вы.
Мы невский воздух в грудь вберем —
И все умрем.

Есть ли в нас что-то, помимо города? Музыка? Книги? Картины? Любимые люди? Любимая работа? Не знаю. Мне кажется, что все то, что без Петербурга, — этого у нас нет. Или нас там нет. Даже если мы вроде бы там. И там красиво. И уютно. И хорошо. Потому что мы — петербургские зомби. Рабы красоты, которую не в силах сберечь и которая убила нас и даровала нам вечность.

У семи без глазу нянек
В люльке спит дитя.
Осенью мороз подвянет,
Листья в такт крутя.

Выползет из нор прохожий
Выйдет в рейс трамвай
Город с потускневшей рожей
Заглянул за край —
Не увидел ничего там.
И опять продрог. И сердечная икота
Болью между ног
Отдается, словно шлюха, —
Разговорчиво и глухо.

Мой шестнадцатилетний сын не хочет быть похожим на меня. И, наверное, правильно делает. Он любит путешествовать и не любит ходить по музеям. В отличие от меня, объездил почти всю Европу. И как-то сказал: "Такого красивого города нигде больше нет. Венеция, Рим, Флоренция? Нет. Париж, Прага? Нет. Барселона, Амстердам, Таллин? Тоже нет. Там просто есть «что-то старенькое». А здесь — огромный город целиком. И я хочу жить только в центре Петербурга. Не в новостройках. Хотя там есть классные квартиры".

Вот, наверное, и все…

Плотной оберткой обернута наша вселенная
Дремлет притихшая крейсер "Аврора" нетленная
В небе купается черная с синим красавица
Вам этот город не нравится?
Правда, не нравится?..

Андрей Битов

Странноприимный двор (Удвоение текста: 1972–2012)

Мемуар памяти И.П.

Не хочу писать, не могу молчать!

К моему 75-летию милые дачники, снимающие у нас в Токсово на лето тот самый верх, на котором в 1963-м была написана “Дачная местность”, подарили мне прекрасную амбарную книгу, выполненную еще в дореволюционном дизайне, хотя и в сталинскую эпоху, — в коленкоре, с муаровым обрезом; и я не мог не попытаться хоть что-нибудь в нее записать. В окошечке с рамочкой, наклеенном на обложку, я решительно вписал название своего последнего проекта “К столетию 1913 года” и надолго задумался, с чего же его начать на такой красивой и чистой первой странице.

Побродив по участку, я в результате написал следующее:

Сквозь эту щелочку в сортире
Гляжу, как в мушку на прицеле,
Но мушка ползает по ней.
Затерян в мире, словно в тире,
Стрелять я не имею цели,
И сам я цели не видней.

Слишком много у меня было связано с Токсово: мы там жили и переселялись на мой Аптекарский остров лишь с первым снегом.

В 1967 году нам с Ингой Петкевич и пятилетней Аней стало тесно на Аптекарском в четырнадцатиметровой комнате. Инге, пожалуй, было теснее, чем мне: свекровь и свекор за стенкой были все-таки моими папой и мамой. Зато нас иногда отпускали вечером вдвоем в гости. Мы, как теперь принято говорить, *отрывались*.

В тот день — у Глеба Горбовского. Он жил тогда на Пушкинской улице, между чудесным первым памятником Александру Сергеевичу и Невским проспектом. Я набрался, Инга еле тащила меня.

Перейдя пустой ночной Невский напрямую, чтобы поймать несуществующее такси, я стал окончательно неуправляем, залез в телефонную будку, где и пытался прилечь, решительно заявив, что здесь и буду жить! По-видимому, мы уже не в первый раз обсуждали квартирный вопрос. Наши друзья Виктор Голявкин и Валерий Попов уже получили квартиры от Союза писателей в новостройках Купчино. Для меня это была больная тема: и просить у начальства что бы то ни было, и покидать дом, связанный с моими первыми, блокадными, воспоминаниями, родную Петроградскую сторону; и вообще — переезжать от родителей из Петербурга в Ленинград... Поэтому я и куражился в телефонной будке на жилой площади в пол квадратного метра. Потом я куражился, подлец, и перед мамой на Аптекарском, разместившись меж входных дверей так же ловко, как в телефонной будке: мол, вот как мне тесно! Мама плакала: если вы уедете от нас, то разведетесь.

Мне было плохо и стыдно на следующий день, и я все-таки пошел в Союз писателей под предлогом подать заявление на квартиру. Подкрепившись в писательском буфете, я решительно поднялся на второй этаж и толкнулся в дверь секретаря по оргвопросам. По протоколу это была не писательская, а гэбистская должность. Я был уже известный молодой писатель и с интересом разглядывал *его*, а *он* про меня *знал*.

Из окна этого кабинета был хорошо виден Большой дом.

Как я теперь понимаю, этот чиновник, как всякий чекист, более известный по незапоминаемому имени-отчеству, чем по фамилии, был здравым и не смущенным идеологией человеком.

“Я тебя понял, — сказал он мне, — но и ты меня пойми: предоставить тебе сейчас квартиру я не смогу.

Заявление я, конечно, приму, но тебе придется ждать очереди. Да и дом когда еще достроят… а тут прямо завтра. Квартира хоть и коммунальная, зато на Невском проспекте — и две очень красивых комнаты в старинном доме, высокие потолки. Тебе может так понравиться, что ты и не захочешь ни в какое Купчино, куда наш старый комсомольский поэт Семен Бытовой как раз и переселяется”.

Надувшись на предпочтение Бытового Битову, я все же решил взглянуть на дом — Невский проспект как-никак! Гоголь, Пушкин… Подойдя к дому 110, я расхохотался: прямо около арки двора стояла та телефонная будка, в которой ночью я пытался поселиться! “Навеселе, на дивном веселе, я находился в ночь под понедельник…” — опять же напротив Горбовского. Погляжу и к нему загляну: как он там? Опять же повод.

Флигель мой стоял в глубине двора, поперек, и был он построен за век до меня, чуть ли не при жизни Пушкина.

В квартире жило четыре семьи. В конце коридора помещался гнилой сортир, а из барской комнаты Семена Бытового были видны старые вязы плюс тополь и прилепившийся гнездышком к брандмауэру очаровательный домик с деревянной галереей, нечто тифлисское или даже голландское. Под галереей, как скульптура, ржавело авто двадцатых годов. “Последний частный дом на Невском проспекте”, — с гордостью пояснил мне Бытовой. “Частный? — удивился я. — Значит, его можно перекупить…” — “Что вы! — возмутился

АЛИСА +
КОЛЯ

Свидание на крыше

Бытовой. — Борода никогда его не продаст". Борода оказался не меньшей достопримечательностью двора, чем его дом и авто.

Что ж, и чекист, и мама оказались правы. Комнаты мне понравились, мы переехали и через год разошлись.

Даже Семен Бытовой оказался прав: Борода не продал мне домик.

Нет, бывает все-таки польза от текста, пусть даже смехотворного... память! Когда все было не так и все еще были живы.

День рождения
(27 мая 1972 года, Невский проспект, 110)

Оставим этот разговор
Нетелефонный. Трубку бросим.
В стекле остыл пустынный двор:
Вроде весна. И будто осень.

Стоп-кадр: холодное окно,
Ко лбу прижатое в обиде...
Кто смотрит на мое кино?
А впрочем, поживем — увидим.

Вот радость моего окна:
Закрыв помойку и сараи,
Глухая видится стена,
И тополь мой не умирает.

Печальней дела не сыскать:
Весну простаивая голым,
Лист календарный выпускать,
Вчерашний утоляя голод.

У молодых — старее лист.
И чуждый образ я усвою:
Что дряхлый тополь шелестит
Совсем младенческой листвою;

Что сколько весен, столько зим…
Я мысль Природы понимаю:
Что коль не умер — невредим.
Я и не знал, что это знаю.

Вот стая вшивых голубей,
Тюремно в ряд ссутулив плечи,
Ждет ежедневных отрубей
(Сужается пространство речи!) —

И крошки из окна летят!
Воспалены на ветке птицы:
Трехцветный выводок котят
В законных крошках их резвится.

Вот — проморгали утопить —
И в них кошачьей жизни вдвое:
Проблема "быть или не быть"
Разрешена самой собою.

Их бесполезность — нам простят.
Им можно жить, про них забыли…
И неутопленных котят
Подобье есть в автомобиле:

Прямоугольно и учтиво,
Как господин в глухом пальто,
Среди дворовой перспективы
Стоит старинное авто.

Ему задуман капремонт:
Хозяин в ясную погоду
Не прочь надеть комбинезон…
В решимости — проходят годы!

Устроился в родном аду!
Ловлю прекрасные мгновенья…
В какую ж ж… попаду
Я со своим проникновеньем?!

Котятам сразу жизнь известна,
Авто не едет никуда,
Соседу столь же интересно
Не пожинать плодов труда…

И мне — скорей простят небрежность,
Чем добросовестность письма;
Максимализм (души прилежность)
Есть ограниченность ума

И — помраченье.
Почернели
На листьях ветви. Лопнул свет.
Погасла тьма. И по панели
Пронесся мусор. И — привет!

В безветрии — молчанья свист,
Вот распахнулась клетка в клетке,
И птицы вырвались, как хлыст,
Оставив пустоту на ветке.

Двор воронен, как пистолет,
Лоб холодит прикосновенье…
И тридцать пять прожитых лет
Короче этого мгновенья.

И в укрощенном моем взоре —
Бесчинство ситцевых котят,
И голуби в таком просторе
С огромной скоростью летят.

Отнесемся к этому не как к стихам, а как к зарисовке. Сквозь нее мне сейчас видно, что наш узкий двор-коридор на протяжении своих ста метров мало изменился внешне, но изменился внутренне, как вся моя неописуемая Империя за последние четверть века. Я как раз смотрю в то же окно из того же окна. Перспектива очистилась. Вижу насквозь. Там, в тубусе подворотни, по Невскому идут одни ноги, без голов. Все геометрически и исторически точно.

Пока все были еще живы… Деревья долго сопротивлялись, но и они погибли от пыли строившегося между нами “Стокманна”, а после них — и сама Инга, за роскошным письменным столом которой — за ним она никогда не писала (но не могла дать пропасть ему на помойке) — я сейчас сижу, пытаясь записать этот давно выношенный, перезревший текст. Сижу и вижу.

Мне казалось, что тридцать пять лет — это так много! Подтекст стихотворения означал уход от первой жены ко второй. Это давалось не сразу. Теперь моему сыну от второй жены — тридцать пять. Не сразу и не вдруг. Я эмигрировал в Москву постепенно, последовательно и неизбежно, но так и не покинул Питер. Вот как это шло.

13 декабря 1963 года я прилетел с Камчатки, где мы с Глебом Горбовским пытались наблюдать извержение Авачинского вулкана, но извержение и даже землетрясение произошло у меня на Аптекарском острове: в нашей любви с Ингой случилась вполне геологическая катастрофа. Мы истово старались сохранить семью, но эта тектоническая трещина так и не срасталась. Первое измерение “Аптекарского острова” кончилось, и я, сам того не ведая, уже заполнял трещину вторым измерением — “Пушкинским домом”, одновременно пытаясь податься в кинематограф. Я уже разменивал свой Питер на Москву, непрерывно шастая то туда, то сюда.

Снова влюбиться мне удалось лишь в 1968-м, уже в Москве. И я наполовину жил там, но не разводился и прописан был по-прежнему на Невском, до Московского вокзала рукой подать. В Москве у меня все еще не было дома, а здесь как-никак был. Меня терпели, и я терпел. Так и болтался между двумя столицами. (Вошло сначала в привычку, а потом и в образ жизни: так и болтаюсь до сих пор.) С годами все разошлось наконец. Я пошастал по мастерским друзей, пустующим дачам и съемным хатам, пока обрел собственное жилище. Первое жилье осталось за первой женой, второе — за второй. "Некоторые разводы свершаются на небесах", — заключила вторая. Обе были умны: я не бросал детей.

Нарочно не придумаешь! Да я и не придумывал ничего в своей жизни, ничего не добивался. Безволие оборачивалось победой. Течение текста прибивало меня к следующему измерению, и я запутался в меридианах "третьего измерения": непрерывного странствия по Империи. Как только началась ее очевидная агония, стал и я переходить в окончательное, "четвертое", измерение. Впрочем, тогда мне это не было ясно... Заведя третью семью и очередную квартиру для того, чтобы закончить жизнь в родном городе, я еще ближе, вплотную приблизился к Московскому вокзалу — улицу перейти. Улицу перейти в другую сторону — и я опять на Невском, 110. И то, и другое в двух шагах, и я посередине. Моя первая внучка и последний сын от третьего брака (племянница старше дяди) росли вместе, как брат и сестра. Мы ходили друг к другу задворками, как в деревне, с супами и пирогами. По пути, правда, была непроходимая яма, около школы, где учились поначалу и моя дочка, и моя внучка.

“Мама, а когда война кончится, эту яму зароют?” Устами младенца… “Блокада затянулась, даже слишком…” — как спел однажды Высоцкий. Блокада для меня прошла на Аптекарском, а здесь уже в наше время нашли неразорвавшуюся бомбу, раскопали, разминировали, а обратно не закопали. Вот и яма, в которую я провалился в этом описании. Но и от предыдущей, взорвавшейся в блокаду бомбы наш флигелек лишь поколебался, лишь треснул — хорош был пушкинский кирпич! — однако стал нежилым. И первым жильцом нежилого дома оказался наш новый сосед Александр Никонович, только что вернувшийся с войны. Он и начал восстанавливать флигель — со своей комнаты. Высокий осанистый старик, прапорщик в Первую мировую и капитан во Вторую, теперь он подрабатывал в эпизодах на “Ленфильме”, соглашаясь лишь на роли царских генералов и лишь иногда полковников (а один раз — даже на роль великого князя).

Он хорошо молчал, поскольку горла у него не было и сипел он во что-то типа специального микрофона. Когда он уставал сипеть, то писал нам записки.

Другая семья, которую он презрительно называл “торгашами”, главой которой был тоже участник последней войны, представленный даже к званию Героя Советского Союза, но так звезды и не получивший, запивавший после каждого своего похода в военкомат за справедливостью.

Наверное, взамен звезды он был удостоен другой жилплощади, нежели бывшая барская ванная комната, которую мне чудом удалось захватить после него как раз перед разводом. “Первый случай раздела коммуналки на Невском проспекте!” — с гордостью повторяла Инга слова, сказанные ей в ЖЭКе при оформлении отдельной квартиры.

Что и дает мне повод меньше сожалеть о домике моей мечты, который мне не продал Борода, а его ниоткуда взявшиеся наследники продали его какому-то не мне уже в нынешние предприимчивые времена, и теперь, по общему мнению, там бордель. Во всяком случае, красный фонарь на нем висит не хуже, чем в Амстердаме. Зато напротив борделя, прямо под нашими окнами, теперь часовня Знамения Божьей Матери, неведомо как образовавшаяся на месте парикмахерской, которая, в свою очередь, образовалась на месте турагентства, которое как-то первым вселилось в однокомнатную квартирку не менее, чем Борода, примечательного обитателя нашего двора по кличке Шпион (потому что одноногий фотограф). Каждый уголок нашего двора отразил стремительную историю всей страны. Я ведь помню, как взрывали настоящую Знаменскую церковь, чтобы построить на ее месте станцию метро “Площадь Восстания!”

Станция сохранила круглую форму, объем и купол церкви (Ленинградский ордена Ленина метрополитен имени В.И.Ленина, так назывался новый храм). Позже я узнал, что в центре площади Восстания (бывшей Знаменской) против Московского вокзала стоял прекрасный памятник Александру Третьему работы Паоло Трубецкого, свергнутый в год моего рождения. Клумба из-под него пустовала, но в конце пятидесятых на ней появился закладной камень: “ЗДЕСЬ БУДЕТ СООРУЖЕН ПАМЯТНИК ЛЕНИНУ”.

Памятник не был воздвигнут, но камень продолжал угрожающе торчать, как на распутье: “Налево пойдешь — направо пойдешь…” Наконец к юбилею Победы виртуальный Ленин был заменен четырехгранным обелиском с золотой звездой, намекая Московскому вокзалу, что это Ленинград на самом деле город-герой, а не Москва (как оно и было после войны). Народ тут же прозвал монумент “крестовиной” (симметричная ей “стамеска” на въезде в Питер по шоссе уже возвышалась ранее).

И новая моя квартира на улице Восстания (бывшей Знаменской) оказалась в прошлом, по непроверенным слухам, чуть ли не меньше Патриаршего подворья храма Знамения (подворье было построено непосредственно за храмом в год рождения моего отца).

Правее “парикмахерской-часовни”, наспех подменившей Знаменский храм, под нашими окнами — копировальный центр, где до того был фитнес, а до того фотография, а до того (во времена Бороды и Шпиона) жили две сестры-старушки, два божьих одуванчика, куда более святых, чем наша часовня (они все пытались создать клумбу под тогда еще живым тополем). Ни часовни, ни копицентра я из окна не вижу, просто знаю, что они подо мной есть. Значит, раньше я мог выйти из дома и поздороваться то со старушками, то со Шпионом, то с Бородой… Теперь я уже не успевал одновременно постричься и подкачаться или что-нибудь скопировать и помолиться не отходя от дома. Но по-прежнему слева у нас брандмауэр, трудно его к чему-либо приспособить. Одно окно в нем, однако, было. Из него иногда высовывался, как кукушка из часов, по пояс обнаженный пироман и с криком метал подожженные тряпки в голубей на дереве. Голуби снимались с ветки, а тряпки на ней навсегда повисали. Теперь на месте окна кованая дверь и ведущая к ней винтовая лесенка, выкрашенная ценным изумрудным цветом. Не поленился списать, как называется учреждение за зеленой дверью (хорошо, что вывеска под лестницей):

ФСПИ СЗР
ФОНД СОЦИАЛЬНО-ПРАВОВЫХ ИССЛЕДОВАНИЙ
СЕВЕРО-ЗАП. РЕГИОНА

Ни разу не видел, чтобы кто-либо входил в заветную дверцу (или оттуда никто уже не выходил?). Никаких пришельцев.

Правда, чуть впереди внизу пробита дверь в “СТОМАТОЛОГИЮ КРИСМАС ДЕНТАЛ”, туда можно попасть. Там хлопотливая армянка уступает нам место для парковки, а могла бы и зуб вырвать к Рождеству.

Со школы ненавидел изложения — и вот возмездие! — вязну в описании, три месяца не могу дописать этот натюрморт! Напоминаю себе одного гида-доброхота, вызвавшегося показать *настоящий* Нью-Йорк: он привел меня в совершенно неприглядный квартал и стал подробно рассказывать историю каждого дома, где какой профсоюз или фирмочка и когда помещались. Я унывал от его памяти, вспоминая Горького, призывавшего советских писателей писать истории фабрик и заводов. Тогда пусть Кремль или Смольный будут фабриками, а мой двор — лишь лабораторией или кунсткамерой новой истории типа вышепоименованного учреждения вроде ФСПИ СЗР. Из окна мне, как нашему коту, достаются все-таки лишь взгляд и пейзажик, сижу и вижу… однако пришлось уже два раза мысленно выскочить из подъезда, чтобы и снаружи на флигель взглянуть. Придется все-таки решиться и на самом деле выйти и пройтись по двору до Невского проспекта и обратно, чтобы описать более или менее все, чем нафарширован наш двор.

И вот что любопытно: в одну сторону одно, в другую другое, — будто они быстроватенько меняются местами. Кишка, в которой переварилась наша История. Двор выдвигается и вдвигается, как пенал, обнажая то пустующее, то переполненное содержимое. Иду к Невскому, тяга к прекрасному… прошел бордель Бороды, мне подмигивает (это не метафора) автопортрет Рембрандта, подпись почему-то по-английски: “Это его мастерпис, но это вы его создали”•. И это лавка художественных принадлежно-

• *Rembrandt created masterpieces… we created Rembrandt.*

стей почему-то под названием “ЧЕРНАЯ РЕЧКА”. И это более кстати, чем стоматология: у моей внучки вдруг прорезался ген ее отца-художника, и ей не надо с ее пузом (это именно я жду правнука) далеко ходить за красками. Рядом СВАДЕБНЫЙ САЛОН “AGNES” (для потенциальной Натальи Николаевны), за ним сразу ТУРФИРМА “ЭВРИКА” (для свадебного путешествия).

Дальше лучше и не выходить: на Невском к ногам, которые я видел из окна, приставили головы. На месте, где стояла телефонная будка, избравшая меня в 1967-м, теперь, наследственно, лавка сотовой связи (а были “Цветы”). Зато левее подворотни, рядом с рекламой мощей нашей часовни, реклама “Мадам Тюссо” — “Катастрофы человеческого тела”.

Я обошел по Невскому бессмысленный “Стокманн”, чтобы вернуться домой со стороны Знаменской (теперь улица Восстания), уже не читая вывесок на пути, давая отдохнуть взгляду (лишь бы не посмотреть на окна последней своей квартиры, которую вынужден сдавать)… но, стоило мне свернуть во дворы, мимо лишней Ахматовой в сквере недействующего Лицея, как в глаза бросилась вывеска “ПСИХОЛОГО-АНАТОМИЧЕСКИЙ ТЕАТР” (простите, центр), потом “ЦЕНТР НАЛОГОВОГО КОНСУЛЬТИРОВАНИЯ БУХГАЛТЕРСКОГО УЧЕТА «НЕВА СОЛЮШН»” (оба недействующие).

Пятьдесят–сто метров… ни одного живого человека. Я вхожу во двор с другого конца и вижу “МЕДИКО-ИССЛЕДОВАТЕЛЬСКИЙ ЦЕНТР НИИ ПСИХОТРАВМ ЛИЧНОСТИ” напротив школы и СВАДЕБНОГО САЛО-

НА "ELIT". Образ родного двора как Амфисбены• напугал меня. И вдруг вижу живого человека!

Rembrandt... с натуры, его освещение. Бомжиха-"бутерброд", освободившись от плаката "Скупка ногтей. Наращивание золота" (или наоборот), притулилась к нему с пивком и ест бутерброд настоящий. И это не столь уходящая, сколь приходящая натура.

Взгляд отдыхает. Кадр его ломает. Жаль, нет фотоаппарата. И это мое хобби умерло. А ведь проще было бы сделать фотосессию, чем все это словами... вот еще почему *изустная* речь стала предпочтительней: "Как червь, разрезанный на части", — сказал поэт. История — живая Амфисбена моего двора. "Амфисбена" — сложное слово, но не аббревиатура.

1980 год, еще один рифмующийся текст...

"Рассеянный свет"

"...ЭНЕРГОТЯЖКОМРЕМСНАБСБЫТИЗДАТ" — пишет мне Александр Никонович на очередном клочке непонятное мне в его произнесении слово. Это оно нас купило, это оно нас схавало, членистоногое. Так, значит, все это —

• У древних греков существовал миф о гигантской двухголовой змее, вторая голова которой находится на хвосте; называли ее Амфисбена (греч.: "с обеих сторон — иду"). Как явствует из названия, Амфисбена могла двигаться в обоих направлениях: утверждали, что ради этого одна засовывает одну голову в рот второй и катится, как обруч.

что мы жили и умирали — есть ПРЫГСКОКБРЯКБРЫК-СКОПЫТ. Нас уже нет, а он, поглотивший уже половину Аптекарского острова, он — есть БРЯКРЫГРАККО-МИСТДАС... Сожрала нас эта аббревиатура.

Комната у меня уже покачивается перед глазами; плывет, фокусничает пространство, как и положено в аквариуме, превращая, под определенным углом, толщу в линзу, то сплющивая собеседника, как камбалу, то растягивая, как рыбу-иглу... Я жалуюсь Никоновичу на головокружение и низкое давление, и лучше бы я этого не делал... Во-первых, по его примеру я должен пить перед обедом сухое вино (на десять минут удаляемся от темы, погружаясь в свойства витаминов и глюкозы...), но немного (это намек), а — всегда (и это тоже намек); результат, как вы видите, налицо (он почетный пациент Института геронтологии)... а во-вторых, курага (еще пять минут о свойствах и ценах на курагу); в-седьмых, бульон (но это уже шутка — Никоныч булькает). Шутка вот какая: Декарт советовал страдавшему анемией Паскалю пить крепчайший бульон (а как же холестерин и склероз?.. лучше бы я не уточнял)... так вот, бульон, а во-вторых, по утрам как можно дольше не вставать с постели, до чувства полной усталости от лежания... Ха-ха-ха! Правда? Декарт?.. Я сейчас принесу вам книгу... Что вы, я вам верю. Спокойной ночи, Александр Никонович.

Утром я долго не хочу проснуться. Неслышная, с шорохом ночной бабочки, летает из кухни в комнату мать. Я не хочу проснуться, потом я не хочу просыпаться. Я не помню, я хочу не вспомнить, почему я этого не хочу. Я должен был проснуться от телефонного звонка. Если я свешу вниз руку, она упадет на телефонную трубку. Может, мать унесла? Не открывая глаз, опускаю руку — трубка хорошо покоится на рычаге, не соскочила, не съехала... Не позвонила! Я отворачиваюсь от жизни к стенке. Но сон уже нейдет. Я храню в себе эту последнюю утреннюю возможность ни о чем не подумать — странное напряжение! О чем же именно я не думаю? Как бы не могу вспомнить... Часы бьют раз. Сколько это? Половина чего? Если бы вспомнить хоть какую деталь последнего сновидения, можно было бы попытаться вжиться в него, вернуть. Но оно ушло, как видно, навсегда. Жалкие попытки самому смоделировать сновидение напоминают тошнотворные усилия письма... Часы бьют, и опять — один раз. Значит, полчаса я просопротивлялся в стенку... С облегчением переворачиваюсь на спину. Что с часами? Либо час, либо полвторого. Эта воскресшая логическая способность восхищает меня. Если бы позвонила, то не позже двенадцати — уже не дозвонилась... И это уже что-то, что уже... Голова моя абсолютно пуста. И тут — солнце.

Оно меня достало. Ему не было до меня, конечно, дела, как не было дела до меня и времени, которое я пытался перележать. Все тем временем продолжалось. Надо было открыть глаза на это.

Я открыл. То, что я увидел, стоило того. Я лежал, все еще тая в себе накопленную старательным лежанием неподвижность внутри и пустоту головы, и наблюдал один общеизвестный феномен — пылинки в солнечном луче. Сколько лет я этого не видывал? десять? двадцать? все тридцать? Луч стоял высокой прямоугольной призмой, пробившись между оконной рамой и занавеской, снизу подрезанный высоким плечом моего роскошного письменного стола, за которым еще мой дед ни строки не написал, изготовив его по заказу и собственному проекту… Срезанная столом призма света оперлась на паркет и гранью врезалась мне в подушку. Пыли хватало, однако. Она клубилась, восходя и оседая, скручиваясь в галактические спирали, и даже сверкала, ловко находя в себе грани, любуясь тайной материи в себе. Она восставала из праха, демонстрируя некую космическую солидарность материи. Прах, пыль, пылинка, частица, тело… Непостижимое чудо. Да, будь сейчас XVII век, совет Декарта пришелся бы кстати, и я вылежал бы сейчас, в позе интеграла на своем боку, два-три классических закона, будь я Паскаль, конечно… Что-нибудь о воздушных потоках, или дисперсии частиц, или непрозрачном теле… Интегральное исчисление, само собой, висело в воздухе, если оно еще не было открыто… Некий победный вихрь — торжество закономерностей — творился в солнечном луче и даже как бы ликовал по поводу собственной непостижимости: законы не таились, а демонстрировались беспомощному уму практически без риска, что я могу проникнуть хоть в какой завиток Творения. И как было ясно, что не стоило его, бедный (ум), напрягать, что не только в пыли той находилось все то, что составило славу классической там механике и математике, но и вообще все, и то, что было потом, и все, что еще будет открыто, и все это будет ничтожно по отношению ко всему, что происходило в этом луче. Этот демонстративный танец, потому что и ритм, и музыку я уже как бы и слышал, имел в себе и тот смысл, что не мне он вовсе предназначался и даже не лежавшему в моей позе три века назад, по совету Декарта, Паскалю... "Торжествующая закономерность", — повторил я про себя, и мысль ускользала от меня в вихре остальных, мне недоступных, что меня как бы и радовало. И торжество это было не по отношению ко мне и нищему моему сознанию, кончившему страстным желанием никогда не поднимать головы хотя бы и с этой подушки, и даже не по отношению к человеческому сознанию вообще, от которого я в данный момент, как только мог, неполномочно представительствовал... торжество это было в постоянстве и нескончаемости своего дления: -ующее, -ующая, -ующий — что-то и кто-то. Так что можно было и не напрягаться: будто любой уловленный нами закон не только был ничтожной частью той мировой, все время обнимающей, все поглощающей в себя закономерности, но и как бы исчезал напрочь, как только бывал пойман и сформулирован, законишко этот; будто, вслед за нашим сознанием, исчезал наш закон и из мироздания как ненужный, как умерший, без которого оно продолжало в своем -ующем длении обходиться так, как будто его и не было, а мы всё перли с ним назад, примеряя к улетевшему от нас за время нашей нелепой мозговой остановки мирозданию, улетевшему на расстояние, не соизмеримое с тем, на котором мы находились в тот опьянивший нас момент, когда нам показалось, что мы что-то про что-то поняли и открыли... Вдохновенная радость охватила меня от зрения этого мечущегося перед взглядом праха — вдохновенная радость собственного перед ним ничтожества: на какой из этих пылинок проносился я мимо мириада остальных?.. И если бы надо было назвать мне мою вновь обретенную землю, назвал бы ее Гекубой... куда я, писарь, войду без цитаты?.. Рассеянный свет! Свет рассеялся на мерцающих пылинках — расселился. А был ли он меж них? Они ли рассеялись в свете? Или сподобилось еще раз припасть, чтобы в очередной раз лишиться всего этого, запасливо стряхивая пыль с колен? Я ли увидел свет, меня ли осветили, чтобы я сверкнул своей пыльной гранью, проносясь навсегда? Господи, как не страшно на самом деле, что Ты есть. Ну и будь себе на здоровье. Мне-то что. Экое ликование, что дано мне было прокатиться на Твоей карусели! Рассеянный свет... куда он рассеялся, когда? Что он забыл или потерял, рассеянный какой... И какой бы ни был рассеянный, а свет! А свет, какой слабый бы ни был, — о! Свет — всегда весь. И частица его есть часть всего света. Никак не мало. Рассеянный свет — он все еще доходит до нас. И мы еще есть. Ибо куда нам деться, коли он все еще не рассеялся до конца. Может, не заходит, а рассветает...

Луч сдвинулся, оставив под собою, к моему удивлению, на редкость чистый и надраенный паркет, без пылинки на нем... осветил маму. Казалось, она выткалась из этой волшебной пыли и все еще немного просвечивала насквозь. Луч был преломлен ею, но она — всего лишь поглощала свет, как непрозрачное тело: как бы луч наткнулся на луч… интерференция, что ли?.. родив ее легкую святую тень, чтобы глаз мой мог различить ее в рассеянном свете. Мама!..

— Проснулся! Что хочешь на завтрак?..

— Я бы выпил бульону.

Ах, при чем тут Паскаль! Неизвестно, пробовал ли он советы Декарта… Бульон обжег мне нёбо и своим длинным вкусом отравил первую сигарету и все с таким трудом належанное одухотворение…

Я так хотел продолжить — и так не мог…

Срок миновал. Выжил… Рассеянный свет! Куда рассеялось все?! От какой нашей рассеянности… И какой свет мы имели в виду?.. Все густеет вокруг. Сужается. Теснина, туннель. Свет рассеялся и поглотился, но что-то, пятнышко какое-то… растет впереди. Впереди или в конце? Там — свет. Оттуда свет. Тот свет.

Когда-нибудь я все-таки напишу эту книгу! В ней время пойдет в своем подлинном направлении — вспять! Только — никаких ретроспекций!.. Просто сначала Дом наш выживет из стен своих то жутковатое учреждение, его поглотившее; затем первым делом воскреснет отец, потом и болезнь его уйдет в далекое будущее, восстанет Дерево и прирастет к нему ветвь, а там и самоубийца взлетит с асфальта на крышу в своей полотняной рубашке; помолодеет мать… Быстро, ускоренной съемкой, взлетят в небо бомбы, оттает блокадный лед, и не начнется война. Более ласково засверкает листва, как в детстве, как после слез, когда тебя несправедливо отшлепали. А вот тебя еще и не шлепали… Оживет бабушка. Небо взглянет все более незамутненным взором, вдруг я закричу от первого шлепка и — рассказчик еще не родился. Как изменится мир оттого, что в нем меня еще не было? Какими неведомыми цветами зависти, надежды и ожидания окрасится он без меня?.. Как все заплещет и заиграет счастьем!

И вот — буквально ничего не произошло. Всё — унеслось в будущее.

Удвоение текста и возраста: *возраст как текст.*

День космонавтики, 2013 год

Магда Алексеева

“Петербург, я еще не хочу умирать, у меня телефонов твоих номера…”

Сначала — цитата: “Двадцать лет назад я приехал в этот город насовсем. Тогда, впрочем, ничего не казалось «насовсем». Насовсем уезжаю из Москвы? Да вы что! Оказалось, насовсем”.

С тех пор как я написала это в одном из своих рассказов, прошло тридцать восемь лет. Тридцать восемь и те двадцать — вот как давно я живу здесь. Если бы не война и не эвакуация из Москвы в киргизский город Пржевальск (теперь он, как и прежде, называется Каракол), если бы не школа имени Пржевальского, где в одном классе со мной училась девочка из Ленинграда, я бы никогда не попала в так случайно возникшие обстоятельства своей судьбы.

Девочку ту звали Наташа. Вместе с мамой и двумя младшими братьями ее вывезли из блокады. А в блокадном городе остались родственники, рассказы про которых я все время слышала: про Елену Ивановну, тетю Лелю, про ее сына Бориса, Наташиного брата...

С ним она и пришла встречать меня, когда я приехала из Москвы к ней в гости. Это было 28 апреля 1953 года.

Могла ли я думать, ступая на перрон незнакомого вокзала, что этот город станет моей судьбой, а этот высокий застенчивый парень — главным человеком моей жизни?

И жизнь, прежняя привычная жизнь с Арбатом, рядом с которым (на Знаменке) я тогда жила и в одном из переулков которого (в Денежном) родилась, с Московским университетом, в котором я училась, окажется всего лишь прологом к ленинградско-петербургским десятилетиям. Именно здесь обычное существование станет настоящей жизнью с личными, общественными, профессиональными страстями, с горечью потерь и счастьем обретения. А 28 апреля — навсегда памятным днем.

Та весна пятьдесят третьего года была первой оттепельной весной. В Ленинграде, так жестоко натерпевшемся от почившего всего полтора месяца назад отца народов, это была настоящая весна обновления — вся голубая от воды и неба и зеленая от уже распушившихся деревьев.

С вокзала мы пошли пешком, Наташе не терпелось ошеломить меня Ленинградом.

“Это — Невский, это — кони Клодта, а вон там — видишь? — Адмиралтейская игла. А это Европейская гостиница, здесь на крыше ресторан…”

И тут Борис, всю дорогу молчавший, произнес всего одно слово: “Говорят”. Ироническая интонация, с какой он его произнес, сразу охладила Наташину восторженность, а меня заставила внимательно поглядеть на него. Вот так началось то, что привело меня в этот город насовсем. Через три года после той встречи на вокзале мы поженились.

“Надо, чтобы мы, извини за выражение, поженились” — написал он мне в одном из своих писем, пересказывая разговор с родителями. Слова “жениться”, “ЗАГС” казались нам тогда нестерпимо пошлыми, оскорбляющими то, что произошло.

Произошла любовь. Мы жили в разных городах, встреч было немного, а писем — горы.

Этим летом на даче я, перечитав их, сожгла. Перед тем как стать пеплом и дымом, они буквально обожгли меня неистовством чувств (“я не могу, не могу жить без тебя”), жаром единственных слов (“что ты со мной сделала — без тебя я совершенно мертв”), горем вокзальных разлук (“как я мог отпустить тебя? это же самоубийство”).

“На вокзалах кончается счастье”, — писала я тогда в своих стихах.

И все же такие письма надо сжигать, ведь те, кому они предназначены, уйдут, а оставить на земле эти листки в пожелтевших конвертах — все равно что предать их.

Васильевский остров и Петроградская сторона заменили мне Арбат. Нет, не заменили, а заместили. Арбат навсегда в сердце, тот, прежний Арбат без нынешних фонарей и пешеходной тусовки.

Васильевский — место совершенно мистическое. Недаром Бродский, никогда на острове не живший, пожелал здесь умереть. “На Васильевский остров я приду умирать”. На Васильевском одно из старейших в городе кладбищ — Смоленское. “А Смоленская нынче именинница”, — писала Ахматова в тот день, когда неподалеку от Смоленской церкви опускали в землю гроб с телом Блока. Блоковская дорожка до сих пор значится на кладбище, хотя прах поэта по варварской нашей традиции давно перенесли на Волково.

Ветер, и вода, и старинные XVIII века дома, и прямые линии (линии, а не улицы!) — вот что такое Васильевский.

В.О., Первая линия, дом 48, квартира 7 — выводила я на конвертах, смутно представляя себе, что это за Первая линия и уж, конечно, не догадываясь, что буду там жить. “Мы не знаем своего будущего”, — прозорливо замечал Булгаков.

Первая и Кадетская линии — самые, пожалуй, красивые на Васильевском. Великолепное здание Академии российской словесности, в которой бывал Пушкин, церковь Святой Екатерины, особняк баснописца Крылова… "Как щелочка чернеет переулок" (Ахматова) — это тоже здесь, в двух шагах от Первой линии, что одним своим концом упирается в набережную, а другим — в Тучков мост. За мостом — Петроградская сторона, Большой проспект. Петроградская — тоже остров. Но почему-то этого нет не только в названии, но и в ощущении, уже не островном, а словно бы материковом.

Мы теперь живем здесь, на Большой Пушкарской улице. Помню, как защемило сердце, когда, переехав на Петроградскую, я в первый же день вышла на Большой проспект и посмотрела в сторону Васильевского, в сторону той, уже бывшей жизни, в сторону дома, в котором я прожила двадцать, а Борис — сорок лет и где умерла его мать, моя любимая свекровь, с которой я по-настоящему дружила. Ей первой всегда рассказывала свои новости, возвращаясь с работы. Тот дом и был связан с моей первой работой, первой газетой. А первая газета, как первая любовь, не забывается никогда.

До войны проспект назывался именем Сталина, потом — Международным, потом — Московским… Мне, москвичке, и выпало работать на Московском, где на углу с Заставской улицей стояла фабрика "Скороход", а газета называлась "Скороходовский рабочий" — одна из тысяч в стране фабричных газет. После факультета журналистики Московского университета — фабричная газета? Но, по счастью, снобизмом я никогда не страдала.

К тому же в этой редакции уже работала такая же, как и я, выпускница журфака, только Ленинградского университета.

Заставская, 33 — адрес моей первой редакции, давно не существующей, как и сам "Скороход". Грохот вырубочных прессов, гул закройного цеха, неистребимый запах кожи, в вырубочном — грубый, в закройном — тонкий. Все улетучилось, смолкло, исчезло. Осталась самая необъяснимая на свете вещь — память. У тех, кто жив. А многих ведь уже нет…

Переезд на Петроградскую состоялся благодаря моей второй газете и росчерку пера всесильного Романова — первого секретаря обкома партии, предоставившего мне, редактору областной газеты, право переехать из коммуналки в отдельную квартиру.

Московский проспект, Заставская ушли в прошлое. Адресом моих новых редакционных забот стала Фонтанка. Набережная Фонтанки, 59 — Дом прессы, пятиэтажное здание, изуродовавшее старинную набережную. Все годы, что я там провела, меня утешал вид из окна кабинета на боковой фасад БДТ — Большого драматического театра.

Как он, между прочим, важен — вид из окна. Окна наших комнат на Петроградской выходят на построенное перед Первой мировой войной здание детского приюта. В старом петербургском путеводителе он называется "Приют с часовней во имя Царицы Небесной для нервно больных детей". На часовню, где недавно обновили-позолотили крест, и выходят наши окна. Крест сбили, сбрасывая снег с крыши бывшего приюта, а ныне музыкального училища, той страшной зимой 2010 года с ее небывалыми морозами и снегами, и смертью моей сестры Илоны 18 января. С той зимы до нынешнего лета часовня стояла без креста.

Перед ней — Введенский сквер, а на противоположной стороне Введенской улицы — дом, в котором жил Кустодиев, вспоминавший в своих “Записках” крестный ход вокруг Введенской церкви. В начале тридцатых церковь снесли. “Как жалко, что церковь снесли, — сказала я, впервые выйдя на балкон новой квартиры, — а то было бы как на Васильевском — живем напротив церкви”. Но там наши окна смотрели во двор, а не на церковь.

Над церковью святой Екатерины,
Над крышами домов твоих старинных,
“Гранитный город славы и беды”,
Шумит, гуляет непременный ветер,
Всегда сырой от Ладожской воды...

Тот дом на Васильевском действительно старинный, а этот, так называемый “сталинский”, построен в год смерти Сталина, в год нашей встречи с Борисом на месте другого, погибшего во время обстрела.

“Понаехавшие” в разные времена называют Петроградскую сторону “Петроградкой”, а Васильевский остров “Васькой”. Слышать это невыносимо так же, как “Гостинка”, “Апрашка”...

Но можно ли было уцелеть петербургскому генофонду, многократно уничтоженному! Сначала высылали дворян, потом — без разбора в годы большого террора хватали всех, потом тысячами хоронили в блокаду, потом уже после войны добивали остальных по пресловутому "Ленинградскому делу".

И городских начальников по советской, до сих пор сохраняемой традиции всегда откуда-то присылали, не доверяя местным. Вот и возникли ""Апрашка" и "Васька". И уродливые новостройки, заслонившие ту самую Небесную линию, о которой писал академик Лихачев.

Возвращаюсь к своим адресам. Литейный проспект, 9. Здесь размещалась редакция журнала "Аврора", куда меня в 1978 году назначили ответственным секретарем и откуда выгнали в 1982-м после публикации в журнале рассказа Виктора Голявкина "Юбилейная речь", воспринятого властями как пасквиль на Брежнева. И не только властями: Анатолий Чубайс в своей книге вспоминал, как они у себя в НИИ читали тот номер "Авроры", полагая его предвестником перемен. Вот, мол, началось, раз уже разрешили смеяться над генсеком.

Но в том-то и дело, что никто ничего не разрешал. Все произошло случайно, а оттого еще комичнее. Но комичность эта стоила мне работы. Увольнял меня целый синклит, собравшийся в одном из кабинетов Смольного. "Мы вам больше не доверяем", — сказал хозяин кабинета.

Формулировка живуча до сих пор. Недавно Путин снял с работы брянского губернатора как “утратившего доверие”. Ох уж это доверие! Слава богу, геббельсовская формулировка “национал-предатели” не была тогда еще в ходу. А то бы называться мне так, как некоторым журналистам сегодня.

Через два года, когда умер Брежнев, меня “простили”, и я снова оказалась на Фонтанке, 59 в роли редактора спортивной (!) газеты. А последний мой рабочий адрес — Невский, 70, где в особняке генерала Сухозанета — Дом журналиста и Союз журналистов. Именно так — “Союз журналистов” — называлась моя последняя газета.

Но города — это не только улицы и дома. Это прежде всего люди. Когда Мандельштам писал: “...У меня телефонов твоих номера”, он же как раз имел в виду людей, которым можно позвонить, с которыми можно поговорить (“На лестнице колючей разговора б!”), с которыми можно разделить любовь, работу — жизнь.

“Среди каких прекрасных людей жила ты!” — воскликнул Александр Моисеевич Володин, прочитав мою книгу “Как жаль, что так поздно, Париж...” Как он был прав: я бы и не написала своих книг, если бы меня не окружали мои прекрасные родственники и друзья.

И — мои города. Москва и Петербург. Они, как люди, помогают жить в этом сложном мире с его то и дело возникающей гнусностью. Двадцать лет назад казалось, что вместе с советской властью ушло то, что так давило душу.

И вдруг опять — пятая колонна, иностранные агенты, "крымнаш", война... И бессмертная, как оказалось, фраза: "Мы вам не доверяем".

А мы — хочется крикнуть — вам! Но кто услышит этот крик?

Так что же остается? Остаются любимые люди и любимые города — тишина арбатских переулков, белые ночи над Невой... И волшебный Париж, и шумящий Рим...

Прочтите это слово — Рим — наоборот. И получится мир. Целый мир. Так много!

Даниил Гранин

Пантелеймоновская улица*

Пантелеймоновская улица времен моего детства. Магазин братьев Чешуриных — молочный магазин, выложенный белым кафелем, — там сметана разных сортов, творог в деревянных кадушках, молоко в бидонах, масла, сыры, и сами братья орудуют в белых фартуках с черными блестящими (из кожи, что ли?) нарукавниками. А на углу Литейного была кондитерская "Ландрин". А дальше по улице к Соляному переулку — булочная

* С 1923 г. — улица Декабриста Пестеля. С 1925 г. — улица Пестеля.

Филипповых, утром я бежал туда за горячими рогаликами, булочками, мама посылала. Был какой-то магазин "Лора"...

По улицам ходили трамваи с "колбасой" — резиновым шлангом на задней стенке (для пневматики), мы катались на "колбасе": цеплялись за нее и ехали. Шли ломовые извозчики, под телегой моталось ведро, позади прикреплен был номер; грузовики АМО, тележки разные, шли татары-халатники с мешками, почему-то полосатыми, в них собирали всякое тряпье, лом; шли лоточники, газетчики, стояли с корзинками торговки, шли точильщики со своим точилом, шли стекольщики с ящиками поблескивающего зеленоватого стекла, трубочисты, пильщики дров с пилами и топорами, лудильщики... Сколько их было, разного рода мастеровых. Маляры с длинными кистями и ведрами, полотеры со щетками, измазанные коричневой своей мастикой, обойщики... Чистильщики сапог сидели на углах. В каждом дворе была часовая мастерская. Там с лупами в глазах сидели за большим витринным стеклом, склонив свои лысоватые головы, часовщики. Потом там была портняжная мастерская...

На углу Моховой — закрытый распределитель "Красная звезда". Рядом магазин ЛСПО (Ленинградский союз потребительских обществ). Сколько их было, этих аббревиатур... К магазинам прикреплялись — в конторах ЖАКТов (жилищно-арендное кооперативное товарищество) выдавали "заборные книжки", в них ставился штамп магазина.

ФАСОЛЬ
ВАСИЛИИ

Набережная реки Мойки

Все это исчезло, прочно позабыто, и ни к чему помнить. Хотя из этого состояла наша жизнь.

У Спасской церкви стояли пушки, а в Вербное воскресенье на площади перед церковью устраивалась ярмарка. Обитая черным бархатом карусель. По бархату стеклярус. Китайцы продавали скрипучки, веера, чертиков, "тещины языки", "уйди-уйди". Пряники продавали, длинные конфеты, обкрученные ленточками, моченые яблоки, семечки, конечно, причем разных видов: жареные, сырые, тыквенные, чищеные. На лотках торговали маковками, это вроде ирисок, но сваренных на сахаре из мака, и постным сахаром всех цветов.

Улица была вымощена деревянными шашками, панель — плитами, ворота на ночь запирали, парадные тоже, дежурные дворники сидели у ворот, а уж к ночи уходили в свои дворницкие. Наша дворницкая была в подворотне, туда звонок. Если приходишь ночью, звонишь, тебе открывают — и надо было сунуть за это двугривенный.

Почти все жили в больших квартирах, где было два хода — парадный и черный. По черному таскали дрова, приходили дворники, прачки. Да, были прачки. Во дворах вешали белье, выбивали ковры, работали обойщики, кололи дрова. Позже квартиры стали делиться, почти все разделились надвое, поставили перегородку — получились две квартиры, одна имела черный ход, другая — парадный.

Во дворах устраивали представления, приходили шарманщики, скрипачи, с ними певцы, иногда целые трио или квартеты. Жильцы высовывались в окна, слушали, кидали им монетки медные, серебряные, завернутые в бумагу.

Люди ходили в галошах, в валенках и в ботах.

Были керосиновые лавки. За керосином ходили с бидонами. На керосинках кипятили чай, варили обед. Еще были примусы, их накачивали, они гудели синим пламенем. Примус — это эпоха, это большая часть жизни.

Примусы взрывались, сколько из-за них было пожаров!

На кухнях стояли плиты, их топили дровами, на них варили, жарили, пекли. В комнатах — печки, топили осторожно, чтобы не было угара. Эта минувшая жизнь имела множество бытовых правил, которые навсегда исчезли.

Горячей воды не было, ее грели на кухне. У некоторых в ванной стояла колонка, ее тоже топили дровами. Глиняные горшки, горшечники, гончарные изделия — их не стало, так же как мужчин-почтальонов: раньше это была чисто мужская профессия.

Кто стучится в дверь ко мне
С толстой сумкой на ремне…
Это он,
Это он,
Ленинградский почтальон.

Лошадям подвязывали к морде торбу с овсом или с сеном. Они хрупали, время от времени потряхивая этой торбой.

Недалеко была парикмахерская "Поль", там стриглась мама, там завивали и красили.

На Литейном царили букинисты, продавали коллекционные марки. Там собиралась другая публика, там был Торгсин, там гоняли нищих.

В самом начале нэпа частных магазинов было больше, возле Бассейной улицы располагался магазин "Особторг", там торговали по завышенным ценам. Но к нэпманам относились беззлобно: народ понимал, что изобилием обязан им, их трудам, их предприимчивости.

Много было всякого, но много и не было. Не было на улицах негров, да и вообще иностранцы были редкостью; на стендах не клеили газет, газеты не бросали под ноги, как и всякие обертки, кульки, целлофаны... Прохожие стали другие, мусор стал другой, время-дворник все подмело.

Я застал уже остатки нэпа, но воспоминание осталось прочное. Разноцветная, шумная свобода, масса выдумки, заваленные товарами магазины. Страна вдруг окунулась в хорошую жизнь, сытую, одетую. И спокойную. Ленин сказал, что нэп вводится "всерьез и надолго". Поверили — но сразу после смерти Ленина стали нэп ликвидировать.

Появились очереди, не стало ни товаров, ни продуктов. А то, что было, уже не продавали, а "выдавали" — по карточкам, по ордерам. И колбасу, и ботинки. В городе исчезли хорошо одетые люди: ни шуб, ни манто, прохожие выглядели однообразно — френчи, косоворотки, шинели, кепки, женщины в платочках и беретах...

Виктор Тихомиров

От Гангутской до Чайковской

"Ви-и-тя, Вова, до-омой!"

Мамин крик из окна

...Вот панорама одной из центральных улочек Ленинграда — Гангутской (прежнее название Рыночная). От улицы Фурманова она упирается в Фонтанку. На одной стороне расположено здание бывшего Музея обороны Ленинграда (некогда разгромленного вследствие внутрипартийной большевистской грызни, теперь частично восстановленного), так что место известное. На дворе приблизительно 1957 год. Война кончилась давно, новые времена придут нескоро.

Вдоль домов противоположной стороны на скамеечках, ящичной таре и складных стульях сидят старушки, почти не перемежаемые старичками (должно быть, из-за войны). Если прислушаться к их разговорам или воспоминаниям, то нет-нет услышишь леденящую кровь *подробность* о пережитой *блокаде*. В сравнении с этими рассказами текущая жизнь представляется райской.

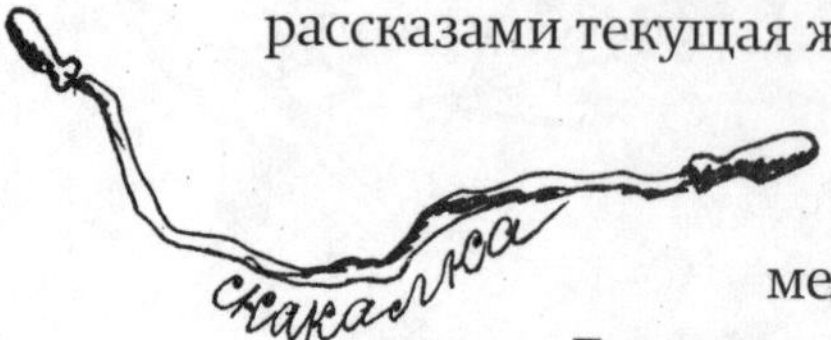

Середина асфальтовой мостовой густо исчерчена белыми меловыми линиями для детских игр. Девочки держатся отдельно от мальчишек и почти все прыгают поочередно на одной ножке. Кто через скакалку, кто в "классы" (специальные квадраты на асфальте). Все игры — с многими правилами и многовариантны. Скакалка, к примеру, может быть индивидуальной, а может быть длинной — групповой. Иные девочки (а игра сугубо девчонская) достигают фантастической виртуозности прыганья, что потом много лет отзывалось в цирковых номерах. Тут же, между играющими, возможно многочасовое состязание в футбол, до полного изнеможения. (Футбол в ту пору был более всенародным увлечением, чем ныне рок. На каждый матч "Зенита" ехал весь город. Все трамваи шли с табличкой "Стадион".) То и дело вспыхивали скандалы из-за летящего то в окно, то в голову постороннему человеку резинового мяча. Иногда затеваются игры с напрочь забытыми теперь правилами (лапта еще встречается в литературе). Какой-то загадочный штандер с использованием маленького мячика, "арапского".

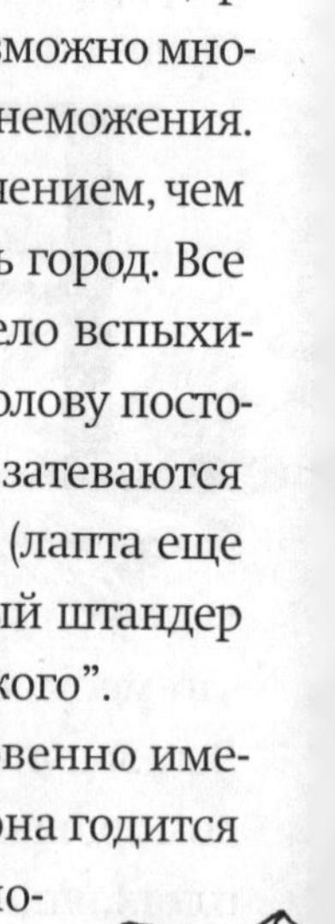

Если у тротуара скопилась лужа, обыкновенно имеющая некоторое течение в сторону люка, то она годится для примитивного судомоделизма (бумажнопарусного). Авиамоделизм, само собой, тут как тут, благодаря детям, удерживаемым дома по болезни или наказанию. Самолеты летят из окон десятками, по ходу дела совершенствуя конструкции. В небесах они смешиваются с голубями, которых запускают с дворовых голубятен. Голубями занимаются очень разные люди, от уголовников до профессоров. Занятие это может быть доходным, но, кроме этого, есть мистическая сторона. Существует (и до сих пор) категория людей, которые кладут на это дело всю жизнь без остатка. Мне показывали старика, бравшего какую-то особо редкую пару голубей с собой на фронт, где он воевал в авиации истребителем, и голуби летали с ним в боевом самолете. Некоторые темные голубиные истории кончались убийствами. Поговаривают о международной голубиной "мафии"... Еще из окон принято звать загулявшихся детей домой, даже с других отдаленных улиц или из самого Летнего сада, отзывающегося бравурной музыкой шикарного духового оркестра (военного, выигравшего специальный конкурс).

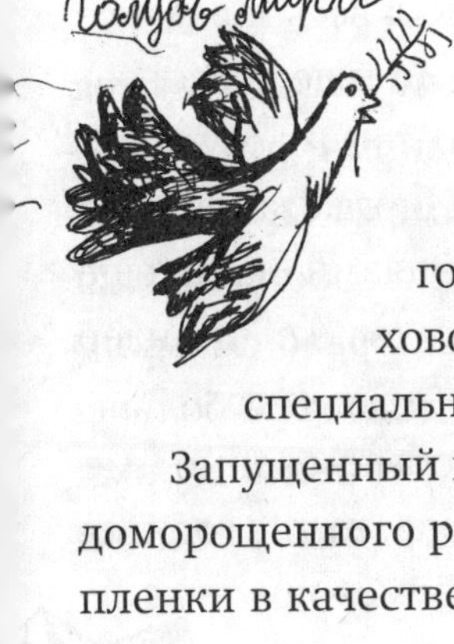

Запущенный недавно спутник не мог не породить доморощенного ракетостроения. Рулон целлулоидной пленки в качестве горючего и легкий корпус из фольги, может, и не доносили ракету до звезд, но из поля зрения она почти сразу исчезала. И если где-нибудь на чердаке не возникал пожар, значит, полет удался, и оставалось лишь дать волю воображению насчет жизни на иных планетах. Естественно, что в ребячьей среде восходили свои "звезды". Далеко не всегда это были хулиганы. Володя Николаев, кроме того что был сильнее любой шпаны, умел буквально всё. Я мечтал оказаться с ним на необитаемом острове, потому что мог бы тогда, во-первых, единолично наслаждаться его дружбой, а во-вторых, ежедневно убеждаться в силе его гения. Этот мальчик с исчезающе раннего возраста знал устройство любой техники, способы ее создания и ремонта. Без сомнения, он мог консультировать строительство домов, кораблей и воздухоплавательных аппаратов. Талант свой он не "зарыл" и не растерял по сей день, хотя востребованность его в отечестве несуразно мала. Сегодня этот образованный, изобретательный и честный инженер вынужден решать проблемы "Эпохи слаборазвитой НТР" (*митьк.*).

Вокруг играющих детей кругами раскатываются разные велосипедисты, но на одном и том же (моем) велосипеде. Прокатиться самому без очереди проблематично, поскольку право собственности попрано в 1917 году и гораздо важнее право сильного и ловкого. Зато чем виртуознее твоя езда, тем больше дадут покататься. Виртуозность достигает неимоверных высот. Езда на одном колесе, например, самая обыкновенная вещь.

Другая сторона улицы, та, что у музея, имеет вытоптанный газон с десятком крупных деревьев. Вытоптанность газона имеет тот плюс, что можно играть в "ножички". Игра дико увлекательная, с множеством приемов и правил. Хоть убей, непонятно, в чем ее увлекательность, вернее, удовольствие. Скорее всего, какая-то генетическая связь с военным элементом — втыкание холодного оружия. Впрочем, не уверен. Но помню, что складной ножик хотелось иметь (больше, чем карманный фонарь) в первую очередь для игры, а не для резанья и строганья. За отсутствием ножичка годился большой гвоздь.

Детские занятия распространялись и на водные просторы Фонтанки. Ее историческая решетка то и дело облепливалась мелкими фигурками. Иногда ребятня срывалась и опрометью перебегала с места на место. Они рыболовы. Они ловят мелкую рыбку "колючку" и "уклейку" при помощи квадратной сетки с приделанной жестяной полосой. На ее фоне под водой хорошо видно, как в сеть заходит рыбка. Движущаяся к Неве стая отслеживается еще от моста Пестеля. Впереди стаи идет "колючка", а в последних рядах "уклейка".

"Уклейка" сильнее и чаще виляет хвостом, ее и ловят, поскольку она считается съедобной. А про "колючку" ходит зловещая легенда, будто в животе у нее страшный "солитер", и есть ее ни в коем случае нельзя. Поэтому пойманную "колючку" жестоко выбрасывают на мостовую под колеса грузовиков, чтоб "солитера" сгубить. Впрочем, старшие рассказывали, что в блокаду многие спаслись "колючкой". (А кстати, одна из загадок блокады: чего рыбу-то не ловили? Небось, был какой-нибудь дурацкий запрет сытого начальства.)

...Но что за жуткий грохот? Старушки привычно зажимают уши от нарастающего гула. Звук шокирующий, незабываемый. Из-за угла выезжают человек десять школьников на "самокатах".

Самокаты все изготовлены своими руками из неструганых досок, шарикоподшипников (большого и маленького вместо колес) и проволочного крюка. У каждого своя конструкция. Передняя доска украшается патриотической символикой (звезда, серп с молотом). При езде страшно грохочет, из-под подшипников летят искры, когда ездоков несколько, звук — как от танка. Такими группами совершались дальние заезды, например, до "Авроры", а ездить можно было почти по середине улицы, — автомобилизм еще всё только зарождался. Ни в каком "мерседесе" невозможно ощутить столь упоительного, восторженного чувства, как на дощатом грохочущем самокате среди друзей.

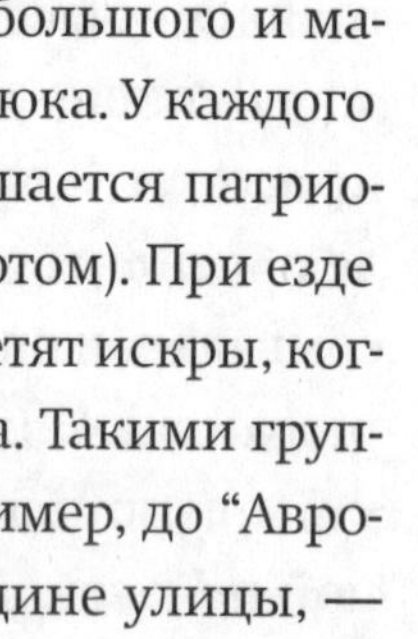

Дети, конечно, детям рознь. Например, всегда существовал тип гуляющего мальчика (все одного и того же), имеющего при себе огромный кусок хлеба с маслом и солью. Ел он не торопясь, так как этим куском собирал вокруг других детей, которым дальновидно давал “кусить”.

В некоторые моменты все разговоры стихали, и взоры обращались в одну сторону, откуда, воровато озираясь, шел всем известный вор и бандит Жук, спешащий укрыться в парадном, так как при всей его ужасности общий осуждающий взгляд смущал даже и его. Тогда ведь не только автомобилей с темными стеклами не водилось, но и темных очков. Нечистую совесть можно быть прятать лишь под кепочным козырьком да за поднятым воротом. А кепки носило все мужское население даже в жару. Сочетание кепки и майки наиболее характерно. А теперь и под радиоактивный дождик все прут без уборов, как будто не надеясь на долгую жизнь.

Подальше от Фонтанки происходит самое увлекательное — игра в “пристенок” на деньги. Помните, у Высоцкого: “…в пристенок с крохоборами…” Вдоль стены одного из домов, облицованного плиткой, играют сразу три-четыре компании. Мне строго-настрого запрещено даже приближаться к играющим, поэтому я наблюдал игру лишь украдкой и не уяснил правил. Привлекал же увлеченный, распаленный вид игроков. Крупной монетой, зажатой между большим и указательным пальцами, нужно было стукнуть в стену, и монета отлетала на асфальт. Это была “бита” — крупная, часто старинная монета, предмет гордости и обмена. Кажется, нужно было попасть в начерченный на асфальте треугольник с монетами участников-партнеров. Еще этой "битой" били поочередно по монетам, чтобы перевернуть их, и еще дотягивались пальцами от монеты к монете. У кого кисть больше, тому и профит. Когда я прочел "Белеет парус одинокий" В. Катаева, то был несколько разочарован описанной там одесской игрой "в ушки". "Пристенок" казался мне гораздо более азартным, рискованным.

В процессе игры, естественно, вспыхивали споры, говорили только матерным языком, не обходилось без драк, тут и первые папироски, тут и водка. Весь криминальный элемент стекался сюда. Постоянно сводились какие-то счеты, плелись таинственные интриги. Проходящего мимо Жука обязательно догонял кто-нибудь в кепке не то с докладом, не то с вопросом, у Жука же явно были дела и поважнее…

Играть в "пристенок" перестали примерно в хрущевскую денежную реформу (а начали еще, наверное, до революции). Следы "пристенка" есть до сего дня, их можно пощупать, поковырять ногтем разбитые монетами плитки. От плиток хорошо отскакивали монеты, вот и выбрана была именно эта стена: количество этих следов вдоль всего дома говорит о размахе и массовости игры.

Если сегодня суббота, то нужно, запасшись гривенником и полотенцем, отправиться в баню на Чайковской (по Фонтанке направо две минуты ходьбы). Она и теперь функционирует, но совсем растеряла культурные следы. А тогда это был образец стиля. Внутреннее убранство бани состояло из сочетания тяжелых бархатных занавесей, развесистых пальм, растущих из деревянных кадок с землей, и множества довольно больших живописных картин в золотых рамах. (Кроме мишек Шишкина и богатырей Васнецова была еще и “Высадка десанта” неизвестного мне автора.) Попадались небольшие изящные скульптуры, видимо, от прежнего режима, амуры, писающий медный мальчик в специальной полукруглой нише. Между этажами на площадках стояли более крупные скульптуры советских авторов. Чекист с собакой и уставленным в посетителя отполированным детскими ручками наганом (всем хотелось потрогать), этажом ниже — “Девушка с веслом”, огромная, в облегающей круглую грудь футболке, произведшей на меня первое в жизни эротическое впечатление. (Второе, более сильное и обоснованное, — лепной потолок большого зала детского кинотеатра “Родина”. Все дети украдкой рассматривали на нем изображение совсем голой Венеры, и их чувственное развитие происходило в гармоническом единстве с классикой, а не назойливо-бесстыжей рекламной продукцией, как теперь.)

Баня была настоящим дворцом, там пахло свежестью, источаемой ларьком на первом этаже. Ларек торговал одеколоном, можно было купить “Тройной” (когда не было водки), мочалками, мылом и носками. Веники всегда продавались из частных рук, конспиративно.

Шикарный гардероб с командой расторопных гардеробщиков (зато и получавших на чай почти со всех) и никелированным телефоном-автоматом.

Повсюду чисто, и пол застелен половиками. Два отличных буфета явно дореволюционной постройки. Один, тонущий в клубах табачного дыма, торговал пивом в кружках. Другой, на первом этаже, эксклюзивно продавал клюквенный морс (20 коп. за литр) — вкуснейший газированный напиток. Я и теперь не придумаю ничего лучшего, чем бублик с таким морсом. В обоих — пирамиды недоступных по цене шоколадок. Две парикмахерские с сильным, достигающим запахом и таинственный "педикюрный кабинет" для не менее таинственных дам.

Собственно, мытье в бане запомнилось как урок мужества, впечатлением ужаса от "парилки" и страха перед громадными чугунными, с деревянными рукоятями, кранами, далеко брызжущими кипятком.

Твердо помню инструкцию родителей:

1. Споласкивать кипятком таз — 2 раза.

2. Споласкивать кипятком место — 2 раза.

3. Мыться, по возможности кипятком, — 2 раза.

После бани, в вестибюле, всегда встретишь совершенно восхитительную девушку, с розовым лицом и полотенцем вокруг головы.

Потоки пришедших в баню и помывшихся строго разъединены и нигде не пересекаются.

Апогей мальчишеского счастья наступает за две недели до 1 Мая. Начинается подготовка к параду на Дворцовой площади, и некая воинско-курсантская часть по целым дням марширует под окнами, распевая одну и ту же строевую, а под самый праздник прибывает оркестр для пущего увеличения счастья.

За день до парада (на который нас не пускали) — генеральная репетиция. Все в парадной форме, при настоящем оружии, печатают шаг и едят глазами приехавшего нарочно очень спесивого генерала, почти сплошь обшитого золотом и красными полосами. Для него поверх откинутых бортов грузовика стелятся шикарные ковры, ставится тумбочка с графином, разворачивается роскошное знамя.

Мальчики спешат воспользоваться своим неотъемлемым правом маршировать по тротуару и слушаться команд заодно с военными, выставлять вперед палки-ружья и вообще блаженствовать, мечтая о таком замечательном будущем, когда они тоже встанут в строй.

Витя и Вова

Читатель давно уже заподозрил меня в похвале социалистическому "вчера", и напрасно. Просто я убежден в необходимости помнить лучшее из лично своего прошлого и не помнить лично своего худшего. Отчасти это распространяется и на "общественное". Это имеет прямое отношение к механизму выживания и продолжения человеческого рода. Факт, что и при социализме в тех или иных областях иногда случался кратковременный расцвет. В те годы он пришелся на дворцы культуры и бани, что можно видеть из фильма Эльдара Рязанова "Карнавальная ночь" и моей заметки, только и всего. А вообще человека крайне трудно лишить праздников, если он только сам не бежит их.

Наталья Галкина

Сад Сен-Жермен

Этот пронизанный прохладной небесной голубизной сад,
мягкие солнечные блики на траве и листьях…

Лев Мочалов. “Борисов-Мусатов”

Арка серого дома времен расцвета петербургского модерна состояла из трех арок: центральной большой, двух маленьких боковых, чьи проходы отделялись от главной — проезжей? — части рядами колонн; стены, облицованные майоликовой плиткой, потолки, обведенные полосой цветного орнамента, потолочные лампочки, бывшие некогда затейливыми светильниками.

— На этом месте, — сказал К., — я всегда замираю наподобие Буриданова осла, выбирая, в которую арку войти.

— Никогда дома не замечал, а мимо него постоянно пробегал в Лекторий. Надо же, внутри не просто скамейки, — пресимпатичный садик.

— Сад Сен-Жермен, — сказал К.

Сад — вернее, то, что от него осталось за полстолетия, — дремал во дворе. Дремлющий зеленый клочок был отрывком целой необычайной системы двойных дворов, утопающих в зелени, располагавшихся между четырьмя домами, выходившими на две улицы: Литейный проспект и Эртелев переулок. От двойных оазисов остался один, скрывающийся за домом 46. Войдя, человек попадал в зону тишины, гасящую городские звуки разных эпох. Давным-давно в сорок шестом доме М.Сперанский открыл юридическую школу для "закона применителей" — "садок судей". В чудом сохранившемся воздухе позапрошлого столетия всяк вошедший и чувствовал себя некоей рыбой потаенного садка — непойманной, невидимой почти, безмолвной слушательницей факультета ненужных вещей. Глубинный павильон бинарного сдвоенного сада Сен-Жермен украшала плафонная роспись школы Борисова-Мусатова; может, поэтому переимчивая здешняя зелень окрашивалась рассеянно, задумавшись о своем, в блекло-серебристые оттенки его картин с не существовавшей никогда или канувшей в Лету жизнью обитателей усадеб, подобных воздушным замкам. Растущие по своей воле, точно в дальнем заброшенном лесу, деревья, нестриженые кусты, газоны, превратившиеся в малые лужки или затянувшиеся травой пустыри, серые бетонные вазы, в которых то в одно, то в другое лето какая-нибудь соскучившаяся по жилым местам городская садовница взращивала внезапно настурции либо петунью, — все утопало, таяло в вибрирующей атмосфере солнечных пятен, теней, бликов. Как в палимпсесте, проступали тут образы давно утерянных садово-парковых изысков, первоначального овального сада с фонтаном в центре между двумя мощными пятиэтажными корпусами (на месте старых флигелей) с элементами архитектуры и декора Возрождения руки известного петербургского архитектора модерна Хренова, отшумевших огромных ив. На плитках, которыми замощены были боковые арочные коридоры входа, недаром изображались полустертые ивовые листочки.

— Говорят, в этом саду, — сказал К., — люди чувствуют время без часов. Мне это подходит. Я часов вообще не люблю, ты знаешь. Уважаю только песочные. Кстати, в нашем Комарове наблюдается прямо противоположное явление: люди не ощущают времени вообще.

Усевшийся было на скамейку возле лепечущего фонтана собеседник его тотчас поднялся и направился к дворовому фасаду дома.

— Там на стене головы бирюзовые, еще и с зеленцой! Майолика?

— Из мастерской Ваулина.

— В венецианском духе?

— Более чем. Знаешь, кто вон тот, раздвоенный? Два портрета симметричных над окнами четвертого этажа?

— Лицо знакомое.

— Во всех книгах по истории искусств в разделе Возрождения маячит. Бартоломео Коллеони. Два всадника хрестоматийных, Коллеони и Гаттамелата. Может, он не случайно слева в шлеме, справа с непокрытой головой? Он то за Милан воевал против Венеции, то за Венецию против Милана. Деловой был кондотьер.

Б. читал надпись на картуше: *“Domus propria domus optima”* — “Свой дом лучше всех”.

— Кто спорит, — сказал К., — сам в Комарове строюсь и так же считаю.

— А третья голова бирюзово-зеленая, кто это? Кто-то конкретный или маска вообще, архитектурная деталь?

— Джулиано Медичи. Тоже лицо знакомое. Портрет боттичеллиевский с опущенными глазами. Микеланджеловский красавчик с гробницы Медичи, тот, что без убора головного. Интересно, что женская маска рядом с ним — голова Минервы.

— Интересно? — переспросил Б., читая надпись на соседнем щите: *“Dies diem docet”* — “День учит день”.

— Когда учит, когда нет. *Ça depend*. Говорил я о Минерве. Джулиано к одному из турниров заказал Сандро Боттичелли лепной расписной щит с сюжетом “Минерва и Амур”, где в виде Минервы изображена была его Прекрасная Дама: то ли и впрямь роман крутили, то ли вприглядку, замужняя синьора была, муж из рода открывшего Америку Америго Веспуччи. Вот она и впрямь лицо всем известное.

— Только не мне.

— И тебе. Потому что звали ее Симонетта Веспуччи, она — все женщины картин Боттичелли, все и каждая, все девы "Весны", Венера, Клеопатра, собственно Симонетта с посмертной парсуны. Художник был на ней помешан, когда она от чахотки умерла в двадцать три года, завещал, чтобы его похоронили рядом с нею, в той же церкви, что и было исполнено через тридцать четыре года. А Джулиано, натурального (или все же платонического?) возлюбленного Симонетты, убили ровно через два года после ее гибели, число в число. Такие вот персонажи. Плюс обожаемые модерном сатиры. Сов что-то не вижу с лебедями. В этой керамической компании хоть какую-то связь я в итоге усмотрел. А вообще мастера модерна собирали немыслимые сборища на фасадах чудесных домов своих, натуральный сбродный молебен: что вместе делают, почему рядом очутились — неведомо, как во сне с перепою. Ты замечал, кто взору явлен на сером доме на углу Большой Подьяческой и Фонтанки? Римский воин, рыцарь Сиона, ракушечные монстры, ундины, сокол, змею закогтивший. На Елисеевском магазине — Промышленность, Наука, Торговля и Искусство в оперных одеяниях, с детсадовскими младенцами. На фасадах Петроградской — любимые дамы с распущенными волосами, превращающимися в водоросли и побеги, иногда от дам одни головы; скифы, египтяне, лучники, стриженные в скобку; о фауне только вспомни, летучие мыши, ящерицы, жабы, крокодилы, пауки, драконы, львы, кошки, но главное — птицы: совы, филины, соколы, голуби, лебеди и орлы. Гости съезжались на дачу, хотя никто их, собственно говоря, не звал. Утопали в растительности — стебли, водоросли, листва, лилии, кувшинки, бутоны. Я, когда на архитектурном учился, очень увлекался модерном. Этот дом — мой старый знакомый. Но если на зданиях людей побогаче каменные сады, тут натуральный. Флора модерна двойственная. То сад райский, то зловещий, не к ночи будь помянутый. А наш сад — сам двойной. Пойдем посмотрим. Двойной он, как лежащие песочные часы.

В глубине двора, за кустами, маячила упрощенная, но совершенно узнаваемая копия решетки Летнего сада, за ней стволы высоких дерев, за деревьями двухэтажный павильон, окруженный своим невеликим царствием зелени, младшим близнецом.

— Считается, что автор этого особнячка — Бенуа. Принадлежал особняк некоему фон Крузе, наряднейшие интерьеры, роспись плафонная с задумчивыми фигурами в духе Борисова-Мусатова, по цвету похожая на мусатовские пейзажи с прудами и на акварели раннего Павла Кузнецова, забежные лестницы, напоминающие водопады. Ходили легенды о необыкновенных зеркалах, больших, в удивительных рамах, расположенных так, что отражался в них сад, в зеркальной комнате всегда был свежий воздух, слышались голоса листвы, человек находился то ли в доме, то ли вне его, в пространстве третьего мира. Тут был и концертный зал, Шаляпин пел, Ахматова выступала.

Они шли к выходу.

— В боковом флигеле Таганцев жил, старший. А мой любимый поэт Гумилев частенько в сад Сен-Жермен захаживал, идучи из дома Мурузи в свою квартиру на Преображенской. Любил курить, сидя на скамейке у фонтана. Если с девушкой заходил, читал ей стихи.

Настолько силен оказался магнетизм времен гумилевского кружка “Звучащая раковина”, что традиция читать стихи возле дворового фонтана пыталась не единожды пресечься, но всякий раз возрождалась. Кого только не видел и не слышал сад Сен-Жермен, кто только не заплывал в аквариум его зеленый! ну, само собой, сам “Аквариум”, Гребенщиков (живший неподалеку на Белинского), Курехин со товарищи и с наядами, поэты: Иосиф Бродский, Виктор Кривулин, Олег Охапкин, сайгоновские ребятки, актеры, художники, подпольные авангардисты, да, старик, ты гений, от такого же слышу. Курили большей частию тривиальный табак, дым столбом, гора окурков, но попадались и любители иных травок, а вкушал ли ты мухоморовое зелье? что я, с дуба упал, я кокаин нюхал (в сию сомнительную игру поигрывали и в дни Серебряного века). Слов “колеса” и “раскумариться” в ходу еще не было.

Серебристый фонтанный голосок претворял дешевый портвейн в асти спуманте, а молодежные невежественные бредни — в философские беседы. Наяд называли мочалками, те не обижались, глядели своим талантам, титанам, божочкам в прокуренные зубы; а почему его все называют ГБ? Не ГБ, а БГ! кто ж такую дуру привел, ну ничегошеньки не знает! зато она радует глаз. Когда волшебный водомет иссяк, его функцию взял на себя шум листвы.

Позднейшее поколение романтиков, менее прокуренное, более избалованное, под причудливыми ник-неймами переговаривалось, пребывая в нетях Сети, обсуждая сад. Обмениваясь фотографиями, особо любили снимать площадку с пересохшим фонтаном, обваливающиеся балюстрады балконов, арки при входе, майоликовые головы; к данному, приближенному к сегодняшнему дню периоду относится самоновейшая легенда о кошках. Если у вас пропала кошка (кот), писал пользователь пользователю (о, новый жанр: диалог пользователя с потребителем!), бегите в сад Сен-Жермен, найдете животное там, живое ли, призрак кошачий, возродившееся ли, реинкарнированное, дублированное, — обрящете! Кошек наблюдалось несметное количество, всех цветов, размеров, статей и повадок.

Подходя к арке, К. сказал:

— Однажды в переплетенной подборке журналов дореволюционных, не помню, было ли то "Солнце России", "Нива", иное питерское издание, попалась мне картинка с подписью: зимой 1914–15 гг. сын хозяина дома господин Гукасов-младший с приятелем Липским возвели над фонтаном восьмиметровую скульптуру ледяную Георгия Победоносца. Белая скульптура, две маленьких черненьких фигурки авторов. Я умилился, мне хозяева журнального тома картинку пересняли, долго я фото на бюро держал. Но однажды утром, после кошмарного сна с левой ноги вставши, увидел я в белой скульптуре центральную часть черносотенной эмблемы — "Союза русского народа"? "Михаила Архангела"? А поскольку я наслышан был о чудовищных еврейских погромах на юге России

1905 и последующих годов, инициированных черносотенцами, дрогнул я, картинку разорвал, потом жалел, думал — может, померещилось?

— Вот ты наслышан, — сказал Б., — а я роман читал об этих погромах, написанный известным детским писателем Борисом Житковым, “Виктор Вавич”. Ничего страшнее этой книги не знаю.

— Дай почитать.

— Роман до сих пор не издан. Я рукопись читал. Ведь я редактор. Чего только по случаю ни прочтешь.

— И еще. Я уж сказал тебе, что в доме Гукасова, в доме с тройной аркой, возле которого мы сейчас стоим, жил Таганцев-отец. А в связи с заговором Таганцева-сына Гумилева и расстреляли. И именно сюда тянуло Николая Степановича барышням вирши читать. Вот как мне эти две вещи пришли на ум, я в сад ходить перестал. Давно тут не был. Все казалось мне недобрым, зловещим.

Навстречу им шли две девочки, русоволосые, розоволикие, кареглазые, одна постарше.

— Дети начала XX века с акварели Серова или Бенуа, — сказал Б., — ни на пионерок, ни на октябрят не похожие.

— Гречанки, — сказал К.

— Почему гречанки?

— Они живут под левым Коллеони, это дочери архитектора Кирхоглани Валериана Дмитриевича. Сослуживцы по кафедре училища Штиглица зовут его “вологодский грек”. Я шел по Литейному, он мне навстречу со знакомым архитектором Васильковским, который нас друг другу и представил.

Девочки поздоровались, улыбаясь, К. церемонно раскланялся.

Сестры Кирхоглани учились в школе со скульптурными медальонами на углу Жуковского и Маяковского. Старшая, Ирина, ходила в знаменитый левинский кружок Дворца пионеров возле Аничкова моста; после школы поступила в училище Штиглица, именовавшееся тогда Мухинским, на кафедру интерьера, где преподавал ее отец. А младшую все писатели видели на похоронах трагически погибшего Михаила Чулаки, все слышали краткую ее речь, многие помнят, как вышла от Общества защиты животных (в нем кошатник и собачник Чулаки состоял) маленькая гречанка Елена Кирхоглани и произнесла негромким нежным голосом своим: “Он оберегал братьев наших меньших от зла, которое им в нашем мире часто причиняют, а себя уберечь не сумел. Но я знаю: теперь он в лучшем мире, где зла нет”.

Собеседники вышли на Литейный, обдавший их шумом, оглушивший звяканьем выворачивавших к цирку и от цирка трамваев.

— В какой тишине мы побывали! — сказал Б. — В беззвучном саду.

— Что ты, — отвечал К., — он полон голосов. У него и эхо свое, как в гроте. Фонтан, листва, птицы.

Шум фонтана утих с фонтаном, второй век звучало многоголосье птиц: воробьев, голубей, синиц, зябликов, свиристелей, чаек; набрали силу *concerto grosso* легендарных кошек, добавились звуки музыки: в особняке фон Крузе расположилась детская музыкальная школа

“Тутти”. Однажды из форточки вылетел по недосмотру обреченный бирюзовый волнистый попугайчик-неразлучник. Все кошки воззрились на него, все птицы, оба Бартоломео Коллеони: если не по доверчивости и глупости суждено было погибнуть экзотической пташке, то от холодов осенне-зимних, наступающих, по обыкновению, неотвратимо. Вылетев на простор, долго перемещался неразлучник в верхнем ярусе сада Сен-Жермен, выкрикивая свое: “Гоша хорошая птичка! Давай пошепчемся! Давай пошепчемся!” И текст сей был близок текстам всех богемных и полубогемных ухажеров трех промелькнувших, прошмыгнувших через двор, просквозивших сквозь сад эпох.

Александр Кушнер

Таврический сад

Мне повезло: я живу рядом с Таврическим садом. С моего балкона на шестом этаже за крышами домов, стоящих вдоль Таврической улицы, видны верхушки его кленов и дубов.

Трудно найти лучшее место для прогулок — отступает городской шум, меняется воздух: вместо бензинных выхлопов дышишь лиственной, цветочной свежестью, влажной землей — с мая по октябрь; да и зимой здесь тоже легче и веселей: поскрипывает снег под ногами, прыгают синицы, огромные ивовые и дубовые ветви, похожие на вытянутый слоновий хобот, покрыты снежными чехлами и нашлепками.

А еще пруды, протоки, мостки, зеленая ряска, как бильярдное сукно, степенные, важные утки, раздвигающие гладкую поверхность прудов, как тяжелые утюжки, и легкомысленные белые чайки…

Уф! “Описание природы” — устаревшее занятие и ненужное, потому что, только начни такое перечисление — и конца ему не видно. Вот ведь и Тургенев поблек по этой причине. То ли дело пушкинская проза: “Утро было прекрасное, солнце освещало вершины лип, пожелтевших уже под свежим дыханием осени. Широкое озеро сияло неподвижно. Проснувшиеся лебеди важно выплывали из-под кустов, осеняющих берег” — и все. Дальше про Машу Миронову, как на нее залаяла белая собачка английской породы. “Не бойтесь, она не укусит”. Так состоялось ее знакомство с придворной дамой, в одиночестве гулявшей в Царскосельском парке. Дама оказалась императрицей.

Таврический сад не похож ни на Царскосельский, ни на Летний с их расчерченными по линейке аллеями, строгой симметрией и парадностью, “разумностью”, предписанной французским классицизмом.

Таврический сад — английский сад, приверженный романтизму, — значит, не подчиняющий себе природу, а потворствующий ей. И разбит (чудесное слово) английским садовым мастером Вильямом Гульдом, приглашенным Потемкиным в Петербург. Здесь, рядом с Таврическим дворцом, и возводил, насаждал он (Гульд) эту зеленую, лиственную и хвойную, радость. “Не план сада, а вид сада, пейзаж”, — сказал о таких садах Дмитрий Сергеевич Лихачев — стал главной задачей и заботой садовода.

Вот почему в Таврическом саду так легко дышится, так хорошо “ходится”: в нем есть и луга, и рощи, и чащи, и таинственные уголки, и даже островки, “на которые не ступала нога человека”, потому что к ним не подведены мостки, а тот, кто косит траву или подрезает сучья, подгребает к ним на лодке. Главная аллея, идущая от Потемкинской к Таврической, не проведена по прямой линии, изгибается, как будто прочерчена по лекалу. А свернув с нее в сторону, отойдя на сотню шагов, можно, кажется, даже заблудиться. Сад огромен — в справочнике сказано (не поленился заглянуть), что его площадь составляет больше двадцати гектаров.

И есть для меня в этом саду еще одна приманка, влекущая сила — это его название. Здесь я могу оставить прозаическое повествование (прозаик из меня никакой) и поместить свое стихотворение, наконец-то!

Таврический сад

Тем и нравится сад, что к Тавриде склоняется он,
Через тысячи верст до отрогов ее доставая.
Тем и нравится сад, что долинам ее посвящен,
Среди северных зим — берегам позлащенного края,
И когда от Потемкинской сквозь его дебри домой
Выбегаю к Таврической, кажется мне, за оградой

Ждет меня тонкорунное с желтой,
как шерсть, бахромой,
И клубится во мгле, и, лазурное, грезит Элладой.
Тем и нравится сад, что Россия под снегом лежит,
Разметавшись, и если виски ее лижут метели,
То у ног — мушмула и, смотри, зеленеет самшит,
И приезжий смельчак лезет, съежившись,
в море в апреле!
Не горюй. Мы еще перепишем судьбу, замело
Длиннорогие ветви сырой грубошерстною пряжей,
И живое какое-то, скрытое, мнится, тепло
Есть в любви, языке — потому и в поэзии нашей!

Это стихотворение авторы Википедии включили в статью о Таврическом саде, чем я втайне горжусь и недоумеваю: откуда они о нем узнали, неужели заглянули в мою книгу стихов "Таврический сад"? Оно написано в 1982 году, когда открылась новая страница моей жизни — и я переехал сюда, на Калужский переулок вблизи Таврического сада. Крым, имеющий отношение к Элладе, античному миру и мифу, — одно из лучших мест на Земле, и Григорий Потемкин, присоединивший его к России, оказал еще неоценимую услугу Петербургу, построив на тогдашней окраине города свой дворец (архитектор Старов) и добавив к нему замечательный сад. Про сад я уже рассказал; дворец тоже прекрасен. Это не помпезный, не пышный, а какой-то очень "домашний", тихий загородный дворец, двухэтажный — и в этом его прелесть, "с шестиколонным портиком

Саперный переулок, 13

и плоским куполом на невысоком барабане". Одноэтажные галереи и боковые двухэтажные корпуса обнимают широкий парадный двор, — по образцу этого дворца в России будет построено множество домов в дворянских усадьбах.

В этом дворце в начале XX века разместилась Государственная дума, а в январе 1918 года открылось и тут же было разогнано большевиками Всероссийское Учредительное собрание, на которое такие надежды возлагала здравомыслящая и верящая в избирательное право и демократию лучшая часть русского населения. Разогнано большевиками. Вот и стоит у главной аллеи, недалеко от входа, памятник Ленину. А где же памятник Потемкину? Его нет.

Говоря про сад и дворец, не забуду сказать, что ими восхищался Державин: "Здесь искусство спорит с прелестями природы". И еще одна дорогая для меня и печальная подробность: в 1826 году во дворце по приглашению вдовствующей императрицы Марии Федоровны жил (и вскоре умер) Николай Михайлович Карамзин.

Потемкинская, Таврическая, Шпалерная, Кирочная — какие чудесные названия у этих улиц, окаймляющих Таврический сад! Свое стихотворение я растолковывать не буду: ясно, что оно продиктовано названием сада, пронизано таврическими, крымскими ассоциациями. Замечу только, что оно "густое", метафорически напряженное, сквозь него надо медленно "продираться", пробираться, как сквозь садовые заросли. И по контрасту с ним меня трогает и умиляет "простенькое" стихотворение старого, забытого поэта — Александра Измайлова, написанное в 1804 году:

Сад Таврический, прекрасный!
Как люблю в тебе я быть,
Хоть тоски моей ужасной
И не можешь истребить.
Только лишь одной природы
Ты имеешь красоты,
Просто все в тебе: и воды,
И деревья, и цветы.

"Как люблю в тебе я быть" — кажется, что это сказано и про меня тоже. Зайти в сад, вспомнить Крым... Сколько раз в своей жизни я был в Крыму, раз пятнадцать, если не больше. Жил и в Алуште, и в Алупке, и в Гурзуфе, и в Ялте, и в Коктебеле... В Коктебеле в последний раз, кажется, в 1998 году. Во что он тогда превратился, страшно и горько вспоминать: немолчная, неумолимая музыка в забегалочных и ларьках, ухающая и не дающая заснуть по ночам, автостоянка, придвинутая вплотную к корпусу Дома писателей, бензинный перегар, шашлычный дым, отравляющий морской воздух, заслоняющий мой любимый запах полыни...

И в Ялте не лучше — там вообще полуразвалившиеся писательские жилые корпуса напоминали руины, только не те, античные, с остатками желто-розовых колонн, похожих на мраморные пни, а блочно-бетонные, серые, кирпичные, известковые — и можно увидеть своими глазами, как быстро наша цивилизация готова развалиться, потрескаться, раскрошиться, зарасти сорной травой.

Крым пришел в упадок, зато Таврический сад год от года становился лучше, чище, пополнялся за счет новых саженцев, старые мосты заменялись новыми, на их перилах появились ящички с разноцветными примулами и анютиными глазками, траву косили, дупла в дряхлых ивах и дубах пломбировали… И вот еще одно неслыханное в наших краях нововведение (или послабление): убрали дощечки, запрещающие лежать на траве, — и теперь в жаркий летний день горожане устраиваются на лужайках, загорают, лежа на траве, как в Крыму на пляже. Это ли не завоевание, это ли не тихий, скромный, не учтенный в перечне прав и льгот еще один признак свободы?

Вчера, 10 мая, позвонила наша приятельница, сказала Лене: "Бегите с Сашей скорей в Таврический сад, я только что оттуда, там поют соловьи!" Увы, пока мы раскачивались, раздумывали, пойти или нет, пошел дождь. И сегодня он опять зарядил с утра, какие уж тут соловьи! А в Крыму хорошо еще потому, что дождей в мае и летом почти не бывает…

Эти строки я пишу в мае 2014 года на фоне тревожных украинских событий.

Приведу здесь стихотворение, написанное 13 марта, и сделаю необходимое пояснение: я смотрю на проблему не с политической, а с поэтической точки зрения, но она-то иногда и бывает самой убедительной.

Где волны кроткие Тавриду омывают…
Константин Батюшков

Конечно, русский Крым, с прибоем под скалою,
С простором голубым и маленькой горою,
Лежащей, как медведь, под берегом крутым.
Конечно, русский Крым, со строчкой стиховою,
И парус на волне, и пароходный дым.

Конечно, русский Крым. Михайлов и Праскухин,
Кого из них убьют в смертельной заварухе?
Но прежде чем упасть, — вся жизнь пройдет пред ним,
Любовь его и долг невыплаченный, — глухи
И немы, кто убит. Конечно, русский Крым.

И в ялтинском саду скучающая дама
С собачкой. Подойти? Нехорошо так прямо.
Собачку поманить, а дальше поглядим…
Случайная скамья, морская панорама,
Истошный крик цикад. Конечно, русский Крым.

Конечно, Мандельштам, полынь и асфодели.
И мы с тобой не раз бывали в Коктебеле,
И помнит Карадаг, как нами он любим
На зное золотом. Неужто охладели
Мы, выбились из сил? Конечно, русский Крым.

Без Крыма русскую поэзию уже невозможно представить.
И без Таврического сада тоже.

Сад

Через сад с его кленами старыми,
Мимо жимолости и сирени
В одиночку идите и парами,
Дорогие, любимые тени.

Распушились листочки весенние,
Словно по Достоевскому, клейки.
Пусть один из вас сердцебиение
Переждет на садовой скамейке.

А другой, соблазнившись прохладою,
Пусть в аллею свернет боковую
И строку свою вспомнит крылатую
Про хмельную мечту молодую.

Отодвинуты беды и ужасы.
На виду у притихшей Вселенной
Перешагивайте через лужицы
С желтовато-коричневой пеной.

Знаю, знаю, куда вы торопитесь,
По какой заготовке домашней,
Соответственно списку и описи
Сладкопевца, глядящего с башни.

Мизантропы, провидцы, причудники,
Предсказавшие ночь мировую,
Увязался б за вами, да в спутники
Вам себя предложить не рискую.

Да и было бы странно донашивать
Баснословное ваше наследство
И печальные тайны выспрашивать,
Оттого что живу по соседству.

Да и сколько бы ни было кинуто
Жадных взоров в промчавшийся поезд,
То лишь ново, что в сторону сдвинуто
И живет, в новом веке по пояс.

Где богатства, где ваши сокровища?
Ни себя не жалея, ни близких,
Вы прекрасны, хоть вы и чудовища,
Преуспевшие в жертвах и риске.

Никаких полумер, осторожности,
Компромиссов и паллиативов!
Сочетанье противоположностей,
Прославленье безумств и порывов.

Вы пройдете — и вихрь поднимается —
Сор весенний, стручки и метелки.
Приотставшая тень озирается
На меня из-под шляпки и челки.

От Потемкинской прямо к Таврической
Через сад проходя, пробегая,
Увлекаете тягой лирической
И весной без конца и без края.

2003

Стихотворение пришло ко мне в Таврическом саду, а продолжено и закончено было, конечно, дома, за письменным столом.

Любящий поэзию читатель, а я на него и рассчитываю, легко догадается, о каких “родных тенях” идет здесь речь. Он узнает и Анненского, и Блока, и Ахматову, проходящих через сад на башню к Вячеславу Иванову.

А еще в этом саду бывали жившие неподалеку Михаил Кузмин и Юрий Юркун...

Поэзия и природа нераздельны, поэзия — часть природы, мыслящая ее часть. Иногда мне кажется, что не я, а клены и дубы, кусты и трава сочиняют стихи, а я у них на подхвате, записываю за ними.

Ирина Басова

Возвращение

Два чувства дивно близки нам,
В них обретает сердце пищу;
Любовь к родному пепелищу,
Любовь к отеческим гробам.

Александр Пушкин

Л*енинград*. Всякий раз — приезжаю ли я сюда, вспоминаю ли о нем — как рефреном звучит "Я вернулся в мой город, знакомый до слез..." И тут же контрапунктом трезвая мысль — мой город, но до слез *не*знакомый... Мой, но незнакомый.

Я никогда не жила в Ленинграде — в том банальном, рутинном смысле, когда человек, прикрепленный к месту жительства, становится частью населения. Вернее, жила в таком раннем детстве, которое и не помню вовсе. Но, может быть, именно эти детские, утопленные в бессознании воспоминания и создают ту трепетную субстанцию, которая вздрагивает тотчас при одном только имени: *Ленинград*. Печалиться об этом нет надобности: каждая моя встреча с городом была исполнена значения, несла в себе важное сообщение, которое открывалось не сразу, а чаще всего спустя годы. Во всяком случае, эту тайну — правду о себе самой — я открывала вместе с ним. И в подтверждение этой магической связи с местом рождения самые важные моменты жизни мне подарены Ленинградом.

Казалось бы, достаточно: я родилась в Ленинграде — чего уж боле? И только спустя годы поняла, что́ означает адрес, записанный в моем свидетельстве о рождении: канал Грибоедова, 9. Младенческая память не подсказывает мне ничего осязаемого, связанного с ним. По причинам, которые стали мне известны значительно позже, мама со мной, новорожденной, оттуда съехала — не по своей воле, но по воле судьбы, которая в тот момент обернулась чертовой силой Большого дома. Шел 1937 год.

Жизнь не любит оборванных страниц и предлагает свои варианты окончаний — с тем, чтобы любой жизненный сюжет был бы так или иначе завершен. Как правило, мы не слышим этих предложений — то ли по лености, то ли по глухоте душевной, а то и пребывая в заботах иных: особенно женщины так любят, так умеют подменять мысли о себе мыслями о других. Однако зов был услышан, и адрес канал Грибоедова, 9 в забвение не ушел. Я вернусь к нему чуть позже.

Первая память о ленинградском жилье — улица Петра Лаврова, дом 2, квартира 16 (Фурштатская, как не совсем понятно для меня поправляла бабушка). Когда мы там поселились — не знаю, но к началу войны мы жили по этому адресу: отпечатался, как на картинке, спуск в бомбоубежище по очень высоким ступенькам (ножки-то были маленькие). Взрослые, ахая, рассказывали, что где-то по соседству упала бомба. Я была занята своим целлулоидным пупсом Васей...

С Петра Лаврова мы уехали в эвакуацию, сюда же вернулись после окончания войны. По Литейному ходили трамваи. Мальчишки висели на *колбасе*. За огромными фанерными щитами с нарисованными домами прятались развалины. На другом огромном щите — реклама макарон. Мы задаем вопросы, дедушка нам объясняет, что такое макароны. Из воспоминаний того же времени: мультфильм "Бэмби", мороженое, трубочки с кремом — в "Норде"...

И тем не менее мне, восьмилетней девочке, уже тогда открылось петербургское великолепие нашего дома, углового, выходящего второй своей стороной на Литейный. Весь его нижний этаж занимал гастроном — он существует и поныне. Мне нравились наши высокие окна из толстого цельного стекла, без перекладин; с недетским восторгом я входила в огромный парадный подъезд с камином, поднималась по мраморным ступеням, огибающим ажурную клетку лифта.

Осенью я пошла во второй класс школы, в те годы еще *женской*, располагавшейся на той же улице Петра Лаврова, прямо напротив нашего дома. (Школа эта существует и поныне.) Короткими зимними днями я уходила затемно и возвращалась затемно. Лестница была тускло освещена синей лампочкой. Поднималась пешком на пятый, последний этаж. Видимо, нам, детям, было запрещено пользоваться лифтом без сопровождения взрослых.

Потом мы переехали в Крым. Но большая комната с камином в огромной коммунальной квартире осталась за нашей семьей. Там продолжали жить бабушка, и дедушка, и мамина младшая сестра тетя Саша, которая в конце концов стала ее единственной владелицей.

Прошло десять лет. Я уже училась в Москве. И на осенние каникулы приехала в Ленинград, к Саше, к себе домой — из холодной и, в общем-то, чужой Москвы. Камин, в который я когда-то могла войти, оказался маленьким. Первым делом пошла по Литейному к Неве.

Следующий мой приезд ознаменовался тем, что на Петра Лаврова, выходя из дома, я встретилась глазами со своим будущим мужем, Борисом Заборовым. Под осенним дождем, в светлом китайском плаще и в шляпе, он сидел на бульваре напротив нашего подъезда, и его голубые глаза внимательно смотрели на меня. Но познакомились мы только через год, в Крыму.

Еще через год я, студентка биофака, была направлена на практику в Ропшу, на *Научную базу по воспроизводству невского лосося*. Практика была приурочена к периоду нереста. Поздней осенью под ледяным ветром на моторной лодке мы выходили на Неву. Рыбаки вытаскивали из невода огромных рыбин, *производителей*. Не буду описывать не очень сложную процедуру, в результате которой через несколько дней из икринок вылупились мальки… Сегодня, насколько мне известно, нет ни семги в Неве, ни завода в Ропше.

◆◆◆

Потом юность кончилась: я вышла замуж, в Москве родилась наша дочь, Марина, мы закончили учебу и уехали жить в Минск, родной город Бориса. Отдалился и Ленинград.

А в конце семидесятых возникло слово *отъезд*. Люди задвигались — эта волна подхватила и нас. Впрочем, у всех были свои резоны, свои *про* и *контра*. Я приняла идею эмиграции очень болезненно. От депрессии спасали стихи — свои и чужие. Этому времени принадлежит мой *Прощальный цикл.* Ленинград был далеко, почти забыт, но — оказалось — не забыт, а жил в душе всегда:

Над пилястрами точеными
Примостились птицы сизые
И химерами незлобными
Стынут, стонут под карнизами.
А внизу, равнины площе,
Залитая лунной синью,
Спит заснеженная площадь
В лучшем городе России.
………………………………

Я под лаской твоих очей
От тебя на любом расстоянии.
Я в бессоннице белых ночей
В дни июньского солнцестояния.

◆ ◆ ◆

В 1995 году я приехала в *Ленинград*, поменявший к тому времени свое имя, уже из другой жизни — из Парижа. Я приехала с сыном Кириллом на закрытие выставки Бориса, которая из Москвы, из Пушкинского музея, переместилась в Санкт-Петербург, в выставочный зал “Манеж”. Это было наше первое посещение России после 15 лет эмиграции.

Остановились мы в “Астории”; наш давний друг пожелал отвезти нас прямо к ступенькам отеля, сопроводив словами: “Пусть видят, что у вас есть *крыша*”. Так я узнала еще одно значение этого простого слова. И еще он добавил: “Гостиница-то мафиозная”, — что совершенно повергло в панику Кирилла, знакомого с фильмами о Чикаго. (По-моему, всю ночь он ждал перестрелки и успокоился только на следующий день, в Эрмитаже.) Тем не менее, бросив чемоданы, уже в сумерках мы вышли в город. Перед нами простерлось великолепие Исаакиевской площади; и ноги сами повели меня мимо памятника Николаю I до набережной Мойки и по ней — до Невского проспекта.

В 10 часов вечера на Невском не было ни души, только светились окна редких ресторанов с фантастическими меню и с такими же фантастическими ценами. Входить туда мы не решались. В Ленинграде было немало адресов, по которым нас помнили и ждали. За этими дружескими застольями возвращалась прежняя жизнь. А проснувшаяся память узнавала город, с которым связана история моей семьи. *Названия*, вернувшиеся из прошлого, превращались в *реальность*. Я знала, что во времена оные у деда был дом на *Фонтанке*, в котором жила его большая семья — восемь человек детей, и ее набережная уже поэтому не была для меня чужой. Так же, как и *Лиговка*, на которой жила когда-то бабушкина сестра — тетя Люба. Времена более близкие вернулись именем *улицы Марата* — адресом маминого брата. А Михайловский замок — *Инженерным училищем*, в котором во время войны служил мой "второй" отец, Яков Басов. И времена совсем недавние — *Академией художеств*, *alma mater* моего мужа…

В 2004 году у Бориса состоялась выставка в Русском музее, в Мраморном дворце — еще один наш приезд. И еще один. Менялись люди, но *камни* — силуэты домов, перспективы проспектов, имена улиц — оставались родными. Одиноким паломником шла я на Петра Лаврова — красивую массивную дверь с медными ручками заменила серая бронированная, с кодом, войти в подъезд было невозможно. (В мой недавний приезд, в мае 2014 года, и этой двери не оказалось. Вход то ли под арку перенесли, то ли во двор — на черную лестницу?) Всякий раз приходила я к светлому дому номер 9 на канале Грибоедова. Посмотрю, погрущу, уйду… В один из приездов обнаружила мемориальную доску, почти *слепую*. С трудом нашла — Борис Корнилов. И каждый раз мысль: не в последний ли раз я здесь? Но жизнь распоряжалась по-своему…

Однажды в Париж приехал издатель из Санкт-Петербурга — и мой первый сборник стихов вышел в *Ленинграде*. Чуть позже — второй.

В другой раз судьба приняла облик молодой женщины, которая появилась в парижской мастерской Бориса с огромным букетом роз. Розы предназначались не мне, не Борису, а нашему другу, театральному художнику Эдуарду Кочергину. Мы отмечали его день рождения. Представляя меня, он шепнул ей: “Это дочь Бориса Корнилова”. И всё — машина была запущена… Встреча была *судьбоносной* — хоть я и не люблю это слово. А как назвать — удача? Это больше чем удача. Наша гостья только что выпустила книгу об Ольге Берггольц. А тут сам Корнилов плыл к ней в руки. Упустить этот *сюжет*, эту *внутреннюю рифму* было невозможно.

В моем распоряжении был бесценный — для меня бесценный — архив, который хранился в маленьком чемоданчике и, как мне казалось, никого, кроме меня, не интересовал. И вот появился остроглазый читатель, слушатель, сопереживатель. Друг. Поэт. Редактор. Так в серый парижский день начиналась книга — *Борис Корнилов. “Я буду жить до старости, до славы…”*.

И так же неожиданно жизнь *вернула* меня на канал Грибоедова, в дом номер 9.

Все, связанное с этим адресом, всегда тревожило и волновало меня. Я многое знала о *Писательской над-*

стройке — из рассказов мамы, теток, из литературных воспоминаний. И от отца — “По улице Перовской иду я с папироской” (Малая Конюшенная в те годы носила имя Перовской). Я знала, что соседями — и друзьями моих родителей — были Стеничи, Валя и Люба (Любочка, как ласково называла ее мама), Михаил Зощенко, Николай Олейников, Ольга Форш (с которой и мне довелось познакомиться). Я — знала. Но не ощущала себя причастной этому дому — до поры до времени…

Удивительная способность моей новой подруги — влюбляться без остатка в своего героя, в идею, в свою работу. Корнилов, его жизнь и его судьба, по ее верному разумению, не вмещались в книгу. И начался поиск иного измерения. Так возник замысел фильма “*Борис Корнилов. «Все о жизни, ничего о смерти…»*”, вскоре снятого режиссером Аллой Чикичевой.

Для меня кульминацией съемочных дней был эпизод, когда привратник дома номер 9 по каналу Грибоедова вручил мне ключ от квартиры 122, от *нашей* квартиры. В своем волнении я забыла про камеру: я действительно отнеслась к этому моменту всерьез, не как к *постановочному*, но как к наиважнейшему в моей жизни, как к *возвращению* — как ни наивно это звучит. Неважно, что через несколько часов я должна была покинуть эту квартиру навсегда, важно было, что я — вернулась! Что *мы* — вернулись. Это было удивительное и странное ощущение — я была на съемках не только самой собой, но как будто вошла в жизнь моих родителей, в их время. Я не ставила себя на их место, но я их *видела*; вот отец идет по этой улице, мама поднимается по этим ступенькам, открывает вот эту дверь. И меня не покидало радостное чувство, что я возвращаю их к жизни. Подтверждением чуда было и то, что квартира в самом центре города, в престижном, как нынче говорят, районе, более чем за семьдесят лет не была изничтожена, не была ни перестроена, ни отремонтирована. Какие боги сохранили ее в изначальном виде? Для того только, чтобы девочка, которую когда-то давно принесли сюда в пеленках, увидела этот сундук для дров в прихожей, голубой кафель на кухне, изразцовую печь, у которой грелась мама, *Люся*. Я открывала окна, выходящие на *Перовскую*, трогала деревянные переплеты, которые хранили прикосновение родных рук, и смотрела с улыбкой, как отец несет "домой халву". И я не грущу, что почти сразу по окончании съемок появился новый владелец и в квартире начался ремонт. Следы памяти, которые принадлежали только нам, не должны принадлежать чужим людям. И осталась победная мысль, что квартира, прежняя, меня дождалась!

С *возвращением* пришло и новое открытие города. Если прежде жизнь с грустной очевидностью была сосредоточена на прошлом и все пути приводили меня или на канал Грибоедова, или на Петра Лаврова, то теперь сам город вторгался в мою жизнь. В ней появились набережная Макарова — адрес Пушкинского дома, Васильевский остров, Выборгская сторона, Нарвская застава; и драгоценная россыпь огней Дворцовой набережной, которая вдруг открылась на подходе к Троицкому мосту с Петроградской стороны. От этой красоты захватило дух.

И сам канал Грибоедова, который прежде был ограничен для меня Спасом-на-Крови и Невским, повлек меня вдоль своих берегов в места столь же прекрасные, сколь незнакомые. Это было в мой недавний приезд, в солнечный, жаркий майский день. Я особенно не задумывалась о маршруте; вспомнив *что-то* или завидя *что-то*, переходила мосты и мостики, углублялась в улицы незнакомые, часто безлюдные. Все *встречи* были как будто случайными — и неслучайными, — словно какой-то добрый *навигатор* указывал мне, куда я должна идти. Мною владело приятное чувство, что город ведет меня за руку, как маленького ребенка. Безлюдие вдруг сменялось шумом *Театральной площади* и музыкой из окон консерватории. И снова тишина *Крюкова канала*, и здание *Мариинки* без признаков жизни в этот час дня. И так до *Новой Голландии*, обогнув которую, я вернулась опять на *канал Грибоедова*…

P. S.

"Все о жизни, ничего о смерти…" С сожалением приходится нарушить этот завет Бориса Корнилова, в который, похоже, он и сам-то не очень верил — строчки эти принадлежат его последнему, *Пушкинскому циклу*, написанному в 1936 году, когда уже развернулась травля поэта.

А может быть, этими словами Борис Корнилов пытался заговорить судьбу, уже предчувствуя, что она ему готовит.

Я тоже не хотела бы заканчивать этот очерк *смертью*, но *любовь к отеческим гробам* требует всё договорить до конца. Эта любовь и повела меня за пределы города — на Левашовскую пустошь. Я давно знала об этом *захоронении*, которое сердце и душа отказывались принимать. И которое не умещалось в сознании — да и сейчас не умещается. Но жизнь в который раз *заставила* меня; и я вошла в зеленые ворота этого страшного места, которое свидетельствует только о том, что *человек* способен на зверства неописуемые. Со стесненной душой, под солнцем, которое не грело, бродила я меж сосен в поисках символической могилы, и моим Вергилием был Александр Николаевич Олейников, сын поэта, чей прах покоится здесь же, как и прах моего отца.

И не важно, вернусь ли я сюда когда-нибудь: адрес этот, как и многие другие, записан в моем сердце.

Париж, лето 2014

Татьяна Мэй

Через Атлантиду — дворами

Даже не знаю, где это началось. Может, на Пестеля, когда, встретив двух бегущих навстречу хохочущих девчонок, вспомнила, что Пестеля раньше, до 1923-го, называлась Пантелеймоновской, и жили на ней сестры Катя и Даша из “Хождения по мукам”. А может, в Манежном, когда случайно подняла глаза на маленький (и вмещается-то всего один стул) балкон углового дома — давным-давно в теплые дни на нем можно было увидеть Чуковского, согнувшегося над рукописями, или впервые вылетевшую из соседнего окна Муху-цокотуху. А может…

Словом, в какой-то момент, и впрямь изменивший мою жизнь, я вдруг даже не осознала — почувствовала, что это не просто город с изумительной архитектурой и кошмарным климатом. Всё, что я читала с детства, все персонажи, исторические и выдуманные, их творцы с друзьями и врагами — обступали с разных сторон, махали из окон, обгоняли на улице. И оказывались зачастую не менее реальными, чем соседи по дому. Почему, собственно, грязнуля, убегающий сломя голову от взбесившейся мочалки (куда смотрит милиция!), имеет меньше прав на существование, чем какой-нибудь Иван Петрович Сидоров, отдавивший мне ногу в маршрутке. “Да по тебе желтый дом плачет!” — резонно сообщила здравомыслящая сотрудница, с которой я поделилась своими соображениями. “Кстати, о желтом доме! — встрепенулась я. — Там сидел Германн!”

Болезнь моя стремительно прогрессировала. Я полюбила шататься по петербургским задворкам, после чего сидеть, уже не чуя под собой ног, на изъеденных ступеньках, разглядывать обитателей дворов, заводить беседы с самыми неторопливыми — старухами, пьяницами и котами, изучать настенные мене-текел, прислушиваться к доносящимся из окон перебранкам и любовным взвизгам — и вплетать все это в события, давно растворившиеся во времени, словно в кипятке кусок рафинада.

Город — не всегда, под настроение — благосклонно расстегивал пуговицы на своем заношенном, залатанном сюртуке и, как Гулливер лилипуту, позволял увидеть содержимое жилетных карманов.

Здесь можно, пробираясь грязнейшим захламленным двором Литейного, в котором дворничиха с глазами-семечками сметает в кучу окурки, шприцы и обрывки матерщины, встретить фрески Альтамиры. Споткнуться на Кронверкском о погнутый, почти вросший в крыльцо столетний декроттуар — скребок для чистки обуви. Сочувственно прочесть в Саперном переулке криво наклеенное на водосточную трубу рукописное объявление: "В понедельник в 21:45 я вышел в магазин за продуктами и услышал из окна этого дома гениальное классическое музыкальное произведение. Житель квартиры, из окна которого играла музыка, пожалуйста, напишите название эсэмэской или на этом листе!"

Всем этим распирало поделиться. Домочадцы и друзья быстро запросили пощады, и надо было искать, куда направить обуревавших меня демонов. "А ты води экскурсии, — предложила все та же сотрудница. — Вон сколько вашего ненормального брата по городу бегает".

Кто бы мог подумать, что с помощью трех маргинальных занятий — чтения, бесцельных блужданий по городу и трепотни — можно привлечь столько братьев по разуму. Ну или его отсутствию, не спорю. И чем больше мы ходили, тем ярче и сильнее прорастал живой Петербург сквозь придуманный или давно исчезнувший, а придуманный упрямо становился реальным. Как, например, теперь, показывая пустырь на Второй линии у Среднего проспекта, где двести с лишним лет назад Ломоносов устроил первую химическую лабораторию, удержаться от истории про заросшего алкаша в некогда белых штанах, который, оторвавшись от своей веселой компании неподалеку (чисто "Завтрак на траве" Эдуарда Мане, только бабы у них были одетые), азартно рассказывал нам, как Михайло Васильевич выплавлял свою смальту. И что цветные кусочки этой смальты, такие же яркие, как в 1743 году, до сих пор спрятаны в земле под травой, тоже он поведал и для убедительности попрыгал, бренча мелочью в кармане, на этом месте.

И не всегда бывает понятно, где экскурсанты, а где представляемые им достопримечательности. Раньше, например, я смотрела на стариков с опаской. Брякну невзначай "Васька" или, борони бог, "Петроградка" — и погонят они меня палкой вдоль какого-нибудь протяженного фасада, как Петр I — светлейшего князя Александра Данилыча. Но быстро оказалось, что это самые драгоценные участники, поскольку помнят такие мелочи, которых нигде не вычитаешь.

— Танечка, — сказала доверчиво худенькая пожилая дама в светлой куртке, когда мы шли вдоль Итальянской, — я хочу рассказать вам одну вещь. Когда я была совсем маленькая, лет пяти, вот в этом доме была стоматологическая поликлиника. И меня привели туда лечить зубы. Я очень боялась открывать рот. Тогда медсестра подошла к окну, посмотрела во двор и воскликнула: "Ой, слон!" И рот у меня от удивления раскрылся.

Ради таких жемчужин можно и вдоль фасада побегать.

И теперь, конечно, на экскурсии я всем показываю двор-колодец, в котором лет семьдесят назад гулял слон, выдуманный сообразительной медсестрой. И с наслаждением вижу, как у экскурсантов открываются рты.

Но однажды друзья попросили погулять с американской девочкой. Она была русского происхождения, и родители очень хотели, чтобы дочь полюбила их родной, а ей незнакомый, чужой город. Особенно уговаривали поводить по улице Жуковского, где они когда-то жили. Поразить ее мрачным великолепием старого Петербурга. Потому что если по Жуковского идти дворами, не под фасадами, то и дело проваливаешься в прореху во времени — когда улица была еще Малой Итальянской, петербургские обыватели обсуждали за вечерним чаем покушение какой-то нигилистки на градоначальника Трепова, дамы носили турнюры и фильдекосовые чулки, а Достоевский дописывал "Братьев Карамазовых". Главное только не забывать сворачивать с надежной асфальтовой тропы под осыпающиеся арки. Нырять, толкая вековые двери, в тесные, плохо освещенные парадные, переступать через выложенные давно истлевшими руками мозаичные даты, выбираться черным ходом и почаще задирать голову — к не мытым бог знает сколько лет подслеповатым окнам, ветхим холодильным ящикам, нежной чахоточной листве тоненьких лип и кленов, затягивающей зеленой ряской верх узких колодцев.

Юная американка послушно шла со мной рядом. Внимала. Рассматривала. А в конце смущенно сказала: "Все это очень красиво. Но у меня такое чувство, что мы гуляем по затонувшей Атлантиде".

Фраза эта с тех пор не идет у меня из головы, где бы я ни оказывалась. Безжалостная и точная, она засела занозой. Вот и сейчас, пока иду привычной дорогой, по любимым закоулкам, думаю о том же.

Будним днем дворы почти пусты, только проявляется на облезлых фасадах бесконечная полемика местных и захожих мыслителей. На желтом простенке в укромном углу рядом с дворницкой поклонник Плиния размашисто начертал: *"In vino veritas!"* Десятью сантиметрами ниже его с сожалением опровергает неизвестный оппонент: "Истины в вине нет, я проверял". Одинокое окно, в стекле которого поочередно отражались эти философы, занавешено изнутри пестрой тряпкой. Лиловая мешанина цветовых пятен складывается в растерянное рыльце беса. Оно сморщивается, шевелится — из-за тряпки вылезает толстопятый котище и усаживается посмотреть на тебя, странного и совершенно здесь лишнего.

Ночной незнакомый город с венецианскими окнами, выгнутыми арками, черничным куском неба впечатан в столетний кирпич и жалкие остатки штукатурки одного из брандмауэров. Попасть в тот колодец второго или третьего двора, чтобы разглядеть фреску высотой в пять этажей целиком, невозможно. Поддатый дядька, покуривающий на лавочке, конфидент дремлющей на его коленях миниатюрной дымчатой кошки, только пожимает плечами: "Не, не пройдете". А что там? "Монашки живут. Католические". Ах да, это же территория петербургского *Notre Dame* — столетнего костела Лурдской Богоматери, вход с Ковенского переулка. Одетая в гранит базилика с нацеленной в небеса колокольней строилась на пожертвования французской общины и успела перевидать местных Шателенов, Анжу, Бенуа, Ландо, Сюзоров, пока их, вместе с жестяным галльским петухом, сидевшим когда-то на башенке колокольни, не затянула воронка революционного смерча. Базилика же каким-то образом уцелела — а то где бы навестивший Ленинград в шестидесятые де Голль преклонял для молитвы артрозные колена. Сейчас ровно напротив белой гипсовой мадонны у входа, по другой стороне Ковенского, на стене дома выведена грозная надпись: "Сдесь православие!". Под ней чьей-то шкодливой рукой пририсована стрелочка, указывающая вниз, на зацементированную нору в подвал. Впрочем, там есть глазок. Не то для созерцания православия, не то для того, чтобы оттуда присматривать за сомнительными католиками.

В конце концов, увлекшись блужданием по морочащей головоломке дворов, полностью в них теряюсь. Куда же сворачивать? Спросить не у кого, неподалеку тусит лишь кучка совсем пропащих алкашей обоего пола — помятых, опухших, давно не мытых и озабоченных чем-то не меньше меня. Только что выползли на свет божий из подвальной рюмочной, и в их тесных рядах явно намечается раскол. Разговор ведется на повышенных тонах, в классическом жанре "а ты кто такой". Назревает драка. Подумав, что других краеведов я тут вряд ли найду и надо успеть, пока эти не сцепились, воззвала: "Дамы и господа!" — полагая, что откликается обычно именно то, к чему обращаешься. Эффект вышел не хуже, чем в гостиной городничего. Они даже о распре своей забыли. Остолбенели. Заозирались. Проморгавшись и вникнув в проблему, принялись бурно обсуждать план моего спасения. Решили выделить провожатого, чтобы не заблудилась. Посмотрев на него, я малодушно встревожилась. Стала прикидывать, успею ли, если что, убежать от благодетеля. Пока прикидывала, он вывел меня на торную дорогу. И тут я совершила ужасный *faux pas*. Смущаясь, выгребла из кармана мелочь. Мужик заметно обиделся. С упреком сказал: "Я же от души".

По бывшей Бассейной, переименованной бог знает когда и зачем в честь печальника народного ("Этот стон у нас песней зовется"), тоже не разбежишься. В этом районе вообще поневоле тормозишь у каждого угла. Не зря бар для интеллектуалов неподалеку, на Жуковского, владельцы назвали *Dead Poets*. Мертвые и вечно живые поэты действительно повсюду. От памятника Маяковскому, на гранитном черепе которого голуби крутят страстные шуры-муры, глянуть направо — и встретишь внимательный, тяжелый взгляд недавно появившегося десятиметрового Хармса в простенке дома 11, откуда его увели навсегда летом 41-го года. В отличие от санкционированного соввластью трибуна революции, этот полуподпольно сработан за несколько часов двумя приезжими мальчишками-граффитистами.

И даже Ковенский был когда-то Хлебников, хоть и в честь тамошней пекарни.

Делаем несколько шагов по Некрасова, и вот она, тяжелая дверь, за которой, по словам Георгия Иванова, обрывалось советское владычество, — бывший Дом литераторов, прибежище испуганной, голодной и оборванной пишущей братии. Здесь в начале двадцатых с порцией воблы и пшенной каши, сдобренной тюленьим жиром, получали глоток душевной свободы. Словно привет от десятки раз бывавшего здесь Гумилева, на стене слева маленькое, с ладонь, торопливое граффити — портрет Николая II, подписанный: "Отречения не было".

А за углом, по Эртелеву переулку, то есть уже улице Чехова, конечно, — внушительное здание, занятое сегодня Ростелекомом. Знают ли уткнувшиеся в мониторы деловитые клерки, что сто лет назад в комнате на пятом этаже поэт-конквистадор делал предложение юной Анечке Энгельгардт, обливающейся от счастья слезами. И никто бы не мог предсказать, что в этой комнате она умрет от голода блокадной зимой.

А в парадную, чуть дальше по Эртелеву, к старшему приятелю Каблукову, секретарю религиозно-философского общества, забегал показать свежие стихи лопоухий, с торчащим надо лбом птичьим хохолком Мандельштам — "смешной нахал, мальчишка", пропускающий лекции в университете, за что ему и попадало от основательного Каблукова.

Почти напротив — дом газетного магната Суворина, снаружи похожий на яркий глазурованный пряник, а внутри — на полузатонувший корабль со стоящей в трюме гнилой водой, ржавыми потеками на стенах и разбитым где-то далеко вверху световым фонарем. Мимикрировав под посетителя бессмысленных контор, населяющих его сейчас, можно пройти мимо охранника на второй этаж, в квартиру самого Суворина — в каком из углов стояла клетка с чижами и канарейками? — или выше, в редакцию "Нового времени", или, мутно отразившись в огромном старинном зеркале на лестнице, — в маленькую квартиру, которую занимал, приезжая в Петербург, молодой, стройный, сероглазый Чехов.

Сегодняшние обитатели бывшего Эртелева соседством таким отчаянно гордятся. В одном из дворов есть даже парикмахерская "Антон Чехов", где стригут исключительно мужчин. Судя по лаконичной вывеске — узнаваемая бородка, усы и пенсне, — клиенты преображаются в дореволюционного русского интеллигента.

Сигаретку у меня стрельнул, впрочем, веселый взъерошенный парень в обычной ветровке и творчески продранных на коленках джинсах.

— У нас тут рядом Чехов жил! — похвастался он.

— Да много кто. У вас вообще замечательная улица, — ответила я.

— И еще здесь живет Максим Иванов, тоже очень хороший и симпатичный человек!

— Это, конечно, вы? — уточнила я на всякий случай, и он радостно закивал.

В Басковом переулке вкрадчиво подступает темнота. Чертов Петр, еще бы в Заполярье столицу основал. Напротив стройки, в непритязательном сквере между двумя унылыми зданиями, под сенью металлической раскрашенной пальмы, на куче слежавшегося песка играют два пирата лет по восемь. Пейзаж этот гордо обозначен зеленой табличкой “Остров сокровищ”, прикрученной к ограде. Пират поменьше, как и полагается такой свирепой публике, кошмарно матерится и грозит чудовищными бедами. Например, отстрелить врагу деталь, строго необходимую мальчикам любого возраста. И тут же, без перерыва, сообщает, что он превратился в Годзиллу, в китайского убийцу и еще каких-то страшных личностей. Пухлый противник интеллигентной наружности, в заботливо повязанном шарфике, обсценной лексики не использует и задумчиво ковыряет оружьем дырочку в песке. Наконец, когда шквал хулы достигает апогея, а уши мои увядают до состояния лаврового листа из кухонной баночки, он тихо, но твердо говорит:

— А я превратился в апокалипсис.

— А я… я… тогда возьму огнемет… и отстрелю тебе ногу, — неуверенно бормочет китайский убийца, но заметно, что он растерян и не знает, есть ли у апокалипсиса нога.

Пираты еще не в курсе по малолетству, какие опасности подстерегают в будущем. В сравнении с ними безногий апокалипсис — сущая мелочь. Под окнами справа от этой Тортуги, на асфальте, кто-то воспламененный вывел полуметровое: “Маша, я тебя люблю! Ты лудшая!” Все гадала, между прочим, когда же начнут появляться логические продолжения подобных признаний, заполонивших чопорный Питер. Зафиксированное развитие событий. И дождалась. На 3-й Советской вход в парадную стережет надпись: “Вова, я беременна!”, заключаемая горестным смайликом. Чуть ниже кто-то бессердечный приписал развязным курсивом: “Давай, до свидания!” Смайлик тоже присутствовал, но веселый. Не Вова ли это был?

У самой Преображенской площади меня встречает очередное чудо современной архитектурной мысли. Застройщик клялся и божился, что восстановит фасад снесенного дома, и даже не очень соврал — со стороны оживленного Литейного действительно почти как было. А со стороны малолюдной улицы Короленко архитектор, как миролюбиво объяснил мне один приятель, пошутил. “Чего ты так ругаешься, — удивился он, когда я вне себя жестикулировала, обнаружив, что скрывалось до поры за синим строительным забором, — шутка это”. Шутейный новодел выглядит так, словно в обычный дом с размаху всадили под углом гигантскую сосулю имени Валентины Ивановны.

Темнеет. Почти бегом бегу через площадь, мимо Всей гвардии собора с его хороводом трофейных турецких пушек времен взятия Измаила и Варны. Несшие когда-то смерть стволы соединены чугунными цепями — отличные качели для местных мальчишек всех времен. Один из них, рыжий как Исав, жил наискосок от собора — в вычурном, внушительном даже по нашему времени доме Мурузи, доходнике мавританского стиля. Вот из этой парадной он выбегал утром в школу; не слишком прилежный был, впрочем, ученик. “Теперь на третьем этаже живет герой, и время вертит свой циферблат в его душе” — балкон, на котором герой любил фотографироваться, тем не менее на втором. Правда, надо думать,

Аничков мост

не укладывалась в размер, а гению все можно. Мемориальную доску нобелевскому лауреату почему-то повесили и вовсе со стороны Литейного, хотя парадная выходит на Пестеля.

Двор же ничем не отличается от прочих петербургских дворов — привычно желт, хмур и аскетичен; вот только стены растрескались, как старая крынка. И ни одной цитаты — куда смотрят поклонники? Ничего, кроме глубокомысленной надписи маленькими корявыми буквами на металлической двери в подворотне: "Никто никогда не задумывался о необходимости штата Висконсин". Ну, в общем, действительно.

Вечерний Петербург уже плотно накрыт сырой знобящей тьмой, когда я наконец добираюсь до Моховой. По слухам, переименованной еще в XVIII веке из Хамовой по просьбе обывателей, конфузившихся плебейским названием. Во дворе справа мрачные, цвета венозной крови, стены, без привычного выделения белым лепных завитушек, мимо туда-сюда шмыгают смуглые мигранты, а в центре роскошного курдонера красуется зеленый островок. Когда недавно мы забрели сюда с экскурсантами, по одной из пересекающих его дорожек прохаживалась хрупкая старушка с такой же субтильной собачкой. Гуляли мы третий час, народ, понятным образом, подустал от великого и высокого, поэтому крошечная пернатая собачка произвела фурор. Двор сотрясло могучее сюсюканье двадцати человек. К тому же собачка, дружелюбно размахивая хвостом, устремилась общаться сквозь заросли исполинских лопухов. К ней протянулось множество рук. Хозяйка недовольно сдвинула нарисованные брови. Мы оробели, зная непростой нрав петербургских старушек, но она осуждающе молвила:

— Далась вам эта собака! Вы посмотрите лучше на наш ансамбль Бенуа! — гордым жестом обвела стены доходника.

На другой стороне Моховой — дом Граббе, смутно напоминающий крепостную стену средневекового города: вдоль всего фасада над окнами четвертого этажа торчат чьи-то головы. Во дворе, кстати, такие же, вечно обсиженные голубями. Не знаю, на что намекал архитектор, но на вопрос интересующихся, кто все эти люди, всегда подмывает скорбно ответить: "Неплательщики". Тем более что эту версию подтверждают попадающиеся там и сям обрывки объявлений всевозможных ЖСК с бранчливыми угрозами в адрес беспечных должников.

К этому дому я прихожу часто. А с некоторых пор — особенно часто. Дело в том, что однажды летом, в самый разгар жары и тополиного неистовства, я экскурсию заканчивала в его проходных дворах. И уже зайдя под арку в первый из дворов, тот, где в центре до сих пор уцелели остатки старого фонтана, приспособленные неким вдохновенным цветоводом под клумбу, мы от неожиданности остановились, — где-то совсем рядом звучал Рахманинов. Вывернув во двор, закрутили головами. Брызжущие, разлетающиеся живые звуки наполняли его до краев. Над угловым окном полуподвала скромно значилось: "Ателье". Оно было открыто, и хорошо просматривалась тесная, плохо освещенная комнатка с простецкой обстановкой — стол, табуретка, какие-то тряпки, ножницы, катушки разноцветных ниток, кружка с остывшим чаем… А у самого окна стояло черное пианино, и темноволосый парень со строгим равнодушным лицом, прикрыв глаза, играл Вторую симфонию, да как! Словно музыканта вместе с инструментом перенесло каким-то образом со сцены Большого зала Филармонии в убогую комнатку с окном, выходящим в один из проходных дворов раскаленной Моховой.

Мы слушали, растерянно и блаженно улыбались. Аплодировали, когда он делал паузу. Наконец ушли, с сожалением озираясь.

А когда я вернулась одна через несколько дней, на гипсовых головах снова возились обтерханные голуби, у клумбы вяло переругивалась какая-то парочка — и не было никакого ателье. Я растерянно подошла к угловому окну, наглухо задраенному металлическими жалюзи. Под ним лениво вальсировал с окурками тополиный пух. Провела пальцами по теплому ребристому металлу. Вот здесь же была вывеска, я же помню. Из парадной справа вышел мужик с огромным (видно, жена долго не могла добиться, чтобы вынес) пакетом мусора.

— Ателье? — безмерно удивился он. — Первый раз слышу.

“Мы гуляли по затонувшей Атлантиде”, — прошелестело в ушах.

С тех пор меня тянет сюда как магнитом. Едва подворачивается возможность, стараюсь завернуть во двор с фонтаном. И каждый раз тупо смотрю на мертвое окно.

Вот и сейчас только загляну на минуту, просто на всякий случай. Просто вспомнить. Просто чтобы не забывать.

Я вошла во двор. Прямоугольник углового окна светится теплым летним жаром. Жалюзи подняты и собраны в одну малозаметную полоску. Табличка "Ателье", оказывается, прикреплена под ними. Вот столик, ножницы, нитки, куски материи. И пианино. Худощавая женщина средних лет приоткрыла окно.

— Простите, — выдавила я, чувствуя себя ужасно глупо, — Мы летом гуляли, а у вас тут парень... ну, в общем... играл Рахманинова. Что это было? У вас правда ателье?

Она наморщила лоб, вспоминая. Улыбнулась.

— Да это пианист, у которого вечером было выступление в Филармонии, попросил подшить брюки. Я работала в соседней комнате, а он играл.

Смех рвался изнутри. Как все просто. Музыкант зашел подшить брюки. Сюда можно больше не возвращаться.

И, уже миновав пару кварталов, я остановилась, сообразив, что забыла спросить главное. Что там делает пианино?

Валерий Попов

Мои места

На Саперном переулке я оказался в 1946 году, и не случайно — уже очень многое предшествовало тому. Отец приехал сюда в 1936 году, из казахских степей, где работал селекционером, чтобы поступить в аспирантуру во Всесоюзный Институт растениеводства, к Николаю Вавилову, и оказался в общежитии в этом доме на Саперном. Ожидая поступления, он грузил вагоны на Московском вокзале, а Вавилов все где-то путешествовал. И вот, отчаявшись, папа решил уехать… но почему-то опоздал. Бежал за последним вагоном и до поручня не достал чуть-чуть.

И — вернулся сюда. Закончил аспирантуру, уехал — и теперь вернулся со мной на Саперный, без которого я бы не появился на свет: именно отсюда судьба отца (и моя) пошла так, как пошла.

Здесь когда-то стоял саперный батальон… Мне было всего шесть лет, когда я приехал сюда, но переулок подействовал на меня очень сильно. Готические замки, итальянские палаццо, восточные дворцы. Я тогда не знал, что это эклектика, всю эта красоту увидел впервые и был очарован, пленен, я словно попал в сказку или в сон. Лучших декораций для пробуждения воображения было не найти. Как вспоминала бабушка — я ходил, размахивая руками, что-то бормотал.

Помню сырое утро, озноб, только что выпал грязноватый снег, и я стою, закутанный бабушкой, у высокой кирпичной стены до неба. Здесь двор, а за стеной — другой мир, недоступный мне: я это чувствую с каким-то отчаянием: ничего не увидишь, ничего не добьешься… примерно так можно теперь сформулировать то мое чувство. Наверное, оно посещает каждого, чья жизнь еще не ясна. А чья жизнь ясна — в шесть-то лет? Только — тревоги. Но я вдруг ловлю в себе какое-то упрямство, и даже — какой-то душевный подъем! Чуть отступив от стены, я задираю голову, потом приседаю, леплю снежок, затем откидываю руку назад, до предела, до боли — и кидаю снежок. Он влепляется в красный кирпич маленьким белым горбиком где-то совсем невысоко. Выше — несколько десятков рядов кирпичей, уходящих в небо… Перекину! — решаю я. Первая, может быть, попытка преодоления. Я кидаю, наверное, год!.. или — три… точно не помню. Помню лишь, что выбирал время, когда двор был пустой, и — кидал. И вот уже — след снежка влепляется на самом верху, не доставая до жестяного бордюра по краю стены совсем немного… два кирпича не хватает… одного… и вот уже звонкий удар о жесть: попал в край! И! Бросаю еще!.. и отпечатка снежка нет! Он перевалил туда, в неизведанное. Победа — возможна — это я почувствовал, перекидав, наверное, сотни снежков в пустынном дворе-колодце. Ура!

И следующее воспоминание: лето уже, я стою на крыше нашего дома — и вижу свою огромную тень на доме напротив. И с волнением думаю: если я подниму руки — неужели она тоже поднимет? Поднимаю… и она поднимает. Восторг! Это было первое, что я "нарисовал" сам.

У дома, соседнего с нашим, стояли атланты, поддерживая балкон. Они и сейчас стоят. Один, как и положено, босой, а другой почему-то в ботинках со шнурками. Почему так? Загадка! В каком городе это еще может быть? Увидев их, я пришел в восторг. И с тех пор этакая чудаковатость, гротеск — мой стиль. Атланты показали пример. Помню, что я сразу стал водить туда знакомых ребят: "Смотрите, смотрите!" И очень волновался: первый раз пытался овладеть вниманием публики. И сразу почуял — сильнее всего действует гротеск, "атлант в ботинках". Это я понял, еще не зная Хармса, — сам город подарил это мне.

В дальнем конце нашего переулка была вывеска "Молочный завод" и поднимался высокий железный забор, заглянуть за который было невозможно. Вспоминаю себя — мне уже лет шестнадцать, ирония — это уже обычный наш тон, и я усмехаюсь: Почему же молочный завод так засекречен? И вдруг сочинился рассказ — первый, который был напечатан: "Случай на молочном заводе" — о том, как шпион залезает в гору творога, и для того, чтобы его поймать, милиционеры съедают эту гору. Шпион бежит в соседний двор, лейтенант гонится за ним, возвращается и докладывает: теперь он в масло залез! Я еще не знал, зачем я все это придумываю, но остановиться уже не мог.

И первый выход в "большой свет" — тоже отсюда, с теми средствами, которые переулок дарил. Вместо шпаны в городе теперь царили стиляги, и всех волновало: как показать себя? В соседнем доме, номер 5, — как раз за той высоченной кирпичной стеной! — был таинственный маленький заводик. Железные ворота, с улицы, всегда были замкнуты, но мы проползали под ними — так велика была страсть! Не выпрямляясь, в полуприседе, мы проникаем в темную кладовку, где в пахучем углу свалены узкие обрезки очень мягкой, чуть мохнатой материи, — до сих пор помню ее на ощупь — и пихаем ее за пазуху.

— Атас! — доносится шепот, и мы бежим. В своем дворе стремительно расходимся, закрываемся дома, и только тут, с колотящимся сердцем, озираем добычу. Это куски мягкой технической байки, порезанной на полоски, но главное, что пьянит, они — совершенно невероятных, недопустимых в нашей советской стране расцветок — помню то испуганно-сладкое чувство. Нежно-лимонный, слегка даже постыдный розовый, недопустимый — мы это чувствуем уже ясно и остро — оттенок зеленого. Но именно это нас и возбуждает. Молча объединяемся во дворе, но идем по улицам как бы каждый сам по себе. "Стяги" наши еще за пазухой, не на шее — на шею рано! По этим улицам так не ходят. Но — Невский! На Невском можно, чего нигде больше нельзя, — и хотя здесь легче всего и получить наказание за свою дерзость, но "на миру и смерть красна"! Сколько диких фигур отразилось тогда в тусклых зеркалах на углу Невского и Литейного — фигур страусиной походки и павлиньей окраски. А вот и мы! В ближайшей к Невскому подворотне наматываем на шеи свои стяги-кашне, чувствуя их запретный отсвет на коже щек, — и выходим на Невский! Идем, напряженно ловя взгляды встречных… Ну как?.. Никак! И неужели это будет так — никогда тебе не заметят? Наверное, мое возбуждение и отчаяние было сильнее, чем у других: я вдруг вижу, что иду уже один, выхожу на Аничков мост… Никто не смотрит на меня! Порыв ветра выбивает слезы… "Я молод был, безвестен, одинок" — стихи Бунина о такой же его прогулке пронзили меня через много лет… Где они — эти шарфики с Саперного переулка?

Прохожу по нему каждый раз с волнением: здесь проснулась моя душа.

Я учился в 182-й школе напротив дома Мурузи на Литейном и проходил через булыжную тогда площадь у собора Преображенского полка. Очень не хотелось входить в школу, где ждали меня множество неприятностей, и я поднимал глаза к часам на соборе... и если я очень хотел — часы всегда мне дарили пять минут — передохнуть, собраться с силами. И я написал рассказ "Божья помощь" — о том, что пять минут, если они очень нужны, Бог подарит всегда. Но если, обнаглев, ты будешь требовать десять и двадцать — ничего не получишь. Это я понял тут. И в эти же годы, в доме Мурузи, Бродский смотрел с балкона на эту же церковь.

Очень важно, что здесь, рядом, в местах дислокации Преображенского лейб-гвардии полка, оказались, вернувшись из эвакуации, и Бродский, и Довлатов, и Горбовский, и Уфлянд, теперь здесь живет Кушнер — "Преображенский полк" петербургской литературы сложился здесь — эти улицы и переулки "отдают нам" то, что впитали в себя раньше.

Потом мы переехали в новостройку, где вокруг не было абсолютно ничего. Все, что я любил, исчезло. Ровное поле. Но вдруг и там стали "рисоваться картины". Я закончил институт, добирался на работу. Помню, как мы стоим на остановке, отвернувшись от ветра, и снег лепит сугробы у нас на спинах. Потом резко поворачивались, вглядывались вдаль — не показался ли автобус? Различить их можно было по огонькам: двенадцатый —

красно-синий. Шел понятно откуда, но непонятно куда. Тридцать первый, желтый и зеленый, вез прямо к далекому метро. Радость! Или — общий хохот, когда приходил уже третий подряд ненужный номер. Это уже был наш "театр на окраине", такой бурной "реакции зала" я не видел больше нигде.

И еще один "театр". Поначалу исчезли продукты, а потом — алкоголь. И алкаш Боря, со связями в магазине, вдруг сделался главным, мог теперь осчастливить любого в километровой очереди. Сказать кому-то: "давай деньги, возьму", а кого-то унизить. И сделался этаким вдруг монархом, "казнил-миловал". Мой рассказ о нем — "Боря-боец" — принес мне первый успех в литературном мире. Так что та "командировка на окраину" оказалась полезной.

Но после я сделал все возможное, чтобы вернуться в центр, и вот я оказался на Невском, в доме 13. Этот угол Невского и Большой Морской — самый лучший угол в мире — это я понял, многое повидав. Я оказался в квартире, где раньше жила Ирина Одоевцева, поэтесса Серебряного века! В Ленинграде был тогда закон о наследовании писательских квартир — писателями. Это было неплохо: сохранение литературной жизни. Конечно, давали такие квартиры не всем. Но я, счастливчик, успел проскочить в щель между социализмом и капитализмом. При социализме мне бы не дали как беспартийному, а при капитализме — только за деньги. И теперь, когда я возвращаюсь домой, чувствую прилив счастья: неужели я живу в этом красивом доме, в стиле классицизма, так красиво расположенном на углу?

И сколько на Невском вдохновляющих мест! Скажем, Аничков мост. На одном его конце, по признанию Достоевского, он пережил самый счастливый миг жизни, когда вышел от Белинского, который его похвалил.

А я свой самый счастливый момент пережил на другом конце моста, возле "Книжной лавки писателя", когда увидал, как красивая девушка вслух читает своему парню веселый рассказ из первой моей книги, и оба смеются.

И еще было счастье, когда друг мой купил катер, и весь водный Петербург стал наш. Нам такой Питер открылся с воды! И современный, и исторический: подплывали к каким-то обшарпанным дворцам, тогда малоизвестным и потому особенно таинственным — например, дворец Бобринского, внебрачного сына Екатерины Второй. Еще можно было высадиться на Новой Голландии, хотя там была военная часть, но почему-то мы там вылезали и даже купались.

Или — просто мчались, подпрыгивая на волнах, по Неве! Или вставали вдруг в Петропавловке и жили там неделю, совершенно новой жизнью! Свобода! Счастье — жить в нашем городе. Надо только поймать его — и не отпускать. Я про это написал "Безумное плаванье".

Сейчас город чистый, красивый. На мой взгляд — слишком даже ухоженный: нет таинственных, заброшенных мест, которые раньше так волновали. Публика приятная, спокойная… может, даже слишком спокойная: не хватает огня: молодежь больше смотрит в мобильники, чем друг на друга. И — нет насиженных, знаменитых мест, где бы собиралась "своя публика". Именно в таких местах и создается культура, как было, скажем, в "Бродячей собаке" в Серебряном веке. Но все равно — город воспитывает людей. В Москве — толпа, а у нас — променад. И как приятно — выйти с Московского вокзала и пойти не спеша по Невскому. Дойдешь до Дворцовой, вдохнешь воздух с Невы — и любой стресс проходит!

Ольга Лукас

Планета Ржевка

Ржевка — маленький мир, окруженный лесами и рельсами. Чтобы попасть отсюда в мир большой, надо ехать на трамвае или электричке. Лишь много позже здесь появится такое чудо современной техники, как маршрутка.

Платформу Ржевка найдете, если захотите, на Ладожском направлении. Представьте, что вы твердо решили в выходные отправиться на Ладожское озеро или в Невскую дубровку. Но по пути переругались с попутчиками и выскочили из вагона на первой попавшейся платформе. Возможно, вам повезло, и это оказалась Ржевка. Спокойная, дремотная, садово-дачная, изумрудно-зеленая. Так не похожая на свою ближайшую соседку и дальнюю родственницу с двойной фамилией Ржевка-Пороховые. О, там совсем другая жизнь: быстрая, шумная, почти городская. Когда трамвай везет нас на Пороховые, в детскую поликлинику, мы всю дорогу боимся, что доктор сделает внеплановую прививку, а на обратном пути радуемся, что избежали укола и скоро вернемся в свой безопасный мирок, где невозможно заплутать на чужих одинаковых улицах, поскольку в нашем благословенном тихом краю ни один дом не похож на соседний.

За исключением детской поликлиники, на Ржевке есть всё, что необходимо для жизни — и нет ничего избыточного. Детский сад, куда мы не ходим, потому что у нас есть бабушки. Школа, где мы будем учиться, несмотря на то что она "восьмилетка". Гастроном, универмаг, несколько маленьких магазинов. Кольцо, состоящее из трех расходящихся путей, на которых отдыхают трамваи. Железнодорожная станция, а перед ней — вокзальная площадь с маленькой желто-белой будочкой билетной кассы и стеклянно-бетонным зданием общепитовской столовой, где мы так никогда и не побываем, потому что там "собирается публика определенного сорта", как говорит моя бабушка.

Планета Ржевка — зеленая, обитаемая, ее берега омывают таинственная речка Лубья, на которую нам ходить нельзя, и безымянный пруд, несущий свои поросшие ряской воды неподалеку от нашего дома. На пруд нам тоже ходить не слишком можно, но зимой, когда он как следует замерзает, — ладно уж, так и быть. Надо же детям где-то кататься на санках.

Наша улица называется Ковалёвская. По ней, возвращаясь по вечерам с работы, ковыляют и ковыляют жители. Особенно в гололед.

Мы — то есть я, моя семья и мои подруги — живем в новенькой белой пятиэтажке. Напротив наших окон, за двумя канавами и дорогой, среди берез, лопухов и шиповника, проросли двухэтажные дома. Они тоже сложены из кирпича, но серого, не такого нарядного, как наш. Булочная, "Молоко" и почта занимают первые этажи аккуратных трехэтажных домиков, как будто целиком выпиленных из гигантских желтых мелков. Неподалеку от нас, там, где вокзальная площадь плавно переходит в заросли крапивы, стоит деревянный двухэтажный теремок, его скоро снесут, оттуда даже жильцы уже уехали. Но самые лучшие (после нашей пятиэтажки, конечно) — одноэтажные пряничные домишки из темно-красного кирпича, с невысокими крылечками и трубами, из которых зимой идет дымок.

Чем меньше в доме этажей — тем он старше. Наш — самый новый и самый лучший. Через несколько лет в соседнем дворе, на месте одноэтажного краснокирпичного крошки, воздвигнут пару горделивых белоснежных высоток с настоящими лифтами, но пока что выше нашего дома — только звезды и самые старые тополя.

Каким бы маленьким ни был наш мир, бабушки стараются сделать его еще меньше. Ограничить. Уберечь. Запретить. А то как бы чего не вышло. Слышали, в Ковалёво на той неделе — дальше они переходят на шепот, но мы всё равно слышим, какие ужасы на прошлой неделе случились в Ковалёво. У нас хороший слух, а бабушки все глуховаты.

Гулять и бегать мы можем только на детской площадке перед домом. Вот наше вольное пастбище с корабликом-песочницей, сломанными качелями, кустами вдоль дома и канавой у дороги. Через канаву можно прыгать, если в ней нет воды, а если вода есть — наши строгие взрослые кричат со скамеек и из окон: “Стой, назад! Ноги промочишь, заболеешь, простудишься!” Даже если жара и лето.

И мы слушаемся. Мы все слушаемся, а еще молчим в тряпочку, не высовываемся и стараемся быть как все. Этому учат нас бабушки. Бабушки есть почти у всех, они занимаются нашим воспитанием. Только Катиным воспитанием занимается мама, но она сидит дома, совсем как бабушка, и ничуть не хуже ограничивает дочкину свободу, и так же стоит в очередях в гастрономе вместе с нашими бабушками, и обсуждает с ними ужасное происшествие в Ковалёво.

Мир за пределами площадки мы познаём, когда за ручку отправляемся по магазинам. Гастроном, сберкасса, почта, “Молоко”, булочная, парикмахерская — всё в разных домах, чтобы интереснее было гулять от одной достопримечательности к другой. Парикмахерская — маленький одноэтажный домик с окнами, на которых нарисованы прически без людей. На почте пахнет сургучом, а посылки надо получать в отдельном окошечке, чуть в стороне от прочих. В гастрономе — огромные окна во всю стену, целых три пронумерованных отдела и еще крошечный угловой отдел без номера, в котором по стаканам разливают сок из стеклянных конусов. В "Молоке" на прилавке высится большущий бидон, из которого черпают сметану литровой цилиндрической поварешкой. А по дороге в булочную бабушки проявляют особую бдительность: она ведь стоит, можно сказать, на самых трамвайных путях. Не углядишь за дитем, не удержишь — и всё. Слышали, что в том месяце в Кушелёвке было?

Мы не собираемся бегать по рельсам, нам бы хоть раз поймать голубя голыми руками. А голубей возле булочной всегда очень много. Мы бежим, мы словно летим за неповоротливой толстой птицей, вот уже почти поймали — и тут нас перехватывают крепкие бабушкины руки: "Подцепишь еще инфекцию!" А нам не нужны инфекции, мы голубя хотим погладить. Ленка говорит, что один раз она все-таки сцапала голубя за хвост, но не удержала, и он улетел от нее — вместе со всеми своими инфекциями.

Но Ленка — это Ленка. С виду она ничем не отличается от нас — такие же сандалии из универмага "Ржевский", такой же сарафан на бретельках, сшитый из вытершегося под мышками маминого крепдешинового платья. Но мы-то живем с ней в одном доме и знаем, что Ленка — не такая, как мы. Наши родители каждое утро едут на работу в город, а ее мама отправляется пешком в универмаг и сидит там за кассой. За нами строго следят бабушки (за Катей — мама), а Ленка гуляет без присмотра и делает что хочет. Ее дедушка только говорит, что приглядывает за внучкой, а на самом деле переписывается с отважными мореходами по бутылочной почте или натирает вонючими мазями свои больные ноги. Когда он выходит на улицу, то идет вразвалочку, а иногда чуть-чуть шатается, как капитан на палубе корабля.

Ленка вдоль и поперек исходила планету Ржевка — для нее не существует запретов. Зато в городе она еще не была ни разу и даже представить себе не может, что это такое — город Ленинград.

У всех нас в городе кто-то живет: троюродные тети, мамины подруги, дедушкины сослуживцы, а у Марины даже папа, к которому она, всем на зависть, то и дело ездит на трамвае. Но и остальным есть к кому поехать, и в Ленинграде мы бывали уже по несколько раз. Видели его улицы и проспекты, памятники и магазины. И, конечно, ЦПКиО — огромную игровую площадку мечты, с множеством качелей и лазалок, с катамаранами и лодками.

Родители постоянно твердят, что мы живем и прописаны в самом что ни на есть городе, и предъявляют в доказательство медаль “Рожденному в Ленинграде”. Но для нас город начинается на Финляндском вокзале, где металлическими буквами по мрамору написано — “Ленинград”. А у нас на платформе значится — “Ржевка”. Потому что здесь в старые времена была конюшня, и в ней беспрестанно ржали кони. Так Ленка объяснила.

Она многое знает, еще больше видела, и не жадничает, рассказывает обо всем. Мне особенно нравится слушать о дальней площадке возле самого леса.

Дальнюю площадку обходят стороной хулиганы, которые ломают качели, горки и домики по всей округе. Там есть механическая карусель, которая крутится сама, стоит только нажать на большую синюю кнопку в центре. Рядом с каруселью — резная деревянная горка высотой с трехэтажный дом. А еще — качели-лодочка, на которых можно кататься вдвоем и делать "солнце" несколько раз подряд, и маленькое игрушечное шоссе с настоящими крошечными светофорами, и лазилка с веревочными лестницами, канатами, турниками, брусьями и кольцами, и домик с закрывающейся дверью и выходом на чердак, и батут для прыжков.

На площадке не бывает никто, кроме Ленки, — потому что не так-то просто туда дойти. Сначала на пути тебя поджидает Баба Яга в шубе, ушанке и валенках. Она сидит в телеге, запряженной серой лошадкой, и говорит, что продает свежее молоко. Но каждый, кто с ней заговорит, превратится в корову, и она увезет его к себе и запрет в стойле. Лошадка бы многое могла об этом рассказать — это ведь бывший муж Бабы Яги, который не хотел участвовать в ее злых делишках.

Чтобы ускользнуть от молочной карги, надо очень быстро бежать вдоль самого длинного в мире дома. Он опоясывает весь земной шар. В нем проделана только одна арка, чтобы проходить с той половины земли на нашу.

На другой половине земного шара жизнь устроена не так, как у нас. Сточных канав по краям дороги у них нет совсем, и воде после дождя негде скапливаться. Она разливается вокруг ровным слоем, и жители плавают в лодках — кто до трамвайной остановки, кто на вокзал, кто в магазин.

А у мертвых, которые живут в отдельных маленьких домиках, лодок нет, они вообще не выходят наружу. И правильно делают: нечего ходить там, где положен кусачий асфальт.

Дождевая вода недолго скрывает другую половину земного шара — очень быстро она скатывается в речку, через которую перекинуты три моста. Два обманных, один — настоящий. Кто по обманному пойдет, того поминай как звали. Упадет он в реку, подхватит его сильное течение, переломает руки-ноги и унесет в Бернгардовку.

За речкой начинается садоводство. Там, в одном из маленьких деревянных домиков, есть секретная подземная лаборатория, в которой проводят разные опыты. Из лаборатории течет ручей. Он пересекает дорогу, и обойти его нельзя, нужно прыгать. А если наступишь в ручей, если на твою кожу попадет хоть одна капля ядовитой вонючей воды — превратишься неизвестно в кого.

Сразу за ручьем начинается заброшенная улица. Там всё как на обычной улице — дома, деревья, кусты всякие и малинник вдоль дороги. Но в домах никто не живет, траву никто не косит, малину никто не собирает. Не простая это малина — волчачья. Бывает волчья ягода, про которую все дети знают, что она ядовитая. А волчачья малина опаснее: она вкуснее обычной, и ты ее ешь, ешь и ничего не чувствуешь. А потом всё забываешь, и тебя уже не вылечат. Улица потому и заброшена, что ее бывшие жильцы всё позабыли и разбрелись в разные стороны.

Но если пройдешь через заколдованный малинник и не съешь ни одной ягоды — ты победил. Можешь теперь сколько угодно играть на площадке возле самого леса. Лес называется Сосновка, и туда даже Ленке одной ходить нельзя. Площадка — вот граница ее владений.

Я все уши бабушке прожужжала: “Давай пойдем на площадку у леса да давай”, но та только отмахивалась: “Кого ты слушаешь, это же Игоря Ивановича внучка!”

Моя бабушка завидовала Ленкиному дедушке. Он был настоящим морским волком и сдавал в пункт приема стеклотары красивые зеленые бутылки с узким горлышком. В таких моряки, попавшие на необитаемый остров, отсылают своим родным письма с просьбой о помощи. Мне было стыдно за наши — из-под молока и ряженки, прозрачные, с широким горлышком. Бабушке, наверное, тоже было стыдно: она старалась не вставать в очередь за Игорем Ивановичем, чтоб он не догадался, какие мы на самом деле негероические сухопутные крысы. Она и с Ленкой мне общаться не разрешала — наверное, думала, что внучка отважного морехода будет надо мной смеяться. Но Ленка была человеком благородным — она снисходила до общения с нами и почти не насмехалась. Даже о своей площадке у леса рассказала — а это ведь знак наивысшего доверия!

Я так хотела на дальнюю площадку, мне даже снилось: будто я лечу, над домами, над деревьями — и опускаюсь прямиком на трехэтажную горку.

Однажды, когда никого поблизости не было, я отдала Ленке три кукольных пластмассовых чашки, розовых и внутри, и снаружи, а еще — маленькую фарфоровую сахарницу. Мне ничего не надо было взамен — только чтобы она отвела меня на свою площадку. Ленка пообещала, что отведет — если меня отпустят. Посуду мою не вернула. Это означало, что обмен состоялся.

Я готова была ждать многие годы, хоть до старости, когда уже не надо будет спрашивать разрешения у старших, но случай подвернулся раньше.

В одно июньское воскресенье мама и бабушка уехали в город к портнихе, а меня оставили с папой.

С папой хорошо оставаться, потому что он довольно-таки невозмутимый человек. Если ущерб не нанесен ему лично. Например, если всем положили по две котлеты, а ему — одну и еще половинку, он, конечно, рассердится. А если маме вообще ни одной не досталось — он к этому отнесется спокойно. Философски, как он сам говорит.

Папа всю неделю мечтал просто полежать на диване в этот теплый воскресный день. Но бабушка и мама строго наказали ему глаз с ребенка не спускать.

Когда я попросилась на улицу, папа стал философски рассуждать вслух и рассудил вот что. Если на улице никого не будет, мне станет скучно и я вернусь домой. А если я встречу во дворе подруг, то захочу с ними поиграть подольше. За подругами обязательно будет кто-то присматривать — присмотрят уж заодно и за мной, знает он эту публику. И вообще, он в моем возрасте сам присматривал за младшими братьями. Наприсматривался на всю жизнь. Имеет право в свой законный выходной ничего не делать.

Высказав всё это, папа выпустил меня из квартиры, а сам лег на диван.

Во дворе, как назло, не было никого, перед кем я могла бы похвастаться внезапно обретенной свободой передвижения. Только Ленка пыталась протиснуться сквозь верхнее, самое узкое кольцо в хвосте металлического петуха, установленного совсем недавно. Таких петухов привозят и вкапывают на нашей площадке каждый год, и каждый год окрестные хулиганы отрывают им сначала глаза, потом клюв, потом хвостовые кольца. Остается только невысокая лесенка-туловище с торчащими перекладинами, к которым когда-то крепился хвост. Но сейчас петух еще совершенно целый, и Ленка спешит испытать его.

— Не пролезаешь! — сказала я. Потому что со стороны всегда виднее.

— Я никуда не лезу, — огрызнулась Ленка. — Я отдыхаю. А потом пойду на свою площадку.

— Пойдем вместе?

— Тебя не отпустят, — презрительно сказала Ленка. Присела на жердочку, которой оканчивалось петушиное хвостовое колечко, и сделала вид, что и вправду отдыхает в такой неудобной позе.

— Я отпрошусь и приду! — крикнула я и побежала домой.

Папа лежал на диване, и звонок в дверь отвлек его от этого важного дела.

— Нагулялась? — философски спросил он.

— Можно мы с Ленкой сходим на другую площадку? — осторожно спросила я.

Что бы сказала в ответ бабушка? “На какую площадку? Одна? Да еще с Ленкой? Я тебе что про нее говорила? Что это за ребенок, всё надо по десять раз повторять!” Ее лицо покрылось бы красными пятнами, и она бы пошла на кухню капать себе валерьянку. А мама бы добавила шепотом: “Посмотри, до чего ты доводишь бабушку, которая столько для тебя делает. Другие девочки тоже так расстраивают своих родных? Пойди и быстро извинись”.

Но папа не стал меня стыдить или пить валерьянку. Он только рад был побыть дома один, когда никто не стоит над душой и не просит что-нибудь починить, почитать, приколотить, вынести на помойку или наоборот, принести из магазина. Папа редко лежит на собранном диване, как вот сейчас. По мне, так лежать и смотреть в потолок очень скучно, но папа — другого мнения, вот он и лежит.

— Иди, только осторожнее там. Смотри под ноги. Долго не задерживайся. — сказал он.

Я начала спускаться по ступенькам, и в животе у меня легонечко закололо от предвкушения счастья. Обойдя наш дом, я сразу увидела Ленку.

Она давно слезла с петушиной жердочки и сидела на турнике. Турник — это такая толстая железная труба, приделанная к двум тополям и уже вросшая в них накрепко. Когда на трубе не выбивают ковры (большую часть времени) — она наша. Я, Ленка и Катя — высокие, мы можем допрыгнуть до трубы, зацепиться за нее, взбежать ногами по шершавому стволу дерева и повиснуть вверх ногами. Главное придерживать юбку, а то трусы будут видны, и все тебя засмеют. Особенно те, кто не может до турника допрыгнуть.

— Что, не отпустили? — с сочувственным презрением спросила Ленка.

Чтобы показать свое превосходство, она исполнила перед обомлевшей от зависти мною кувырок назад "солдатиком" (очень страшно! Никогда так делать не буду, даже если папа, мама и бабушка хором разрешат).

Ленка так развоображалась, что чуть не сорвалась с турника головой вниз, но удержалась, завершила трюк и спрыгнула на землю.

— Папа сказал, что можно, — спокойно ответила я.

Ленка сделала вид, что не поверила, и пошла себе одна по дорожке, мощенной растрескавшейся цементной плиткой. Я поспешила за ней и зашагала рядом. Она не гнала меня, но держалась независимо, как будто мы идем вместе, но каждая по своим делам.

Незаметно мы вышли за пределы нашей площадки. Ничего не произошло. Дикие собаки не набежали из кустов, чтобы покусать нас до бешенства и заражения крови, пьяницы не вылезли из канав, чтобы пообещать щеночка, заманить в западню и продать нас в рабство.

— Скажешь, когда будет опасно? — осторожно спросила я.

— Если с тобой что-то случится, я не виновата, — предупредила Ленка.

— А если с тобой?

— Со мной ничего не случится, я туда хожу, и мне всегда можно. А с тобой может случиться что угодно, поэтому бабушка тебе не разрешает.

— Сегодня мне папа разрешил! — с вызовом ответила я. Ленка замолчала и прибавила ходу. Мы перешли улицу и оказались в мире неизведанном, но близком. Детская площадка в соседнем дворе была беднее нашей, мы на нее и не ходили: подумаешь, песочница и качели-бревно. Близко-близко к площадке подступали деревья, обвитые бельевыми веревками. На них висели чьи-то наволочки, простыни и пододеяльники. В нашем дворе белье не сушат. У нас в доме почти у всех есть свой балкон, и на каждом балконе развеваются паруса свежевыстиранных трико и халатов. Только Катьке не повезло: они живут на первом этаже, совсем без балкона, веревки для белья у них натянуты прямо в ванне. И бабушки у них нет. Наверное поэтому им на трех жильцов дали трехкомнатную квартиру. В утешение.

Я задумалась и совсем забыла о том, что впервые выхожу в незнакомый мир без взрослых. Ленка так уверенно шагала вперед, что с ней было спокойно, как с бабушкой, когда мы идем с ней за ручку в универмаг.

— Вот этот дом, — вдруг сказала Ленка, небрежно махнув рукой, — который самый длинный в мире.

Я посмотрела вперед — дом действительно тянулся и тянулся, словно бесконечный состав, проходящий мимо станции, и где-то вдали, кажется, делал небольшой изгиб, как русло реки.

— А как люди, которые живут на той стороне, ходят в магазин? — спросила я.

— Через ворота, — напомнила Ленка, — А иногда им привозят продукты на вертолете.

— Откуда?

— Из гастронома. И даже из города. С нашей стороны ворота кажутся широкими, можно на машине проехать. А в обратную сторону они узкие. Да еще иногда так сужиpoints, что не протиснешься. И тогда все там стоят в очереди, ждут, пока ворота немножко расширятся. Иногда целую неделю не могут выйти!

— А мы сможем пролезть обратно? — встревожилась я.

— Не знаю. Если боишься застрять, то лучше иди домой.

— Пошли уже! Мне папа разрешил! — храбро повторила я.

Мы поравнялись с воротами как раз в тот момент, когда приехала старуха на телеге. Не знаю, откуда она появилась — может быть, давно там стояла и поджидала покупателей, но мне показалась, будто она только-только примчалась, чтобы успеть заколдовать нас с Ленкой.

В телегу была запряжена лошадь, серая с белым, она перебирала ногами. За спиной у бабки стояли большие алюминиевые бидоны вроде тех, в которых в универмаге хранится сметана.

Баба Яга, несмотря на летнюю жару, была в драповом пальто, ушанке как у мальчишек и в валенках.

— Молочка, девочки? — гаркнула она басом. Мы испугались и побежали прочь.

— Скорее в ворота! — крикнула Ленка.

Ворота были огромными. Высотой в два этажа, широкие — так, что два "запорожца" проедут, не коснувшись друг друга. Ворота не запирались на замок, рядом не было стражи, как я представляла, слушая Ленкины рассказы, сквозь них могли проходить все.

Эхо наших шагов отражалось от стен. Мы выбежали по ту сторону бесконечно длинного дома и оказались в еще более зеленом, дремотном, заросшем высокой травой краю. Асфальтовая дорога вмиг стала широкой тропинкой, утоптанной множеством ног. Тропинка вела под горку, чтобы бежать было легче, но Ленка остановилась и повалилась в траву.

— Она не погонится за нами? — спросила я, оглядываясь. Мы не так далеко ушли от жуткой телеги.

— Ей нельзя ходить через ворота, — сказала Ленка. — Здесь ее колдовство бессильно, она даже может рассыпаться в пыль, если сюда сунется.

Я обернулась еще раз. С этой стороны ворота казались такими же широкими, как с нашей.

— Ты же сказала, что здесь они у́же, — напомнила я.

— Так сегодня воскресенье! — ответила Ленка, продолжая нежиться на травке, — По воскресеньям ворота одинаковые и здесь, и у нас. Но дальше будет страшнее. Ты еще можешь вернуться. Я провожу тебя и отвлеку старуху на себя.

— Да ты сама боишься! — догадалась я.

Ленка ничего не ответила, она просто вскочила на ноги и помчалась вниз по тропинке. Я — за ней.

Мы выбежали на широкую проезжую дорогу.

— Это Камышинская улица, — сказала Ленка.

— А где камыши? — спросила я.

— Будут. Потом. А прямо здесь ездят мопеды и машины, — предупредила Ленка. — Знаешь, как носятся? Могут даже насмерть сбить. Надо идти по обочине, как я.

Про мопеды, автомобили и прочий транспорт, способный сбить насмерть или сильно покалечить, я многое могла бы порассказать: едва ли не половина страшных слухов из коллекции наших бабушек так или иначе затрагивала эту тему.

По обе стороны от дороги, там, где у нас зияют канавы, здесь простиралась ровная плоская обочина, посыпанная желтой пылью. Я порадовалась, что сейчас нет дождя — ведь у нас с Ленкой нет с собой лодки.

— А если дождь пошел, а ты тут? — спросила я.

— Тогда надо барахтаться и ждать Деда Пихто. Он плавает на большой резиновой лодке и всех в нее спасает.

"Как Дед Мазай" — подумала я, вспоминая картинку из книжки, которую читала мне мама.

Мы шагали вдоль дороги, поднимая маленькие облачка пыли. Слева виднелись двухэтажные желтые домики, вырезанные из тех же самых мелков, что и здания, в которых расположились наши булочная, почта и "Молоко". По правую руку возвышался бесконечный дом, он длился, длился и длился, пока не свернул направо, вдоль улицы.

— Это Беломорская, — сказала Ленка.

Наверное, подумала я, на этой улице все курят "Беломор" и там везде валяются эти сине-голубые большие пачки и длинные белые окурки, которые в наших играх в песочнице исполняют роль взрослых, тогда как маленькие оранжевые фильтры — это дети.

Улица для курящих упиралась в высокий холм, поросший травой. На вершине холма виднелись холмики поменьше. В некоторые из них были воткнуты ржавые трубы в конусообразных шляпках, похожие на поганки.

— Это Погреба, — небрежно пояснила Ленка.

Мы прошли еще немного вперед. Потом я оглянулась, чтобы получше рассмотреть железные поганки, и заметила, что в каждом маленьком холмике есть дверца — деревянная, некрашеная, как в ничейном сарае, что стоит возле пруда.

— Там что, живут? — удивилась я.

— Это же Погреба, — повторила Ленка. — В них погребают.

— Как погребают? — не поняла я.

— Хоронят, значит. Мертвых.

— А трубы зачем?

— Чтобы печку топить. Они же в земле лежат, там холодно.

— А двери для чего?

— Так принято. Пойдем, посмотрим? Я тебе что покажу! — вдруг оживилась Ленка, — Там на всех дверях замки, а на одной только щеколда, и вдвоем ее можно поднять!

— Зачем замки? Они что, выходят наружу? — спросила я, стараясь не произносить это слово — "мертвые". Мне казалось — чуть только заговоришь о смерти, и сразу кто-нибудь умрет.

Египетский мост. Климов переулок, 9

— Раз замки — значит, не выходят, там сидят. Пошли, пошли!

Идти тревожить мертвых и поднимать щеколду на чужой двери я совсем не хотела.

— Мне папа разрешил пойти только на дальнюю площадку, а не на Погреба! — вывернулась я.

— А давай у него спросим! Вдруг он тоже с нами захочет?

Он-то, может, и захочет, а потом всё разболтает маме и бабушке: вот я какой молодец, пока вы ерундой занимались, я с ребенком гулял. Где гулял? Да тут рядом, на Погребах, где погребают. Почему это я не соображаю, что делаю?

Потом взрослые будут ругаться, а под конец достанется и мне — за Ленку, за площадку у леса, за Погреба, за то что неуклюжая, за то что ленивая, за то что мною не похвастаешься перед родственниками и соседями.

— С нами папа не пойдет, он очень занят всякими делами, — быстро придумала я. — Он обещал запереть меня дома, если буду морочить ему голову.

Никогда папа так не говорил. "Не морочь мне голову" — бабушкины слова.

— Мой дед такой же, — кивнула Ленка. Печально поглядела на ржавые трубы, торчащие из Погребов, и мы пошли дальше.

Гладкий асфальт под ногами сменился каменистым. Он был бледно-серый, почти белый, и в него, как в пластилин, была вдавлена щебенка. Я делала такую вазу маме на 8 Марта: обмазала пластилином банку из-под сметаны, а сверху прилепила мелкие белые камешки, которые собрала за домом.

— Иди осторожно, — предупредила Ленка, — а лучше не наступай на них.

— На кого? — я испуганно огляделась, ожидая увидеть полчища змей и пауков.

— Смотри под ноги! — зло крикнула Ленка. — Это опасные камни! Они всё время растут. Могут через обувь прорасти и воткнуться тебе в ногу. А если будешь стоять на месте, то врастут в тебя, прорастут насквозь, ты останешься тут навсегда и закаменеешь насмерть!

— А почему их не уберут, если они опасные?

— Никак не убрать, они же из-под самой земли нарождаются. Их заливают асфальтом, а они всё равно растут! Деревья и всякие грибы растут от дождя, а скалы — от солнечной погоды! — нагнетала Ленка, — Такой, как сейчас. Сейчас — самое подходящее время!

Я прыгала по растущим камешкам и чувствовала, как они впиваются в тонкие подошвы моих сандалий. Я старалась поскорее отдергивать ногу, чтобы камни не успели врасти в нее, и в итоге всё ускоряла и ускоряла шаг. Здесь не было ни канав, ни пыльной обочины. Справа возвышался серый, некрашеный деревянный забор. Не такой неприступный, как тот, что напротив пруда: без единой щелочки, увешанный объявлениями с отрывными телефонами. Сквозь широкие щели в этом заборе были видны одноэтажные дачные домики, оттуда к нам тянулась крапива, но ужалить не могла. Слева никакого забора не поставили, потому что земля там круто обрывалась вниз. Но между обрывом и кусачим асфальтом было небольшое пространство, поросшее травой, — я перебралась туда и позвала к себе Ленку:

— Пойдем здесь, тут камни не растут.

— Смотри, вниз не ухни, там болото, — ответила она, продолжая прыгать по опасному асфальту.

Солнце светило вовсю. Странно, но в тот день мы никого не встретили — казалось, что тайная тропа, ведущая на дальнюю площадку, появилась специально для нас, а прочие непосвященные видят на ее месте какой-нибудь забор или березовую рощу.

Очень скоро мы добрались до речки, через которую был переброшен выкрашенный зеленой краской деревянный мост с высокими прочными перилами.

— Река трех мостов! — зловеще сказала Ленка. — Главная опасность!

Она подошла, вернее, подскакала ко мне и указала пальцем вниз и влево. Там, перебирая водоросли и вороша ил, бежала по своим делам речка Лубья, о которой я так много слышала. Мне казалось, она протекает где-то на краю света, а вот же — мы дошли до нее сами, пешком. Я не сразу заметила железную трубу, перекинутую с одного берега на другой.

— Вот, самый опасный мост! — торжественно сказала Ленка. — Кто ступит на него, того засосет внутрь, в трубу, в канализацию!

— Конечно, опасный. Какой дурак там пойдет! — согласилась я. — Мы пойдем по настоящему мосту.

— Нет! — вскрикнула Ленка, — Это самый коварный мост! Он специально притворяется хорошим. Ты дойдешь до середины, а там все доски трухлявые. И полетишь вниз, на камни…

Третий, надежный мост, обнаружился по другую сторону от деревянного. Извилистая тропинка вела вниз, к самой воде. Мы спускались по ней, скользили, хватались за ветки рябины и стебли каких-то растений. Мост представлял собой две ржавые рельсы, помещенные одна над другой. Нижняя нависала над самой водой. По ней нужно было идти боком, переставляя левую ногу и подтягивая к ней правую. Верхняя рельса служила перилами, за которые надлежало крепко держаться, чтоб не упасть в воду.

Ленка встала на мост и заскользила по нему, подавая пример. Я двинулась следом. Было не страшно, скорее — скучно. В тот год по радио всё время передавали песню "Малиновка", в которой были такие строки: "Три жердочки березовый мосток над тихою речушкой без названья". Я повторяла их про себя, переставляя ноги одну за другой.

Река бурлила и пенилась возле самых наших сандалий. Она казалась мелкой и неопасной: даже если упадешь, вымокнешь разве, но не утонешь и не разобьешься. К тому же я умею плавать.

Мы переправились на тот берег, слезли с наших "жердочек" и по другой извилистой тропинке полезли наверх. Тут карабкаться было удобнее — из земли торчали булыжники и осколки кирпича. Мы хватались за них руками и упирались ногами, пока не выбрались на асфальт с прорастающими сквозь него скалами.

За спиной остался зеленый деревянный мост — а значит, пройдено еще одно препятствие на пути к дальней площадке.

Прыгая то на одной ноге, то на другой, я поспешила на поросшую травой обочину. Ленка осталась посреди дороги и медленно побрела вперед.

— Камни! — крикнула я. — Иди сюда, они в тебя прорастут!

Ленка посмотрела сначала себе под ноги, потом — на небо и уверенно сказала:

— Всё, сегодня они больше не будут расти. Видишь, солнце уже не в зените.

И мы медленно пошли по дороге. Камни продолжали впиваться в тонкие подошвы, но были уже не опасны.

Рельеф местности постепенно изменился. По обе стороны от нас высились земляные валы, поросшие травой. Каждый был увенчан серым деревянным забором. И слева, и справа были садоводства. Как две враждующие крепости, они стояли друг напротив друга. Вместо орудий из-за заборов выглядывали ветви малины и опускались чуть не до земли. Не помню, как вышло, но мы с Ленкой вскарабкались на одно из земляных укреплений и принялись уплетать спелые ягоды.

А вокруг по-прежнему никого не было. Может, и проходили мимо случайные прохожие, но всем им было не до нас, а нам — настолько не до них, что мы их даже не замечали.

— А это не волчачья малина? — вдруг спохватилась я.

— Нет, — сразу посерьёзнела Ленка и спрыгнула вниз, на кусачий, но уже не опасный асфальт. — Сначала будет ручей. Там моста нет. Наступишь — превратишься в таракана или какашку.

О том, что мы приближаемся к ядовитому ручью, нас предупредил специфический аромат. Так пахнет, когда канализацию прорвет, и нечистоты скапливаются в подвале. Тогда в квартирах на первом этаже тоже очень плохо пахнет, а под навесом у входа в подвал собирается столько комаров, что кажется, будто бетонная плита покрыта изнутри искусственным мехом.

Вонючий ручей вырывался из трубы, пересекал дорогу и весело бежал вниз в том направлении, в котором двигались и мы.

Ленка долго примеривалась, переминалась с ноги на ногу, корчила рожи, охала, пока наконец не прыгнула. Я прыгнула следом за ней — без всяких кривляний и причитаний. Кусачий асфальт снова превратился в обыкновенный, гладкий. Ручей нес свои отравленные воды где-то поодаль, пока не скрылся в траве.

— А теперь нас ждет самое страшное испытание, — замогильным голосом сказала Ленка. — Улица, где никто не живет!

Я о ней совсем забыла! Помнила только про волчачью малину. А ведь нежилая улица куда опаснее Погребов с их зелеными холмиками и маленькими дверками!

— Мне сегодня тоже страшно туда идти, — призналась Ленка, — Какое-то даже предчувствие.

У меня тоже сразу появилось предчувствие. Я представила, как из пустого дома медленно-медленно выходит облако, похожее на стелющийся по земле дым, и накрывает нас с Ленкой. Мы оказываемся у него в плену и забываем все на свете.

— А давай не пойдем дальше, а скажем всем, что были на площадке! — внезапно нашла выход Ленка. — Мы же почти дошли.

Мы и вправду почти дошли. С того места, где я стояла, виднелся двухэтажный деревянный дом с заколоченными окнами, за ним начиналась та самая улица.

Я почти уже согласилась с Ленкой, но в последний момент представила, как Катя и другие будут меня спрашивать, что там было-то, на этой площадке. А я выдумывать не умею. И мне еще сильнее захотелось увидеть всё собственными глазами — пусть даже придется идти через эту страшную улицу.

— Пошли! — громко сказала я. — Не бойся.

— Сама не бойся! — огрызнулась Ленка и поплелась вперед.

Мы незаметно прошмыгнули мимо дома с заколоченными окнами. Следующий был окружен невысоким забором. В нем окна были не заколочены, а просто выбиты. На грядках росли борщевики и одуванчики.

— Помни про малину! — сказала Ленка. — И тут вообще ничего нельзя есть и пить. А если из дома кто-то выйдет и что-нибудь предложит, надо сразу отказываться и бежать.

Мы прошли мимо еще одного пустого дома — все нижние окна и дверь были заколочены, а два верхних сохранились, и на них даже висел тюль.

— Там покойник живет, — на всякий случай пояснила Ленка. А то вдруг мне еще не очень страшно?

А потом началась самая жуть. Пять или шесть домиков, мимо которых мы прошмыгнули, стараясь не шаркать ногами по асфальту, на вид были вполне обитаемы. Заборы покрашены, окна не заколочены и не выбиты, а отмыты и украшены новыми занавесками. В огородах на грядках росла какая-то полезная ботва. В одном дворе даже клумба колосилась всякими цветочками.

— Цветы смерти, — пропыхтела Ленка, не сбавляя ходу. — Понюхаешь и умрешь.

Но меня уже нельзя было остановить. Мы пробежали еще немного и оказались на заросшем травой пустыре. Там и сям торчали какие-то противные колючие кусты, валялись обгоревшие кирпичи и консервные банки, битое стекло и окурки. За пустырем виднелось шоссе, по которому проносились автомобили. На шоссе нельзя даже Ленке, а за ним уже начинается настоящий лес, Сосновка.

— А где площадка? — спросила я.

— Вот она, — сказала Ленка, нагло глядя мне в глаза, и обвела рукой пустырь.

Я присмотрелась внимательнее. Вот — крупная обглоданная кость. А это — наполовину вкопанная в землю полуистлевшая автомобильная шина.

— А где горка в три этажа? А карусель с кнопкой? А лазилка? — спросила я.

— Нету, — ответила Ленка. — Кому ты поверила? Я всё выдумала. Тебя что, бабушка про меня не предупреждала?

— А зачем ты сюда ходишь, если тут ничего нет?

— Чтоб вы завидовали. Мне нельзя к вам в гости. А вам нельзя на мою площадку!

Ленка повернулась ко мне спиной, залезла на автомобильную шину и стала по ней скакать, как обезьяна.

— Пошли домой? — предложила я.

— Сама уходи! — закричала Ленка. — А я буду играть на моей площадке!

В одиночку идти по дороге, кишащей мертвецами, утыканной растущими камнями и омываемой отравленными водами канализационного ручья, было страшно. И я решила посидеть в сторонке, на какой-нибудь шине, подождать, пока Ленка напрыгается. Но она затопала ногами, сжала кулаки и снова закричала, чтоб я уходила, иначе она мне врежет.

Я убежала на улицу с волчачьей малиной и быстро зашагала по ней, стараясь не вдыхать аромат ядовитых цветов.

Не прошла я и двух домов, как встретила нашего соседа деда Сережу. Вместе с сослуживцами он, как всегда по воскресеньям, прогуливался по окрестностям перед партией в домино. Старики удивились, увидев меня одну так далеко от дома, но я соврала, что возле садоводства мой папа накачивает спустившую шину велосипеда, а я намечаю маршрут. Дед-Сережина компания проводила меня до ручья, а потом они пошли своей дорогой.

Конечно, им вчетвером не страшно гулять по мертвецкой улице. А может, Ленка всё выдумала? И в обитаемых с виду домах живут самые обычные люди, а заколоченные развалюхи скоро снесут и построят на их месте что-нибудь полезное?

От ручья пахло обыкновенной канализацией, а вовсе не ядовитой химией, но я не стала в него наступать: пахнуть какашками ничуть не лучше, чем превратиться в какашку.

За деревянными заборами садоводств бурлила жизнь: кто-то копал землю, кто-то шел в гости, слева пилили дрова и слушали радио, справа лаяли собаки.

На зеленом обманном мосту через Лубью стояла незнакомая бабушка с двумя маленькими внуками. Они швыряли в воду куски зачерствевшей булки — кормили уток. Я храбро прошла по мосту, и он, конечно, не провалился подо мной. Врунья Ленка!

Камни, торчавшие из кусачего асфальта, не стали выше и не вонзились ни в чьи пятки. Всё обман!

Мимо Погребов я пробежала, глядя в сторону, на щелястый забор с крапивой. Промелькнули справа желтые двухэтажные дома, быстро нашлись ворота в бесконечном доме: одинаково широкие что с нашей стороны, что с противоположной. Баба-яга уже уехала на своей телеге, но, наверное, и она была честной старушкой.

Когда я вернулась на нашу площадку, там под бдительным присмотром двух бабушек и одной мамы гуляли Катя, Марина и Юля.

И я рассказала им всё. Про Ленкин пустырь! Про ручей! Про мост! Про Погреба! Никаких чудес вокруг не было, нас окружала обыкновенная простая жизнь.

Мы ждали Ленку, чтобы посмеяться над ней, но обед загнал нас домой.

Папа лежал на диване и с закрытыми глазами думал философские мысли. Я разбудила его и рассказала про Ленкино вранье. Вместо того чтобы рассердиться и запретить мне играть с этой лживой девочкой, он пожал плечами и сказал, что каждый со скуки что-нибудь да придумывает.

После обеда мы снова собрались на площадке, чтобы дождаться Ленку, но она так и не вернулась. Наверное, обошла дом с другой стороны, чтобы не смотреть нам в глаза. Врунья, врунья!

Мои рассказы о приключениях по ту сторону бесконечного дома раздвинули границы нашего мира. Планета Ржевка оказалась гораздо больше, чем мы предполагали, и ее нужно было заново открыть.

Этим летом каждая из нас (в сопровождении старших, конечно) побывала за пределами изведанных земель.

Оказалось, что Маринина бабушка хорошо знает Бабу Ягу в ушанке и покупает молоко только у нее. Никакая она не Яга, а просто молочница из Ковалёво, а валенки и ушанку носит потому, что старая, и кровь ее не греет. Бабушка нарочно взяла Марину с собой, и они долго стояли возле бесконечного дома, разговаривали с Ягой, которая на самом деле не Яга. Кстати, и бесконечный дом имеет начало и конец: когда к Юле приехали из города двоюродные сестры, они играли в казаки-разбойники и обошли этот дом вокруг. Он и вправду очень длинный. Но не длиннее Камышинской улицы, на которой стоит.

В выходные, наступившие после разоблачения Ленки, меня отпустили с папой в садоводство купить клубники у частника. Был знойный день, мы шли по колючему асфальту, но камни не прорастали сквозь нашу обувь. Папа сказал, что никакие это не скалы, а обычная щебенка, которую насыпают под асфальт, чтоб он был крепче. А потом асфальт постепенно стирается, потому что по нему много ходят, и щебенка проступает наружу — она так просто не сотрется. Был хороший день, и мы долго стояли на зеленом мосту через Лубью — просто так, даже уток не кормили. А потом через мост проехала машина — и не провалилась в реку.

Дольше всех не поддавались Погреба. Казалось, что их-то Ленка выдумать не могла, ведь там же настоящие домики в земле. Но вдруг оказалось, что у скучного Катиного соседа на Погребах есть свой погреб. Он там картошку хранит, а труба — никакая не труба, а вентиляция. В доказательство своих слов он принес несколько мелких грязных картофелин, а Катя вынесла их во двор.

Мы договорились не замечать Ленку, да она и сама к нам больше не подходила — пропадала целыми днями на своей площадке или где-то еще. Мы даже установили за ней слежку: когда ушла, в какую сторону, когда вернулась, откуда, — но быстро запутались в очередности и сторонах света.

А потом Ленка уехала в город, потому что ее мама вышла там замуж. Они теперь живут в большой квартире напротив ЦПКиО. И Ленка гуляет на самой лучшей площадке города как у себя во дворе. Так моей бабушке рассказал ее дедушка, а старый морской волк врать не будет.

Александр Етоев

Жизнь в неблагополучном районе

“Удави современника!”

Лет десять назад на светлой кирпичной стене дома № 23 по проспекту Елизарова появилась надпись: “Удави современника!” — с жирным восклицательным знаком на конце фразы. Мне нравятся такие советы. Я иногда и сам, прогуливаясь с ведерком краски в одной руке и кистью в другой, делюсь с городскими стенами подобными практическими советами. Надпись держалась долго, краска была хорошая. Даже сейчас (на дворе осень 2014-го), если вглядываться внимательно, фразу разобрать можно. Я это говорю к чему: хочешь оставить след в каменной летописи родного города — краску выбирай качественную.

Мой проспект Елизарова

Когда-то он назывался Палевский. Потом его сделали Елизаровским. Сорок лет ровно я шагал по его асфальту до станции метро "Елизаровская". Вру, конечно: во-первых, не всегда ровно, во-вторых, не совсем сорок. Надо вычесть из заявленных сорока годы, пущенные на жизнь семейную. Хотя прожиты они не напрасно. Детей трое, жен — две, луна в небе одна.

Станцию метро "Елизаровская" один мой знакомый реббе ласково называет "Елеазаровская" — должно быть, в честь благочестивого библейского старца, замученного за то, что отказался есть языческую жертвенную свинину. "Елизаровская" — та самая станция, что находится за остановку до "Ломоносовской", описанной Сергеем Довлатовым в рассказе из сборника "Чемодан".

Был такой фабрикант Паль. Был и был, мне-то до него что. Ну владел он ткацкой мануфактурой, ну назвали в честь этого немца много городских мест в районе, где он хозяйничал. Некоторые названия остались: больница Палевская, Палевский сад…

Елизаров мне ближе по композиции. Революционность его практическая. Когда я работал в Эрмитаже (кто не знает, это такой музей) — а отработал я в Эрмитаже ровно двенадцать лет, — раз в году, в январе, по-моему, на Малом эрмитажном подъезде вывешивался листок с планом. То есть это был план безотлагательных реставрационных работ — тех работ, не сделай которые, все порушится, включая скелет китов, на коих держится Евразия и Афроамерика. И в первой его строке значилось: “Реставрация исторической лодки, на которой В.И.Ленина переправили через озеро Разлив”. Пункт из плана воспроизвожу по памяти, но формулировка по сути правильная. Хранилась эта историческая лодка в доме-музее… Вот, хотел сказать “Елизарова”, но выяснилось, что не Елизарова, а Емельянова. Надо бы, конечно, поправиться и убрать неверную информацию, чтобы в очередной раз не выставлять себя идиотом, но это же художественная проза, и к ней неприменимы законы, диктуемые окружающей нас действительностью. Тем более чуть выше я объявил, что Елизаров мне ближе по композиции.

Елизаров, который не Емельянов, умер в 1919 году. Емельянов умер в 1975-м, оттянув пятилетний срок (дали десять, вступилась Крупская), потом ссылка в республике Казахстан. Знаете, за что? За то, что был знаком с Лениным. Какой отсюда следует вывод? Правильно. Никогда не разговаривайте с неизвестными, вдруг это окажется Ленин.

Станция метро “Елизаровская” — имени хорошего человека.

Стою я на выходе из метро, подходит ко мне незнакомец и говорит: “Слушай, не поверишь, я — гений!” Я ему: “Почему? Я верю”. Дал ему пять рублей, гению чего бы не дать. Гений пожал мне руку и отправился на юго-восток.

Мой проспект Елизарова (продолжение)

В моем бесперспективном районе и топография какая-то специфическая. Шлаков вал, Химический переулок, Бросов тупик… Вот гуляю я долгим вечером, обласканный короткой луной. Рельсы лежат в траве, подъездные пути к чему-то. Смотрю и вижу: телефонная будка. А в ней женщина, режет себе вены опасной бритвой. Я спросил ее: "Вы это зачем?" — "Пошел мимо!" — грубо отвечает мне женщина. Я сказал ей: "Но почему?" — "По кочану", — говорит мне женщина. Я кивнул и ушел в троллейбус, который остановился на остановке.

Девятое января

Как сейчас помню, родился я в пятницу, 9 января, в день памяти Кровавого воскресенья. Роддом, в котором это случилось, располагался на проспекте Обуховской обороны между проспектом Елизарова и улицей Ольминского. Папа нес меня пешком по снежку, завернутого в теплое одеяло. Рядом шагала мама. Был я легкий, январь был снежный, до смерти Сталина оставалось два месяца без трех дней. До смерти мамы оставалось более полувека. Нести папе меня было неблизко. До Уездного проспекта, где мы жили в заводском деревянном доме, от роддома было километра два-три. Но для счастливого отца, которым мой папа стал, разве это расстояние — два-три километра?

Крещение

Самое длинное путешествие, совершенное мной в младенчестве, — это путь от дома на Уездном проспекте до церкви Троицы, в которой меня крестили. Церковь эта в народе называется Куличом и Пасхой и расположена в дальнем конце проспекта Обуховской обороны. За восемьдесят лет до меня в этой церкви крестили Колчака, будущего русского адмирала, исследователя полярных морей и неудачливого верховного правителя взбаламученной большевиками России. Имя-отчество у него были как у меня — Александр Васильевич.

Так я стал человек крещеный.

Крестными родителями у меня были тетя Шура, папина двоюродная сестра, и только что тогда отслуживший в советской армии младший мамин брат Анатолий (Толя). Крестная, тетя Шура, всю блокаду пробыла в Ленинграде, занималась вывозом трупов, и впоследствии это сказалось на ее психике. В коммуналке на улице Марата тетя Шура обвиняла соседей в том, что они тайно проникают к ней в комнату и портят тети-Шурину мебель. В живых ее уже нет.

Крестный Толя был человек веселый. До женитьбы он играл на гитаре и балалайке и приохотил меня к этому делу. Помню, когда застолье, возьмет он в руки звонкий свой инструмент и запоет, легонько перебирая струны:

День сегодня очень чудный,
И над озером луна.
Давай-ка выпьем, милый, по бокалу,
На то же озеро пойдем,
Где соловей в кустах поет
И соловьиху к сердцу жмет,
Где косой заяц ждет лису,
Она давно с бобром в лесу,
И страху там дают друг дружке
Зверь зверюшке, рак лягушке,
Кум куме, Ванюша Нюшке,
Кто на елке, кто под елкой,
А мы на траве…

После свадьбы гитару и балалайку его супруга вынесла на помойку. Толя стал Анатолием Игнатьевичем и на Заводе турбинных лопаток, где он работал, дослужился до должности парторга. Ныне пребывает на пенсии.

Наследники капитана Гаттераса

У Васьки Табуреткина, юного хулигана из рассказа Алексея Толстого, был язык с бородавками, а у пожилого хулигана Жабыко, не помню имени, были страшные передние зубы. В щели между каждым из них помещались разнокалиберные монеты, чем он удачно пользовался при игре в трясучку. Кто не помнит, что такое игра в трясучку, напоминаю. Это когда в домик, сделанный из ладоней, кладут монеты, а потом эти монеты трясут. Играют двое — один трясет, а второй в какой-то момент его останавливает и говорит: "решка". Или "орел". Кому что взбредет в голову. Трясущий отнимает ладонь, и монеты, легшие "орлом" (или "решкой") вверх, достаются сопернику. Пик игры пришелся на прошлый век, на стык шестидесятых-семидесятых, мою веселую комсомольскую юность. Тогда вся школа, от третьеклассника до десятиклассника, звенела на переменках мелочью.

Щелезубого двоечника Жабыко, Ваську Табуреткина и меня связывает капитан Гаттерас. Тот самый капитан Гаттерас, что поднимался по склону действующего вулкана водружать над полюсом мира красно-синий английский флаг. Жабыко был одной из причин, почему я бежал из Купчино на улицу капитана Седова. Вот имя, для меня значимое, — капитан Седов. Я прочел о нем все, что мог. И в первую очередь — замечательную книгу Пинегина, человека, который вместе с капитаном Седовым плыл на "Святом Фоке" к полюсу. Седов полюса не достиг. Он скончался на острове Рудольфа, северной оконечности Земли Франца-Иосифа, и там погребен.

Знаете, как легко одурачить доверчивого читателя биографий? Очень просто. Выложить в общедоступном пространстве цепочку биографических фактов, унавозив ее в нужных местах намеренными гниловатыми вбросами. Так, как это сделано в “Википедии””, в статье о Георгии Яковлевиче Седове. Вот выбранные места из статьи:

“Отец, Яков Евтеевич Седов, был родом из Полтавской губернии и занимался ловлей рыбы и пилкой леса. Когда он уходил в запой, пропивал имущество, и семья Седовых жила впроголодь; когда выходил из запоя, активно работал, и семья начинала жить сносно”.

“Претензии и самомнение Седова были крайне высоки”.

“Сам Седов допустил при подготовке экспедиции «шапкозакидательские» высказывания и охарактеризовал цели экспедиции как чисто спортивно-политические”.

“Традиционно экспедицию Г.Я.Седова называют «Первой русской экспедицией к Северному полюсу». Однако этот термин несет в себе определенную подмену понятий, о которой полярник З.М.Каневский писал в научном журнале «Природа»: «Ни одна книга, ни одна статья по истории Крайнего Севера не обходилась и не обходятся по сей день без почтительного, а чаще — безудержно восторженного упоминания об экспедиции Седова. Словно она, без жертв и потерь, завершилась небывалым успехом, «покорением» полюса, достижением поставленной цели! «Экспедиция выдающегося русского полярного исследователя Г.Я.Седова к Северному полюсу» — вот что начертано на всех знаменах, как бы овевающих имя Седова. Какой полюс? Можно ли поминать всуе эту и поселе труднодостижимую точку, на пути к которой Седов прошел всего сто с чем-то километров? Сто из двух тысяч!»”

Цитата про "сто километров" выводит меня из равновесия окончательно. Я падаю на домашний ковер и хватаюсь за оледеневшее сердце. Сто километров льдов, острых иголок вьюги, выжигающих глаза и рассудок! Сто километров Севера, вымораживающего любую жизнь! Существо, отметившее свое присутствие в этом мире процитированными википодробностями, наверняка не читало в юности ни про капитана Татаринова, ни про капитана Гаттераса. Бог ему судья, этому двуногому существу, оставляю его в покое.

Улица капитана Седова проходит через мое сердце, куда бы я свое сердце ни перемещал в координатах планеты. Улица Николая Пинегина проходит параллельно Седова. Параллели, как учил Лобачевский, сходятся.

Не ходите туда, там страшно

На западе мой неблагополучный район соседствует с Купчино. Сразу за железной дорогой начинаются его нечеловеческие постройки. Не ходите туда, там страшно. Там ангелы над крышами не летают, там ходит вокруг кинотеатра "Слава" рыжий человек на ходулях и ворует из колясок детей. Если все же вы окажетесь в Купчино и услышите за спиной шепот, не оборачивайтесь, не прислушивайтесь к нему, а бегите поскорей прочь. Обернетесь — и превратитесь в тень, зыбкую бесплотную тень без памяти, без настоящего и без будущего. И будете ходить за другими, как до этого ходили за вами, чтобы шепотом привлечь их внимание и тоже обратить в тень. Когда-нибудь все Купчино станет тенью, и назовут его Город тени.

Пять лет я прожил в Купчино. Знать бы, по какой ведомости надо проходить человеку, чтобы пять этих бесконечных лет мне зачли хотя бы за десять (а они тянут на все пятнадцать).

Вот еще четыре убедительных подтверждения страшной жизни в этом районе.

1. В Купчино на улице Бухарестская до сих пор живет человек Гаврилов. На самом деле это не человек. Не поступает так человек с книгой. Он ведь что — придет ко мне и сидит, сидит, читает, слюнявит палец, проводит им с треском по сгибу на развороте. Все книжки после этого кособокие и в пятнах бледно-желтой слюны. А книжка "Синий тарантул" светится по ночам зеленым.

2. В поселке при Кирпичном заводе (Южное шоссе, 55) живут кирпичники. Не знаю, как сейчас, но тогда, в годы моего школьного отрочества, страшнее их были только милиционеры. Подойдет такой кирпичник к тебе, вынет из клешей финку и зарежет тебя к чертовой матери. Директора нашей школы фронтовика Виктора Алексеевича, когда тот сделал кирпичникам замечание за разбитые фонари у школы, кирпичники скрутили ремнями и понесли на руках топить на знаменитые купчинские карьеры. Хорошо, фронтовик-директор когда-то прошел ЭПРОН — развязал себя под водой и выплыл.

3. Населению этих про́клятых мест свойственно особенное коварство — омрачать праздник выпускникам.

Когда в 70-м году в подвале дома напротив школы мы перед выпускным вечером спрятали шесть бутылок "Агдама" (чтобы в ночь на "Алые паруса" было чем освежить горло), у нас все бутылки сперли. Представляете? У других праздник — фейерверки, Нева, Ассоль, Александр Грин, — а мы, наш 10 "Б", как евреи на реќах Вавилонских — седóхом и плáкахом, внегдá помянýти нам об "Агдаме".

4. Особо опасен в Купчино общественный транспорт. Вот пример: еду я поздно вечером из Купчино домой на Седова. Автобус пустой, в салоне, кроме меня, никого. На остановке, сразу после поворота с проспекта Славы на Софийскую улицу, в автобус входит еще один пассажир. В руке у нового пассажира урна — знаете, такая круглая металлическая со стойкой и тяжелой основой, урны этой конструкции тогда на всех остановках были. Ну, думаю, все, приехали. Долбанут меня сейчас по голове урной, и улечу я за сини горы собирать для ангелов мухоморы. Перекрестился я сикось-накось, а тот, что с урной, смотрит мимо меня и говорит, обращаясь к кому-то третьему, которого с нами нет: "Что, мама, дождалась, сука? Сейчас приеду и убью, на хрен, заколебала!", — и помахивает грозно адским своим оружием. У меня отлегло от сердца: слава богу, смерть опять дала мне отсрочку. Сегодня будут убивать не меня — пассажир с урной едет убивать маму.

Когда Господь на страшном суде начнет судить порайонно землю, то Купчино на адской сковороде займет место где-то между нью-йоркским Гарлемом и каким-нибудь людоедским Конго. Единственное, что, возможно, зачтется ему в оправдание — все-таки здесь жили несколько человек, не приди которые в этот мир, он бы обнищал и скукожился, как старик на церковной паперти. Олег Григорьев, Боренька Миловидов, Дима Новик, еще кто-то, кого забыл. Впрочем, весы судьбы — очень хитроумная штука. Чашка с этими несколькими вряд ли способна перевесить неподъемную жесть Жабыко или блюдце с бледно-желтой слюной страшного нечеловека Гаврилова.

Володарский мост

В поэзии Володарский мост почти не отмечен. Ну разве что в известной частушке:

Вот пойду я навернуся
с Володарского моста,
и кому какое дело,
куда брызги полетят.

Не знаю, осуществил ли герой частушки свой опасный эксперимент, но мой приятель Юра Степанов рассказывал мне однажды, как он в числе других пассажиров рейсового автобуса чуть взаправду не навернулся с моста имени товарища Володарского. Дело в том, что у водителя автобуса случился эпилептический припадок, и автобус потерял управление. Хорошо, люди заметили непонятные маневры машины и что-то такое сделали, чтобы избежать катастрофы. А так бы лежать моему приятелю на илистом невском дне с выеденными корюшкой глазами.

Для меня Володарский мост памятен не именем Володарского, хотя к убиенному комиссару по делам печати, пропаганды и агитации я отношусь с сочувствием. Умереть в 1918 году за мечту о стране-утопии совсем не одно и то же, что умереть через двадцать лет сами понимаете почему.

Памятен мне мост Володарского втекающей в него Ивановской улицей, и даже не само́й улицей, хотя она для меня много что значит, а библиотекой на этой улице — я имею в виду "Абрамовку", библиотеку имени Федора Абрамова, — и даже не столько библиотекой, сколько теплой майской субботой, когда мы с писателем Носовым вышли из этой библиотеки и устроились на зеленом скате насыпи под въездом на мост рядом с каменным товарищем Володарским. А предшествовало этому вот что. Я в тот же самый день, но на полтора часа раньше, выступал в библиотеке неподалеку и за это свое выступление был премирован бутылкою коньяка. Пикантность ситуации состояла в том, что библиотека-то была детская. А Носов, выступавший во взрослой, получил только благодарность слушателей.

Несправедливость мы исправили просто: за углом на улице Бабушкина в магазине взяли хлеба и сыра (благо что коньяк у нас был) и отправились к каменному герою книжки Сережи Носова "Тайная жизнь петербургских памятников", то есть к товарищу Володарскому.

По реке Неве плыли баржи, Володарский благословлял их ход, солнце жарило, мы пили коньяк и болтали о низком и о высоком. Носову в этот день предстояло участвовать в языческом ритуале — дело в том, что в Большой Ижоре компания хороших людей устраивала заклание барана, и Носов был в числе приглашенных. Но то ли помог коньяк, то ли посодействовал Володарский, только Носов переменил решение и на бесовские игрища не поехал.

Он вообще личность непредсказуемая. Помню, как-то звоню я Носову, приглашаю его пойти на вручение премии (Довлатовской, на Мойке, 12, в тот раз она вручалась впервые), он отказывается, идти не хочет. Проходит время, он звонит мне и говорит: слушай, говорит, я пойду, не хотел, но теперь придется. Есть, добавляет, повод. А повод, оказывается, такой: писатель Валерий Попов, сосед Сережи по Комарову, они живут там летом в дачном доме Ахматовой, куда-то спрятал ключ от сортира (а ключ у них один на двоих), и Носову приходится теперь пользоваться кустами и ближайшим подлеском. Я еще пошутил тогда: да, говорю, повод хороший. Входишь ты сейчас в зал, а там Попов как раз открывает торжественное собрание. И ты ему с порога: Валерий Георгиевич, куда вы ключ от ахматовского сортира дели?

Я начал этот рассказ с моста, который обделили стихами. Но, покопавшись в своих архивах, сделал неожиданное открытие. Нашел стишок, в котором мирно соседствуют и мост, и Носов, и его борода, и даже Гоголь в конце мелькает. Вот, пожалуйста, читайте, кому охота:

Вот Носов, вот двор,
вот Фонтанка-река,
вот тянется к рюмке
пустая рука.

Вот книги… Ну, книги —
бумага, свинец…
Огонь поднесешь,
им настанет конец.

Вот Носов, вот он,
вот смеется, вот ест.
Вот встанет, сорвется
с насиженных мест.

Вот город… Ну, город,
ну, неба кусок
висит над промзоной,
как драный носок.

Трамваи грохочут,
вползая на мост,
старухи бормочут,
пугает норд-ост.

Вот Носов по-барски
тряхнет бородой,
вот мост Володарский
сольется с водой.

Вот выйдет Поприщин,
вот Гоголь пройдет.
Вот занавес нищий.
Вот Носов… Вот-вот.

Поэзия заводских окраин

Раз уж мы дошли до поэзии, то немножко поговорим о ней.

В моем неблагополучном районе поэзия сродни топографии, имеет специфические особенности. Здесь поэзия заводских окраин, а не Острова, куда ездил Блок дышать поэтическими туманами. В моем неблагополучном районе поэты — народ простой, надменной улыбки они не носят, потому что за такую улыбку здесь легко схлопотать по морде.

Вот старый рабочий поэт Куканов сочинил стихи про котельную:

Почему же вода в водомере стоит,
Водомер у тебя засорился.
Отверни и продуй, пусть вся грязь убежит,
Чтоб вода в нем всегда шевелилась.
Арматурный ли кран туго вертится, знать,
Эвон, сколько на нем накипело.
Как механик придет, не замедли сказать,
Это, брат, неотложное дело.
И за краном спускным ты, товарищ, следи,

Чтобы тоже свободно вертелся.
Чуть заело, сейчас в мастерскую сходи,
Чтобы вечером он осмотрелся.
А питательный кран, а манометр не врет?
А инжектор качает исправно?
Вентилятор у вас хорошо ли берет?
Знаешь, время бывает неравно.
Строго стой на посту! твой малейший промах —
И котел может в воздух взорваться,
Государству ущерб, разнесет зданье в прах,
Сам рискуешь без жизни остаться.

Мне нравятся такие стихи. В них есть жизнь — настоящая, а не выдуманная. В них автор переживает не за себя, а за товарища, не закрутившего кран и не проверившего по забывчивости манометр. В них он переживает за государство, за ущерб, который может быть ему нанесен.

Вот такие живут поэты в моем неблагополучном районе, и я с ними на короткой ноге.

Мадисон

"...Дело было лет восемнадцать назад в городе тогда еще Ленинграде. Зимой, в выстуженной холодом и застоем окружающей среде. Я приехал к своему другу Андрюше Васильеву, который снимал тогда комнату на Обводном, а вскорости оказался обвинен в осквернении кумачового символа советской власти (чего не было) и посажен.

На самом деле — за чтение и распространение не тех, что надо, книжек, а также за неверное понимание прочитанного. По ленинградскому телевидению время спустя даже показали о нем соответствующий фильм с толково придуманным зачином: река, в ней единодушное течение воды, и только один неумный мужик в лодке пытается выгребать против течения, но его все время сносит, сносит и сносит…

Однако в момент моего приезда ничем таким еще не пахло, и на следующий после момента день мы с Андрюшей преспокойно отправились праздновать день рождения к молодому диссиденту и книжнику Саше Етоеву. Етоев трудился в Эрмитаже то ли уборщиком, то ли вахтером — точно не помню. И был уже вовсю на примете у органов. Тем не менее дома у него на самом видном месте вызывающе красовалась фотография Солженицына. Когда органы явились к нему как-то домой и, дотошно все обшмонав, поинтересовались, что это за тип изображен на снимке, Етоев честно сказал, что это его дедушка. И ему поверили.

На день рождения к нему явились, естественно, тоже одни книжники и диссиденты. Отчего говорилось между ними либо о редких изданиях Сведенборга и Эккартсхаузена, либо о советской власти. О первых — с деловитой любовью, о власти — с легко объяснимой составом общества недоброжелательностью. Водки при этом на столах стояло немерено, с музыкой же, напротив, вышел напряг. То есть имелась жесткая альтернатива: или единственная пластинка Окуджавы, или богатства европейской классики. После третьей рюмки я решил ее для себя в пользу классики — сковырнул с проигрывателя Окуджаву и водрузил на него вагнеровского «Тангейзера». Мне хотелось — танцевать.

Ни до, ни после этого Вагнера на днях рождения я не слышал. Присутствовавшие, видимо, тоже. Возможно, это и вызвало у них чувство некоторого дискомфорта. Но я его как бы не хотел ощущать, помня завет Верлена: «Музыка прежде всего».

Тут-то и явился к нам в компанию запоздалый гость. Поначалу он привлек мое внимание единственно тем, что был меньше всех ростом. Однако не прошло и четверти часа, как он сказочно вырос в моих глазах. Дело в том, что он достал из пакета заранее принесенную пластинку и предложил заменить ею Вагнера. Увидев, чем именно, я с энтузиазмом его поддержал. Пластинка называлась — *Rainbow*, *“Stargazer”*.

Уже через минуту диссиденты зашипели: «Потише, потише», — и лишь я один сопротивлялся — мол, «погромче, погромче», но не преуспел: антисоветчики задавили чисто по-советски — количеством. И музыки не стало вовсе”.

Этот мемуарный этюд, опубликованный в “Русском журнале”, написал много лет назад Андрей Мадисон. Ни квартиры той уже нет, ни меня нет в той квартире, ни Андрюши на этом свете. Как пароход “Челюскин”, он вмерз в ледяную корку в лесу под городом Тотьма, что стоит на высокой круче северной реки Сýхона. Добровольно, без всякого принуждения, он сказал своей жизни: “Нет”, — ушел в лес, лег на снег и закрыл глаза. Северная зима злая. Видит, лег человек на землю, подкрадется, влезет ему за пазуху и сожрет все человеческое тепло.

Тотьма. Я был в этом городе над рекой. Тогда он не казался мне мертвым. Очередь за черным портвейном, которую мы с приятелем отстояли, вытянулась, как змей Уроборос, поедающий свой собственный хвост. Люди покупали портвейн и становились в очередь снова. Больше одной бутылки в одни руки не продавали.

Мадисон купил там квартиру. Продал жилплощадь в Москве и переехал в Тотьму. Кто-нибудь знает такого психа, который поменял бы московскую прописку на тьмутараканскую? Я знаю. Зовут его Андрей Мадисон.

В последний раз мы виделись на Моховой улице, осенью 2008 года. Зашли в кафе, посидели, поговорили. Мне надо было возвращаться в издательство. Договорились, что, когда он снова приедет в Питер, то позвонит мне, и мы встретимся. Он приезжал, звонил, но чем-то я оказался занят, и встреча не получилась. А в январе следующего года Мадисона не стало.

Улица Седова, 21

В ста метрах от моего дома узкая, как учительская указка, улица Ольги Берггольц. Оттуда слышен стук блокадного метронома. В моем доме библиотека ее имени. Однажды я нарушил восьмую заповедь, украл из этой библиотеки томик Бунина с “Темными аллеями”. Свой грех я искупил

Витебский вокзал

позже, когда мы уезжали с Седова, — отнес взамен две коробки с книгами. Не знаю, простит ли меня за это небесный покровитель библиотек, но буду надеяться, что простит.

Вон, Чивч, мой приятель, крал книги из библиотек сотнями. Заложит под ремень, сколько сможет (поверх штанов у него рубашка навыпуск), пузо втянет, чтобы переплеты не выпирали, и идет себе с невинной улыбкой мимо бдительного ока библиотекарш. А брошюры и книжки без переплета он закладывал вокруг голени за носки — попробуй угляди под клешами книжку.

Валька Чивч в доме на Седова, 21 был человек частый. Он являлся сюда непрошено, как татарин, да что татарин — как все татаро-монгольское иго одновременно. Как-то раз вхожу я в свою парадную, а в парадной Валька. Навалил на подоконник целую гору отпечатанных на фотобумаге страничек с "Зияющими высотами" антисоветчика Александра Зиновьева, читает. На дворе — застой, Брежнев сидит в Кремле, а он хохочет, как неумытый черт, которому пятки чешут, смешно ему, дураку, читать про город Ибанск и его окрестности.

Дом 21 по улице Седова из тех, что называются сталинскими. Он построен в 1953 году для работников Экскаваторного завода; тогда многие дома в городе возводились под конкретный заказ промышленных предприятий. Десятину отдавали строителям (одну десятую часть квартир) — после большой войны в строители шли в основном приезжие, своей жилплощади не имеющие, поэтому десятина им.

Мой отец полжизни отдал Экскаваторному заводу, в 48-м первый раз прошел через заводскую проходную на Мельничной улице и доработал на заводе почти до его развала и разграбления в девяностые. Работал-то он работал, но вот квартиру в заводском доме не заработал. Только в 70-м году в результате обменных хитростей мы переехали сюда жить.

Напротив нашего дома сад имени Чарльза Диккенса. Это я так его назвал, официально он Палевский. Я сидел здесь на садовой скамейке, качал в детской коляске сына и читал зеленокожего Диккенса том за томом. Если сын начинал плакать, я читал Диккенса вслух, сын слушал и успокаивался, не нужна была никакая соска.

В конце сада был общественный туалет, позже переделанный в кафе: это примерно то же, как на месте морга построили бы родильный дом.

Крупа

Раньше, когда Крупа была просто Домом культуры Крупской, про нее знали разве что местные обитатели. Книжные спекулянты частично собирались в садике на Литейном проспекте за магазином подписных изданий или в подворотне того же дома, где магазин, потом ездили на Лесной проспект к Карле Марле, потом в Девяткино, за Трубу, куда-то еще, а потом спекулянты превратились в частных предпринимателей, ДК Крупской превратился в Крупу, и книгопродавческая тусовка осела в ней.

Крупу знает весь город. Основали ее бандиты. Главных достопримечательностей Крупы две.

1. Андрей Борисович Стругацкий, сын писателя-фантаста Стругацкого. Андрей Стругацкий держит в Крупе собственную торговлю. На Андрея фанаты-стругацковеды водят смотреть фанатов-стругацколюбов. У Андрея берут автографы. Хотя на детях природа и отдыхает, но тень от лавра, выращенного знаменитыми братьями, падает на него, как на яблоко падает тень от яблони, с которой оно упало.
2. Иосиф Аполлонович Каландия. Питерский еврей с фамилией мегрельских князей и отчеством олимпийских богов. Официально — директор книжной ярмарки ДК Крупской по связям с общественностью. Других директоров книжной ярмарки ДК Крупской в природе не существует. Человек с душой нараспашку, в которую ежели залетишь, так дверка сразу же и захлопнется и хрен когда-нибудь из этой темницы выберешься.

С Осей я знаком с юности. Тогда красивый, двадцатидвухлетний, он терся на скупке в "Старой книге" на Московском проспекте — в то время это называлось "на перехвате". Например, стоит человек в очереди сдавать книги, подходит к нему Ося, вытаскивает из пачки книжку американского писателя Джона Дос-Пассоса "42-я параллель" издания 1936 года, вслух читает на переплете цену "75 копеек", дает человеку рубль образца уже семидесятого года и берет с человека 25 копеек сдачи. Все довольны, особенно Иосиф Прекрасный. Книжка Дос-Пассоса по тогдашнему букинистическому ценнику стоит двенадцать рублей пятьдесят копеек. Прибыль Иосифа Мудрого — тысяча двести процентов с мелочью.

Как пройти на улицу Робинзона Крузо?

Сворачиваю я с Малой Щемиловки (нынешняя улица Полярников) на улицу капитана Седова, останавливает меня прохожий. "Как пройти на улицу Робинзона Крузо?" — спрашивает. Я чешу ухо, соображаю: "Какая такая улица Робинзона Крузо?" Потом резко бью себя по лбу и говорю: "Ну, конечно! Дойдете до улицы Дон Кихота, повернете с нее на улицу Дяди Степы, а там вам любая собака скажет, где улица Робинзона Крузо". "Спасибо", — благодарит прохожий и, довольный, идет, куда я ему сказал.

Мальчик на проволочной ноге

В одном из зеленых двориков, прячущихся за игрушечными строениями вдоль линейки проспекта Елизарова, жил мальчик на проволочной ноге. Еще на моей памяти нога у него была нормальная, отлитая из белого гипса, и все у него было как нужно — гипсовая пилотка на голове, гипсовый пионерский галстук, белые гипсовые трусы. Он стоял, гипсовыми губами играя на пионерском горне, а рядом стояла девочка, такая же гипсовая, как мальчик, — в гипсовом пионерском галстуке, в гипсовой пилотке на голове, в гипсовой пионерской юбке. Время шло, а они стояли вандалам и непогоде наперекор. Рухнул СССР, а они стояли. Ушла из жизни "Пионерская зорька", они стояли. Погасли "Ленинские искры", они стояли. Первой умерла девочка. В моем неблагополучном районе девочки умирают первыми. Ее свергли с постамента ногами пьяные выпускники ПТУ. Мальчика убить не успели, что-то их, наверное, напугало. Так он и стоял одиноко, крошился и осыпался гипс, пропали горн, пилотка на голове, отваливались куски от торса, на ноге оголилась проволока, и только гипсовый пионерский галстук, словно вплавленный, сидел на груди и, когда город спит, отсвечивал алым светом на короткой ленинградской заре.

Как стать богатым?

Просто. Трое моих приятелей по сидению в Палевском садике и укачиванию неукачиваемых детей (Диккенса я читал без них) решили эту задачу так.

Скинулись по столько-то и по столько-то и купили биотуалет на троих.

Выхожу я как-то раз из метро "Елизаровская", смотрю — на выходе Завадский Андрюха. И на шее у Андрюхи плакат. А на плакате — надпись во весь плакат: "Туалет «М»–«Ж», десять шагов направо". Я схитрил и не стал здороваться, дай, думаю, проверю про туалет. Отсчитал десять шагов направо, смотрю, Леухин Валька переминается, будто вот сейчас обоссытся. А перед ним пластиковая кабина. И при кабине на раскладном стуле Серега Мухин сидит, как сыч, и звонкой мелочью в стакане потряхивает. Я ребятам говорю: “Здрасьте!”, а они смотрят на меня, как на суслика, капиталисты хреновы. “Ну что, — говорю, — поднялись на естественных потребностях человека? По домам, небось, разъезжаетесь на машине марки «форда» и костюм себе шьете, как у лорда?” — “Типа того”, — отвечают нестройно оба. Возвращается от метро Завадский, снимает с себя плакат и вручает Мухину. Тот встает, отдает Завадскому стакан с мелочью, на шею надевает плакат, меняются. Я вижу, не до меня им, при капитализме, будь он проклят, не забалу́ешь. Он выпивает из человека все человеческое. “А помните, как мы в Палевском...” — начинаю я, но Мухин меня перебивает. “Извини, — говорит, — работа. Приходи как-нибудь в другой раз, когда у нас клиентов поменьше. А ты прыгай, прыгай, не отвлекайся, — переключается он на Вальку, — Господь терпел и нам велел, разве не знаешь? — Снова смотрит на меня, объясняет: это он у нас живая реклама. Создает видимость очереди. Русский человек, он же как — увидит очередь, и надо не надо, а обязательно в эту очередь встанет”.

Бог любит троицу

Этой народной мудростью я заканчиваю свою повесть. К жизни в неблагополучном районе Бог меня приговаривал дважды. Оба раза я на Него не гневался, но смиренно проносил свою ношу. А по закону тройственности, если в одну реку ступаешь дважды, непременно ступишь в нее и в третий раз. Ну, может быть, не в нынешней форме, а скажем, дождевым облаком, похожим на небесного крокодила. Возвращусь я сюда однажды, выцежу из себя пару слезинок — то ли дождик с высоты брызнул, то ли птица сикнула, пролетая, — и кто-нибудь посмотрит с земли и раскроет над головой зонтик.

Ксения Букша

Проспект Стачек

1. В детстве я не любила проспект Стачек.

Во-первых, когда мне было одиннадцать, я часто гуляла в парке Екатерингоф, и мне было там одиноко, скучно и грустно. Конечно, я бодрилась, залезала на верхушки высоких деревьев, а потом наконец нашла себе дурную компанию. Но все это происходило от скуки и тоски.

Во-вторых, проспект Стачек ассоциировался у меня с ранней советской эпохой. Я мало что знала о двадцатых годах и представляла их по книжке "Республика ШКИД" и рассказам бабушки о детстве (которое, впрочем, прошло в украинском селе Волица Полёва). Квадратные штаны, черные и чесучие, из грубой ткани, да еще и с заплатами.

Разбитые серые ботинки. Засаленные кепки. Строгие порядки: с работы не уйдешь, и уже в тринадцать лет и семь утра надо быть на заводе. Копченая рыба с куском хлеба на завтрак, обед и ужин. Зимой — одна мороженая картошка. Примус. Скарлатина. Трамваи, на которых приходится ездить снаружи. Я мысленно вставляла себя в тот контекст, конечно, не девочкой вставляла, а пацаном, — и мне там очень не нравилось.

На самом-то деле 94-й год был немного похож на 24-й. А я (в ботинках на два размера больше) была чем-то похожа на того парня. Так вообще часто бывает. Смотришь на себя со стороны и говоришь: всего этого нет, все это не имеет ко мне никакого отношения. И вдруг оказываешься в этом по уши.

А когда я уже стала взрослой и упомянула в разговоре с отцом, что не люблю парк Екатерингоф, папа сказал:

— А я вот — очень люблю. Когда мы только что приехали в Ленинград из Казахстана, я часто ездил с мальчишками сюда купаться. В Бумажной речке. Там и дерево есть, помнишь, такое нависшее над водой?

2.

Понемногу я стала привыкать к проспекту Стачек. Я выросла и постоянно ездила по нему взад-вперед то на машине, то на маршрутках. Стояла на нем в пробках. Выходила и шла пешком. Застревала под ним в метро, в тоннеле между “Нарвской” и “Кировским заводом” (“Что, распрыгался, козел, да? Распрыгался, да?” — и мы поехали). Папу моей дочки, фотографа, чуть не побили однажды гопники Нарвской заставы, которых он попытался заснять, а потом сами же заявили на него в милицию, когда он дал сдачи. Пять лет назад я провела полгода, делая корпоративный брендбук для одного оборонного завода, располагавшегося по соседству. Мы взяли больше сотни интервью у самых разных людей с этого завода — от директора до рабочего, от инженера до уборщицы. Знаете, бывают такие детские книжки со множеством маленьких наклеек: городок, который нужно населить? С той поры моя Нарвская застава населена заводчанами:

угол Промышленной и Турбинной — киоск "Пиво-воды", где работал однорукий ветеран войны;

Нарвский универмаг — рюмочная, которую называли "Радионяня", потому что на заводе изготавливали и радиодетали;

речка Екатерингофка — там после войны утонул старший брат одного из именитых заводчан;

и многое другое.

Везде наклеено по фигурке. А кое-где они располагаются даже в несколько слоев-эпох. Так проспект Стачек с окрестными улицами стал для меня еще ближе и роднее.

3. И вот я еду по проспекту Стачек, снова за рулем, стараясь не попадать в его чудовищные колеи. Еду и думаю о том, что у меня двое детей, но мне хочется и третьего — большого, приемного ребенка.

У моих друзей есть приемные дети; я уже несколько лет читаю форумы; я в деталях знаю, какой ад в детских домах, и как этот ад приходит в семьи приемных родителей, и как они помаленьку, с годами, ценой невероятных усилий помогают новому члену семьи "стать своим". Знаю, какой трудной бывает эта работа по адаптации и с какой жутью приходится сталкиваться людям в ребенке и в самом себе. Уже несколько лет я предпринимаю различные шаги с тем, чтобы подготовиться ко всему этому. Теперь же младшая дочь подросла, ей два, наступило лето, а с ним и время решительных действий: я записалась в школу приемных родителей и собираю документы.

И вот я еду по проспекту Стачек, и мне приходит на ум дурацкая аналогия. Я думаю о том, что, в сущности, воспитание приемных детей — или, если можно так выразиться, мода на приемство, — чем-то похоже на ремонт проспекта Стачек своими силами. Вот как если бы жители вышли однажды, скинулись на инструменты и материалы, нарядились во что не жалко и давай ремонтировать, и каждый берет себе свой квадратный метр этой дороги. К примеру, я беру на себя ответственность вот за этот пятачок — вот за этот.

Я ехала быстро, но, честное слово, помню — это было недавно — отлично помню, где в тот момент находилась: у дома номер *NN*, неподалеку от улицы Трефолева.

Фу, как цинично, тут же подумала я, еще неизвестно, кто кого ремонтирует — мы детишек или детишки нас! — но мысль оказалась цепкой. Мой мозг любит наглядность. И с тех пор всякий раз, проезжая мимо дома *NN* по проспекту Стачек, я вспоминала ремонт квадратных метров асфальта.

И всякий раз, как меня одолевали сомнения по поводу моего предприятия (у меня и так двое! — а я один взрослый в семье! — деньги? — время? — справлюсь ли? — приемные дети такие трудные!) мой личный внутренний дядька, который не имеет никаких аналогов в реальном мире, язвительно нудел мне в уши:

— Хочешь не хочешь, а выйдешь и построишь.

— По этой дороге весь город ездит.

— Что, забоялась? А кататься-то небось любишь. Вот как-нибудь въедешь в ямку, так будешь знать.

4. Мне очень повезло. Моя приемная дочка оказалась совсем не трудной. Это обычная девочка, почти не хлебнувшая детдомовской науки выживать. Ее история — на редкость *человекоразмерная*. В ней нет ни предательства, ни насилия, только простое “горе-злосчастье”.

Это почти диккенсовский, достоевский сюжет. Расскажу вкратце, издалека, чтобы соблюсти уважение ко всем участникам — ведь это реальные люди.

Жил-был мальчик на Нарвской заставе. Его родители рано умерли, и мальчик попал в детдом, который находился в Петергофе. Он часто бродил в Нижнем парке, среди фонтанов; полюбил рисовать, научился играть в шахматы, но в жизни не слишком преуспел.

И жила-была в его дворе маленькая девочка, которая осталась без родителей еще раньше. Ее воспитывали тетка и старший брат, который жил в том же детдоме, что и мальчик. Друзья повзрослели, пошли работать и каждый день вместе забирали девочку из детского сада.

Прошли годы, случилось много всего, но вот что удивительно: девочка выросла, и они с этим мальчиком стали жить вместе.

Я намеренно опускаю подробности. Впрочем, многого я и не знаю.

Потом у них родилась дочка. И когда ей исполнилось девять, ее мама умерла от воспаления легких.

Болела долго, целый месяц. Клали в больницу, мест не было, лежала в коридоре, ставили какие-то капельницы. Потом привезли домой, но в тот же день увезли обратно и отправили в реанимацию. Ночью позвонили и сказали мужу о смерти.

А их девятилетняя дочка на следующий день как ни в чем не бывало отправилась в школу. На третьем уроке явились представители опеки Нарвского округа и, не объясняя, в чем дело, силой уволокли девочку. Дело в том, что у отца не было на дочку совершенно никаких документов. Да и вообще — никаких. Он жил без бумажек. Так случается.

Спустя полгода я взяла эту девочку под опеку. Спустя еще несколько месяцев — удочерила. Стоит ли упоминать, что и мать, и отец, и сама она — жили в доме номер *NN* на проспекте Стачек, неподалеку от улицы Трефолева.

На самом деле совпадение тут настолько крошечное, малозаметное и малозначительное, что вряд ли его даже можно назвать совпадением. Ну мало ли кто, о чем и когда думал? Мало ли разных домов, в фасады которых мы втыкаем, размышляя? В каком-то из них вполне может жить (хотя мы того и не знаем пока) какой-нибудь важный для нашей жизни человек.

5. Но вот что я хочу сказать.

Моя старшая дочка — патриот проспекта Стачек. Все детали родных мест за наше время вместе упомянуты множество раз. Нарвские ворота, оба парка, справа и слева, магазин "Магнит", дом, где она жила, мост, площадь и памятник, где собиралась толпа на Новый год, и мост, и Западный скоростной диаметр, и улица Трефолева. И Кировский завод, где работала мама.

Среди школьных тетрадок дочки я нашла одну, в которой почти все страницы были выдраны и только одна — исписана. Видимо, записи были сделаны в той больнице, куда ее насильно привезли после смерти мамы: имя, фамилия, я хочу домой; мама, папа; мой папа приедет за мной, и мы поедем домой на проспект Стачек, дом *NN*, квартира *XX*; клички собаки и кошки; и снова — адрес, имя, я хочу домой, проспект Стачек, дом *NN*, квартира *XX*.

Теперь дочка может навещать папу каждое воскресенье. Это намного лучше, чем сидеть в детдоме и тщетно ждать, когда "папа заберет". Половина контингента детдомов сидит там именно с такой вот надеждой, которая с каждым годом сиденья только крепчает, потому как приобретает статус мифа. Теперь папа перестал быть мифом, и, если он не отвечает на звонки, если он не может встретиться — дочка рыдает.

Ну а мама... У дочки есть ее сережки, фотографии, юбки и туфли.

— И почему это на фотографиях так много покойников? — говорит она.

Странно знакомиться с человеком после его смерти. А у меня уже есть ощущение, что мы с ней знакомы.

Мама моей дочки была на десять месяцев младше меня.

6. Летом, когда мы только-только стали жить все вместе, мы поехали гулять в парк Екатерингоф. Забрели далеко, в ту заброшенную часть парка, где течет речка Екатерингофка, а жители окрестных районов жарят шашлыки и пьют вино.

Вдруг послышался сильный шум. Он нарастал и в конце концов стал невыносимым. Я не знала, что и думать. Залезать под скамейку показалось мне полумерой. Дети, кажется, не слишком испугались, даже младшая дочка. Но мне было очень не по себе. Я точно знала, что такой сильный шум — это, скорее всего, нештатная ситуация, а может, и война. Невозможно даже было сказать, откуда шумит: казалось, грохочет все.

Над нашими головами молниеносно пронеслись, взмывая вверх, четыре неправдоподобно красивых, игрушечных на вид военных самолетика. Они описали над парком мертвую петлю и унеслись в небо над Заливом. За ними мчалась другая четверка.

— Военный парад! — сказал кто-то.

И тогда я подумала, что даже если наступает конец света, хорошо уже и то, что мы сейчас вместе.

Что же касается проспекта Стачек, то его в очередной раз отремонтировали на средства города. Как всегда, ненадолго, да и на том спасибо.

Андрей Степанов
Лесной

9 мая 1965 года праздновали двадцатилетие Победы.

По этому случаю исполком Ленсовета принял решение дать имя безымянному “пятачку”, возникшему еще сто лет назад на пересечении двух улиц — Большой и Малой Спасских — и трех проспектов — Алексеевского, Старопарголовского и Второго Муринского. Пятачок расположился в очень важном для Ленинграда месте: на пути из центра к Пискаревскому мемориальному кладбищу, куда отныне должны были возить по вновь проложенной “правительственной трассе” важных гостей в черных автомобилях. Кучка домов, испуганно жавшаяся на пятачке с са́мой революции, все-таки дождалась своего часа: она подлежала сносу. На ее месте планировалось создать круглую площадь, окруженную часовыми — выстроенными по единому проекту высокими домами.

Площадь Мужества

От прежнего пятачка решили оставить четыре дома. Маленький романтический особнячок с башенкой, который народ называл "дачей Шаляпина" (увы, Шаляпин там никогда не бывал). Круглую баню-"шайбу" (в наши дни ее уже не тронут — признана памятником конструктивизма, но тогда шайбу пощадили, я думаю, по другой причине: людям, даже живущим в музее, надо мыться). И два дома Политехнического института: общежитие для студентов-иностранцев и пятиэтажный дом с высокой трубой, заселенный в основном семьями преподавателей.

Указ о создании площади-памятника и постановление о сносе безыдейного пятачка вышли 15 мая 1965 года. А 13 июля в доме с трубой произошло важное лично для меня событие.

Я там родился

Район назывался Лесной или Лесное. Название пошло от Лесного института, впоследствии Лесотехнической академии. Этот институт — белое здание, окруженное парком, — возник здесь еще в 1811 году и обозначил южную границу будущего района. Только через сто лет появилась северная граница — Политехнический институт, тоже белое здание, окруженное парком. Мало кто знает: петербургский Политех строили как почти точную копию берлинского. Оригинал не пережил войну, наши разбомбили его в сорок пятом. Копия выжила: блокадники вспоминают, что немецкие снаряды сюда не долетали — совсем чуть-чуть. Копия, не имеющая оригинала, в философии называется обидным словом "симулякр" ("притворщик"). Считается, что притворщик изображает то, чего на самом деле не существует и никогда не существовало. Мне кажется, что авторы этой теории не приняли в расчет бомбежки.

В нашем городе очень много симулякров

Между Лесотехнической академией и Политехническим институтом расположились — со временем так или иначе уходя в небытие — ленинградские НИИ: Котлотурбинный, Физико-агрономический, Постоянного Тока, Радиевый, Телевидения, а также знаменитый Физтех — Физико-технический институт имени Иоффе. Мой дед всю жизнь проработал в Политехе. Отец в момент моего рождения трудился в Институте Постоянного Тока. Я в 1982 году поступил в ЛЭТИ (электротехнический институт) на "алферовскую" кафедру. Со второго курса занятия проходили в здании Физтеха. Студентов принял сам Жорес Иванович Алферов — уже академик, но еще не Нобелевский лауреат. Помню, он советовал побольше заниматься физкультурой, особенно бе́гом, поскольку для настоящего физика главное — это здоровье (а я уважительно посматривал на огромную, полную до краев окурками бронзовую пепельницу у него на столе). Все, кто тогда внимательно слушал речь академика о пользе бега, потом сбежали за границу — кроме меня, физиком так и не ставшего.

“По данным на 1982 год, в Ленинградском научном центре работают свыше 23 тысяч человек, в том числе 25 академиков, 57 членов-корреспондентов, свыше 900 докторов и около 3,5 тыс. кандидатов наук”.

В том числе мой отец, умерший в 1983-м

Говорят, что до середины шестидесятых Лесной был самым зеленым районом города. Здесь были дачи и дачки, сады и садики, кусты сирени, клумбы с цветами, бескрайнее море сосен и соединенные канавами пруды — Золотой, Серебряный, Круглый. Это был полупригород, предместье, связанное с городом живой ниткой трамвайных рельсов. Девятый, восемнадцатый, тридцать второй, сороковой, пятьдесят третий — все с разноцветными огоньками — сходились на кольце у Политеха. Значительно сокращенный сороковой маршрут существует до сего дня. От прочих остался эфемерный след: линия трамвая на площади Мужества сворачивает на Второй Муринский точно в том же месте, что и сто лет назад, следуя изгибу снесенных домов.

Эту линию открыли первой в Петербурге, в 1886 году. Через сто лет система ленинградского трамвая стала самой большой в мире и была занесена в книгу Гиннеса. В новом Санкт-Петербурге от нее каждый год методично отрезают по куску, и очень скоро не останется совсем ничего.

Кроме воспоминаний

От Института Постоянного Тока к дому с трубой шел переулок с чисто петербургским названием — Пустой. Помню, что по этому переулку я ходил в "булочную на Яшумова". Или это наваждение, аберрация памяти? Не мог я туда ходить, раз интернет ясно говорит: известный с 1887 года Яшумов переулок частично уничтожен в пятидесятые, а в 1964 году его остатки слиты с улицей Курчатова. Но я ясно слышу голос покойной матери: "Через полчаса будем обедать. Сбегай-ка на Яшумова за хлебом".

Можно ли вообще что-то вспомнить о нашем городе?

В том же 1964 году Пустой переулок назвали именем Шателена. Мой дед работал с Михаилом Андреевичем Шателеном, есть фотография, где молодой дед (1903 г. р.)

стоит за спиной почтенного господина с бородкой (1866 г. р.), они рассматривают какие-то серьезные графики. Дед умер, когда мне было тринадцать лет, о Шателене он не рассказывал, и это красивое французское слово так и осталось переулком, до сих пор полупустым, поскольку всю его восточную сторону занимает длинный высокий забор, за которым расположена недоступная для простых смертных территория. Такие участки на карте города оставляют пустыми, закрашенными серым цветом, и любой ленинградец покажет вам серый многоугольник рядом со своим домом, навеки огороженное пространство, вдоль забора которого он идет всю жизнь, никогда не попадая внутрь.

Наш город состоит из разнообразных пустот

Где-то к 1990 году я осознал одну странную вещь. До тех пор мне казалось, что, гуляя по городу, я прохожу мимо Адмиралтейства, Академии художеств, Сената и Синода — любителю старых романов мерещилось, что он живет в Санкт-Петербурге. Осознал же я, что хожу мимо Военно-морского училища им. Дзержинского, Института живописи, скульптуры и архитектуры им. Репина, Исторического архива, причем попасть в эти здания по большей части трудно или совсем невозможно. Стало ясно — я живу в Ленинграде. Но ясность сохранялась недолго: в 1991 году город переименовали в Санкт-

Петербург. Потом начали возвращать старые названия улиц, и появилась возможность прогуляться по Большой Морской, что твой Набоков. Спустя еще какое-то время Музей религии и атеизма (Казанский собор) стал проводить богослужения, даже не убрав экспонаты, демонстрирующие ужасы инквизиции. А потом в здание Сената вернули высшую судебную инстанцию (чем и был Сенат на излете империи), и жить стало еще страннее.

Стоит что-то понять про этот город — и он тут же изменится

Я гуляю по Политехническому парку, где знакома каждая тропинка — тысячу раз я проезжал по ним в детстве на велосипеде или пробегал трусцой, готовясь стать настоящим физиком. Вот самая красивая в мире водонапорная башня, часть кафедры гидротехники, маячившая в моем окне все детство. Вот Первый и Второй профессорские корпусы — лучшие места для жизни во всем городе. Памятная доска на Первом: здесь с 1902 по 1957 год жил выдающийся энергетик профессор М.А.Шателен. (Наш дом с трубой был де-факто третьим из корпусов, но не получил звания профессора, как и мой дед.) Вот Дом ученых в Лесном. Сюда нас водили в четвертом классе на встречу — господи, какой же я старый! — на встречу с ветераном Гражданской войны, бойцом 25-й Чапаевской дивизии. Старик закусил зубами беломорину и прошелся по сцене церемониальным маршем, показывая, как на самом деле происходила психическая атака, неправильно, по его мнению, показанная в фильме "Чапаев" (сейчас историки уверены, что такой атаки не было вовсе). Сюда же мы ходили с родителями в кино. Точно знаю, что под новый 1978 год в Доме ученых шел фильм Чаплина "Огни рампы". Дату подсказывает воспоминание: когда возвращались домой по Политехническому парку, отец сказал, что актер, игравший в фильме главную роль и сочинивший к нему удивительную музыку, вчера умер. Из самого фильма запомнилась почему-то только молитва старого клоуна. Когда его возлюбленная-балерина выходила на сцену, он опускался на колени за кулисами и молился так: "Господи, если ты есть, помоги ей".

Господи, если ты есть, не дай забыть все это

Собираю по интернету фотографии Лесного и раскладываю их по порядку, начиная с XIX века. Листаю книгу "Лесной. Исчезнувший мир".

Вот Золотой пруд, по берегу которого, заламывая котелки, среди канав гуляют с дамами испытанные остряки. Вот Серебряный пруд, на льду которого зимой 1928 года снялись на память юные хоккеисты 168-й школы, победившие в соревнованиях на первенство Ленинграда. Вот памятник блокадному колодцу на уничтоженной Прибытковской улице; фотографии самого колодца не сохранились, и даже место его расположения неизвестно.

Глубокий старик всматривается в застроенный чужими домами двор своего детства. Видите, здесь линия домов чуть-чуть изгибается? Это след прежней улицы, снесенной в шестидесятых годах XX века. Больше от нее ничего не осталось.

Кроме меня

“Исчезли улицы: Новая, Лесная, Янковская, Объездная, Раздельная, Яковская, Ананьевская, Васильевская, Михайловская”. “Исчезли сады и палисадники, сады и куртины, клены, ясени, плакучие березы, дубовые рощи, жасмин, сирень, бузина”. Исчезли картины в тяжелых рамах, кровати с никелированными шишечками, дровяные сараи и деревянные церковки, фонари и фонарщики, песочницы и качели, ЖАКТы и управдомы, смешные собачки, разноцветные стекла на верандах и сами веранды. “Уже тысячи веков, как земля не носит на себе ни одного живого существа, и эта бедная луна напрасно зажигает свой фонарь”. “Холодно, холодно, холодно. Пусто, пусто, пусто. Страшно, страшно, страшно”.

Обрывки фотографий, дневников, мемуаров умерших людей:

“…7-го класса. Июнь 1942 года”;

“…обстрелы нашего района из дальнобойных. Пока живы. Очень голодно”;

“…вещи и бумаги таинственным образом исчезли после ее смерти”.

“Не осталось даже яблонь”

Трамвай, который не сворачивал на пятачке на Второй Муринский, продолжал движение по Малой Спасской. Позади последнего вагона загибался полукругом воздушный шланг пневматического тормоза, именуемый в просторечии колбасой. Повиснув на трамвайной колбасе, не попавшие внутрь пассажиры как ни в чем не бывало катились дальше по своим делам. Говорят, что именно от этого происходит всероссийски известное выражение — “катись колбаской по Малой Спасской”.

Вот и все, что сохранилось в памяти народной от нашего района

Они катились от действующего до сих пор трамвайного кольца возле копии берлинского Политеха, мимо памятника чистейшему банному конструктивизму, мимо дачи Шаляпина, мимо дома с трубой, мимо дач и дачек, садов и садиков, мимо кустов сирени, мимо частично выживших сосен и частично засыпанных прудов. Катились колбаской по Малой Спасской по направлению к центру города, к Адмиралтейству, к Академии художеств, к Сенату и Синоду, к местам, где по-прежнему стоят пятнадцать тысяч старых домов, переживших войну и Матвиенко, окруженных серыми пустотами, к местам, у которых редко бывает добрый гений, но обязательно есть история выживания.

Павел Крусанов

Центр новый, незатопляемый

Еще в начале 1914 года здесь, на Средней Рогатке, знаменитой своими яблоневыми садами, разбитыми в XVIII веке немецкими колонистами, за путевым Чесменским дворцом, где любила останавливаться Екатерина II на пути в Царское Село, собирались строить новый городской центр — Петербург рос, бурлил, жизнь переполняла его и лезла за край, как каша из сказочного горшочка. Градостроительные планы остановила Первая мировая. Потом Гражданская. Надолго.

И только в середине тридцатых идея нового центра на высоких, незатопляемых территориях вновь овладела умами властей. И закипела работа, вытолкнувшая из недр земли гору Дома Советов — символ аскетичного величия наступившей эпохи. Архитектор — Ной Троцкий. Не родственник — фамилия законная, по отцу. Но по линии Сима, как и мы по линии Иафета, родственник допотопного патриарха, в чью честь, как уверены петербуржцы, назван чреватый в былом невскими разливами месяц ноябрь.

Сняли леса с Дома Советов в 1941-м. И тут же на шесть лет идею нового центра заморозила Вторая мировая (в свежей громаде в блокаду располагался наблюдательный артиллерийский пункт маршала Говорова — Пулковские высоты были совсем близко, с верхних этажей видны невооруженным глазом — удобно корректировать огонь), так что в полной мере осуществились планы уже после того, как замирили немца, — к финалу пятидесятых.

Вырос целый район, серовато-бурый (в цвет природного камня), монументальный, гармоничный (впрочем, иной раз тяжеловаты балконы) и строгий, во главе со скалой Дома Советов, притягивающей к себе, точно рукотворная магнитная гора, окружающее пространство. Вырос и раскинулся вдаль и вширь окрест животворящего русла Московского проспекта от, примерно, триумфальной стасовской арки, поставленной, как лично вывел пером Николай I, *в память подвигов победоносных российских войск в Персии, Турции и при усмирении Польши* (самое грандиозное в мире творение из чугуна), и до, примерно, нынешней площади Победы. А отойди от поймы проспекта подальше в сторону, и — голая степь: пустыри, производственные и складские корпуса, предместья (потом это станет парком Победы, Воздухоплавательным парком, типовыми новостройками проспекта Гагарина и промзоной, перемежающейся теми же унылыми новостройками, вдоль Варшавской железной дороги).

К слову, здесь, на Московском проспекте (а был он в свое время и Царскосельским, и Забалканским, и Международным, и — совсем недолго — проспектом Сталина), как нигде бросается в глаза стратиграфия размежевания Петербурга с Ленинградом: от Сенной до Фонтанки — классицизм позапрошлого века, от Фонтанки до Обводного и пятнышком возле “Электросилы” — эклектика и сдержанный (именно здесь сдержанный) модерн начала века прошлого, и вдруг — гранитные цоколи, могучие фасады в гипсовых гирляндах, колоннады и огромные арки — мощный размах сталинского ампира. Нет, что ни говорите — была у нас великая эпоха.

И пусть ветку законодательной власти так здесь и не привили (в Доме Советов обосновалось научно-производственное объединение), район этот заворочался, как гром в туче, зашумел и, напитанный энергиями грандиозного замысла, зажил своей жизнью, включенной в общую сферу городского дыхания, и вместе с тем особой, отчасти замкнутой, лабораторной. Город в городе. Память о первоначальных планах сохранила топонимика — улица, на которую выходят тылы Ноевой глыбы, до сих пор называется улицей Ленсовета. А что с ней поделаешь? — нет у нее старого названия.

Наверное, это была последняя масштабная ленинградская стройка (в те же годы что-то похожее, но с меньшим размахом, возводили возле Нарвских ворот и в Автово), когда проектировщики и строители отдавали себе отчет в том, что в итоге в этих домах будут жить люди. Неспроста в эпоху передела, поздние восьмидесятые и девяностые, здешние квартиры порой обгоняли в цене хоромы золотого треугольника (Невский — Нева — Фонтанка) и Петроградки. Вне конкуренции оставался только изящный модерн Таврической улицы. И действительно — дома нового центра были монументальны и надежны, скверы зелены и широки, потолки высоки, комнаты просторны и светлы, а в кухнях зачастую даже были проведены мусоропроводы (потом их заваривали, чтобы перекрыть пути миграции тараканов). На фасадах здесь до сих пор не сыплется ни штукатурка, ни лепнина. То есть кое-где сыплется, но видно, как тяжело ей это дается.

Глядя на эту мощь сегодня, хочется улыбнуться от нахлынувшей памяти детства. Здесь, по соседству, на улице Ленсовета, я родился и вырос, здесь на Алтайской и на задах Дома Советов играл в казаки-разбойники и ножички, здесь прятался в кустах с первой сигаретой… Именно по соседству — не в надежном сталинском *квадрате* (так называли в моем детстве эти дома размером в квартал), а в хрущевской силикатной пятиэтажке, какие облепили новый центр, точно невзрачные флигелечки и хоздворы барскую усадьбу.

Общее место: старый Петербург — прибежище болотных чертей; теней Пушкина, Гоголя, Достоевского, Белого

Кафе на крыше. Переулок Пирогова, 18

вперемешку с тенями их персонажей; беспокойных химер Каракозова, Перовской, Железняка, Дыбенко; тающих на ветрах перемен, истонченных, с огромными глазными провалами призраков мертвых блокадников, не сдавших Ленинград и вопиющих об отмщении, ну и прочей занятной и страшной мифологии, давшей в итоге право городу называться Великим. Без этого — никак. Пока пространство не напитается яркими жизнями, жертвенными смертями, талантами и мечтами его насельников, оно не оживет, не одухотворится, останется просто камнем, перекрестком, улицей — предметом без всякой метафизики и внутреннего огня, ветшающим без грусти и умирающим раз и навсегда, как случайная чепуха, как вещь без эйдоса. И мы всегда подспудно чувствуем, в каком пространстве оказались — среди пропитанных таинственными токами стен или в пустоте мыльного пузыря, надутого не вдохновением, а необходимостью поместить куда-то на проживание технический персонал этого разрастающегося *человечника*, исполняющий функции по обслуживанию его заводов, фабрик, институтов, портов, магазинов и прочей сферы материальных манипуляций и невещественных услуг. Такие пузыри — новые городские районы от Купчино до Гражданки, от Ульянки до Ржевки, от Комендантского аэродрома до Веселого поселка. Жизнь там парадоксальным образом эфемерна именно потому, что держится на одной физике и голой необходимости. И никогда этим пузырям не стать иными, поскольку все живое, хоть раз почувствовавшее в сердце экзистенциальный ужас (я мал и ничтожен, а мироздание грандиозно и совершенно ко мне равнодушно, моя участь — сгинуть в холоде его равнодушия без следа), бежит оттуда, стараясь хотя бы на время, хотя бы в фантазиях приткнуться к тому, что обещает пусть не физическое бессмертие, но долговечность памяти. В Петербурге это несложно: каменной духовности, имперского многообразия и исторической памяти здесь столько, что порой кажется: исчезни с лица земли весь мир и останься только Петербург — весь мир во всем его многоцветье возможно будет восстановить из Петербурга. Вплоть до Древнего Египта (сфинксы и мумии), вплоть до Тибета (огромное количество монастырских манускриптов, хранящихся в Институте востоковедения, многие из которых до сих пор не переведены, — свидетельство тибетолога и буддолога Федора Ипполитовича Щербатского), вплоть до Эфиопии и Судана (один только Николай Гумилев привез из экспедиции по Восточной Африке, снаряженной Академией наук, богатейший этнографический материал).

Московский район избег судьбы спальных новостроек, как некогда избегла ее Петроградка. Он в этом ряду последний, замыкающий. Во многом благодаря неординарному архитектурному ядру. Отсюда не бегут — сюда стремятся. А еще, возможно, благодаря тому, что здесь происходила и по сей день идет неявная, подспудная, но вполне ощутимая работа по *одухотворению*. Если приглядеться — новый центр с ближайшим окружением весь сочится новой и новейшей мифологией, еще не остывшей, не отстоявшейся, не отфильтрованной от примесей. Живица, смола жизни — через полвека ты будешь янтарь. Здесь на углу Типанова и Ленсовета жил Гребенщиков, на Варшавской — Науменко, под башней у парка Победы — Цой, чуть поодаль от улицы Типанова — Свин-Панов и Рыба. На улице Победы стучал на пишущей машинке Борис Стругацкий. На Московском у кинотеатра "Зенит" невероятный астрофизик Николай Александрович Козырев писал статьи о вулканизме на Луне и теории времени. В *квадрате* на Типанова жил у одной из своих *скво* поэт-хиппи Дмитрий Григорьев. В Чесменском дворце, отданном под учебный корпус ЛИАПу, грыз каменную соль науки Сергей Носов, а в упомянутом кинотеатре "Зенит" (теперь его снесли) крутил кино детворе и воркующей пустоголовой юности философ Александр Секацкий. Это не все — лишь те, кто всплывает в памяти навскидку. В действительности их тьмы (сколько юных дарований прошло хотя бы через студгородок, что на Новоизмайловском близ парка Победы) — разного калибра и разного направления творческих усилий. Энергия надежды, заложенная в это место, нашла свои пути и породила героев нового времени — не счастливое племя коммунистического будущего, а все тех же недоверчивых мальчиков, с беззаветной дерзостью ставящих свои трагические фаустовские эксперименты. (Подумал сразу, что коммунизм, в сущности, — чисто фаустовский проект.) Не все из героев выдержат испытание метаморфоза, не каждая судьба обернется солнечным янтарем, однако придирчивому времени со своей пышущей жаром давильней определенно есть из чего выбирать.

Но так видится теперь, а в памяти детства никакой мифологии не было. То есть, конечно, была, но локальная — уличная/дворовая, — живущая недолго и растворяющаяся без следа, будто сигаретный дымок на балтийском зюйд-весте. Скорее, это даже не мифология, это нечто более размазанное по жизни — этнография. При скором переборе она выглядит примерно вот как.

Молодой уголовник Сатана — чернявый, цыганистый, уже имевший ходку по хулиганке, вечно пьяный и неутомимо рыщущий — у кого бы из пацанов отобрать сэкономленную на школьных завтраках мелочь. Гроза микрорайона. Не дай Боже попасться на его пути — заставит прыгать (звон в кармане выдаст жертву), покажет наборный черенок финки — попробуй только настучать! Целиком *перо* доставать нельзя: обнажил клинок — бей. Повезло, если издали увидел Сатану — обходи за трамвайную остановку (на улице Ленсовета звенели весело трамваи). Говорили, будто он однажды в одиночку *отмахал* троих десантников. Мы, пацаны квартала, очерченного улицами Алтайской, Ленсовета, Орджоникидзе и Московским проспектом, верили. Теперь, задним числом, понятно, что Сатана был заурядный *баклан*.

Пулковские высоты — рубеж обороны — манили нас следами войны, как манит все опасное. Мы ездили туда автобусом 39-го маршрута (станция метро "Московская” — аэропорт “Пулково”), потом пешком пробирались по сырым полям и кустарникам, доставали из школьных ранцев щупы, саперные лопатки и приступали к раскопкам. У каждого из нас в тайниках лежали тупоголовые патроны от немецких “шмайсеров”, мины-летучки с крылышками-стабилизаторами (стараниями послевоенных саперов из *летучек* были вывинчены взрыватели и выплавлена начинка), немецкие гранаты-колотушки и русские *лимонки* (тоже без взрывателей), изъеденные ржавчиной винтовки и автоматы — сохранные нам не попадались. Говорили, на Пулковских есть целые блиндажи, засыпанные взрывами артподготовок, где похоронены оружие и боеприпасы — в ящиках и в смазке. Однажды два наших приятеля из соседней *красной* (цвет кирпича) школы-восьмилетки с раскопок не вернулись — подорвались. Подробностей никто не сообщал. Наверное, нашли блиндаж.

Ничем не примечательная девочка Таня, старшеклассница из 9 “А”, бросившаяся вниз с двадцать второго этажа (только недавно два таких дома — на ту пору самых высоких в Ленинграде — построили в устье Московского проспекта). Мы знали ее, видели в школе едва ли не каждый день. Говорили, из-за несчастной любви. Говорили, она упала так, что лицо совсем не пострадало, и было видно (городской романс), как по мертвой щеке катится слеза.

На открытых пространствах между домами заботами городских властей были обустроены площадки, огражденные по периметру деревянными щитами (их называли *коробки*): летом — небольшие футбольные поля, зимой — территории хоккейных баталий. Футбол не запомнился — воистину то была хоккейная эпоха. С первыми холодами дворники заливали землю в *коробках* под каток. Лучшими хоккейными ботинками считались чешские (чехи — наши самые непримиримые враги на шипящем под стальными лезвиями льду) — с длинным языком спереди и высокой пяткой; в них можно было туго затянуть лодыжку. Коньки точили сами — напильником. Сами обматывали чуть загнутую рабочую поверхность клюшки стеклотканью, посаженной на эпоксидку, чтобы не разлеталась с первых же *щелчков*. Щитков, шлемов, вратарских масок у нас не было, а если и были, то скорее как исключение, но это ничего — нам было хорошо и без них. И обходились без тяжелого травматизма. А без легкого — без него куда ж? То было время легендарных советско-канадских (против нас играла НХЛ, но почему-то игроков все равно называли канадцами) хоккейных серий. Справившись с домашним заданием, вечерами мы приходили к коробке, прогоняли юных фигуристок, крутящихся волчком на прямых, с зазубренным носиком коньках (наши были выгнуты по длине, закруглены спереди и имели сзади пластмассовую насадку во избежание боевых ранений), и устраивали свои чемпионаты. Градус азарта, обиды, восторга и разочарования во время наших матчей был достоин того, какой испытывала страна в часы трансляций *игр века*. Быть может, благодаря этим самым коробкам, залитым водой из дворницкого шланга, наша страна девять лет подряд (!) становилась на боевом льду чемпионом мира (да и фигуристы крутились что надо). Жаль этих дворовых ристалищ — они ушли в прошлое, как вкус настоящего бекона и молоко, способное скиснуть.

Серийный маньяк, душивший электрическим шнуром (упоминавшаяся деталь) малолеток обоего пола. В глинистой воде карьера, что за улицей Орджоникидзе, в сентябре нашли четвероклашку из нашей школы и пятиклассницу из *красной*. С той осени нам запрещали после школы выходить со двора (кто бы слушался), а малышню оставляли в школе в группе продленного дня, чтобы родители могли забрать детей после работы. Говорили, нельзя надевать вещи зеленого цвета — убийцу сводит с ума зеленый. Говорили… Словом, черт-те что говорили. Маньяка поймали только весной, он оказался собачником, выгуливавшим на площадке овчарку-колли. Приглашал подошедшего погладить собаку малыша посмотреть щеночков и заводил в укромный уголок. Само собой, злодея расстреляли.

Карта безопасных перемещений по городу: *своей* территорией считался наш квартал плюс те дворы, где жили одноклассники и одноклассники наших старших братьев. А еще была дворовая дружба, расширявшая жизненное пространство, поскольку если ты, скажем, учился в 508-й — французской — школе, а твои дворовые друзья Вова Жуков и Вася Стебловский учились в 526-й — английской, то, стало быть, дворы, где жили их одноклассники, были открыты и для тебя. В другие места (внутренние пространства микрорайонов) в одиночку и даже малыми группами лучше было не соваться — территории охранялись на уровне звериного инстинкта. Особая вражда была у нас с *варшавскими* — этот народец обитал за Московским проспектом в окрестностях Варшавской улицы и олицетворял для нас агрессивное варварство, равно как и наоборот. Возможно, в подобных детских играх, несмотря на их жестокость, был свой смысл, как в драках стенка на стенку в престольные праздники, — например, они помогали поддерживать молодые организмы в физическом и эмоциональном тонусе на случай, если явится вдруг настоящий враг, против которого мы встанем с *варшавскими* плечом к плечу. Бог весть. Однако уверен: жизнь причудливее наших представлений на ее счет.

Гостиница "Пулковская" на площади Победы, которую сначала должны были строить шведы, но в результате заказ получили финны. Эта стройка переменила в наших краях судьбы многих — старшеклассники быстро освоили навыки фарцовки (теперь центр новый на равных общался с центром старым — по крайней мере в лице местной фарцы и деловой *галёры*), а старшеклассницы скорректировали девичью мечту: теперь принц из их снов имел облик рыжего финского экскаваторщика.

А ловля тритонов проволочным крючком в канавах на *буграх* (там сейчас Пулковский парк)? А зимний полет на санках с дотов (второй эшелон обороны) на тех же *буграх*? А поездка с Федей Козыревым в Пулковскую обсерваторию за зарплатой его отца (Николай Александрович лежал дома с простудой)? А ритуалы освоения половых ролей? А первый опыт измененного сознания посредством крепленого вина “Дербент”? А музыка?

Да, музыка, которая вдруг стала для нас всем — настолько, что, казалось, вне музыки нет уже и самой жизни. И музыка ли это была? Неужели бас с барабанами и несколько гитарных аккордов способны сбить набекрень голову как минимум двум поколениям? Это была эпидемия, это было сумасшествие, это был приступ коллективных грез, вытеснивших реальность в область маргиналий. Определенно, проблема еще ждет своего исследователя (например, Секацкого, который уже развенчал медицину, проследил порочный путь Запада от Просвещения к Транспарации и описал покойников как элемент производительных сил). Ну а мы… мы слушали музыку, мы переписывали музыку, мы говорили о музыке, мы лакомились ее причудливыми завихрениями, ее вмещающим весь мир объемом, мы неумело и коряво пробовали ее играть, и наконец мы музыку заиграли. Сначала так, как играли ее музыканты с постеров на стенах наших комнат, а потом так, как она, омытая в смеси крови с портвейном, зазвучала в наших сердцах. Кто-то тяготел к ее поэтике, к специфике духа, кто-то — исключительно к урагану формы. Ее, этой музыки, было много, она была разнонаправленна и разнокачественна, ее играли дураки и умники, музыканты-профессионалы и люди, в глаза не видевшие скрипичного ключа, у нее были и ангельский, и демонический лики, но вся она являла пример отчаянного нестяжания и звучала лишь потому, что не звучать не могла. Подавляющий массив этого шума эпохи затих навсегда, но то, что пережило давильню времени, известно теперь всем. В том числе музыка моего Московского района. Услышишь — не ошибешься.

Пожалуй, здесь обрежем по широкому краю. *Обо всем* вспоминать не хочется: глупость, суета, да и просто стыдно. Этого добра у юности с горкой. Порой она вся только из него и состоит.

Два последних штриха.

Констатация: независимо от сказанного Московский район, часть большого тела Петербурга, стал генератором новых мифов, стал точкой роста его благодати и местом притяжения мечты. Эти дворы и улицы достойны любви и отчаяния — да пребудет с ними сила тех, кто отдал им свою *живицу*.

Признание: я предал свой Московский район, свой незатопляемый новый центр. Такое случается сплошь и рядом — называется: право на свободу передвижения и выбора места жительства. Никто не пострадал от моего предательства. Я живу среди камней старого Петербурга, но не намерен порочить те камни, которые покинул, — они настоящие. Они и тогда не были пустым местом, и уж конечно, не таковы они теперь. Город живет, он прекрасен и холоден, строгий дух его ежечасно требует от нас дымов жертвенников. Требует от всех, но принимает не от каждого: *будь осторожен, следи за собой*.

Илья Бояшов

Лабиринт

В Петергофе есть Нижний парк.

В Нижнем парке есть Лабиринт.

Воссозданный в 2009 году, он не особо знаком посетителям — скажу более: о нем мало кто догадывается. Сюда забредают лишь случайные, чересчур любопытные туристы, имеющие обыкновение заглядывать в удаленные закоулки и обладающие недюжинной физической закалкой, ибо после осмотра главной петергофской изюминки — аллей, фонтанов и дворцов — только самый выносливый и любознательный найдет в себе силы прошагать в конец восточной части парка, почти к его ограде. Обнаружив удивительную зеленую изгородь, заглянув за нее, любопытный удивится тишине и безлюдности места, со всех сторон огражденного канавкой и трельяжными решетками. Внутри Лабиринта все те же решетки (версальский стандарт: 2 м 20 см), шпалеры, кустовые липы, боскеты, в которых высажены декоративные яблони — настоящие кудрявые карлицы. Если турист найдет в себе силы немного поплутать в Лабиринте, заглядывая в каждый боскет, в каждое зеленое ответвление — он непременно будет вознагражден. Восемь аллей ведут от центра, где находится пруд, в середине которого — единственный здесь жизнерадостный фонтан: мощный водяной столб. Вода в пруду исключительно прозрачна. На редких скамьях любопытствующий обнаружит разве что влюбленную парочку, для которой Лабиринт есть спасение от всяческих ненужных глаз и которая, конечно же, благословляет место, позволяющее ей в полном одиночестве ворковать и миловаться сколько душе угодно.

Возможно, турист сам отдохнет в Лабиринте и даже перекусит там, вытянув ноги, достав из рюкзачка или сумки бутерброды и термос. Невидимый с Марлинской аллеи, закрытый плотной зеленью от петергофской сутолоки, голосов, музыки, царящих совсем недалеко, в пятистах метрах, разглядывая окружающие Лабиринт березы и ели (такие разлапистые, коренастые, волшебные ели есть только в Нижнем парке: нигде более я не видел подобных), неизбежно он удивится здешним спокойствию и безмятежности. Не сомневаюсь: тибетские ламы будут довольны этим местом — оно создано для медитаций. Не раз я замечал: оно замедляет время. Подозреваю: иногда оно его попросту останавливает.

Никто не знает, когда во время строительства парка именно здесь впервые появился Петр — в заляпанных ботфортах, в расстегнутом кафтане, деловитый, сопровождаемый озабоченной свитой — вездесущим Меншиковым, великим Леблоном и услужливым Ягужинским…

В Петергофе было людно и грязно. Повсюду лежали мостки. Под ногами чавкала глина. Болота, в которых тонули даже лоси, переворачивались вверх тормашками — прорывая отводные канавы, по колено в воде пыхтели пленные шведы, каторжники, крепостные, солдаты переведенных сюда им на подмогу полков. До пяти тысяч человек, ежедневно копая, отводя воду, трамбуя почву, свозя на прокладываемые аллеи песок, волею человека, уже видевшего Красоту на месте топей, превращали безнадежную, казалось бы, низину в будущее место для самого безмятежного отдыха и увеселений.

Что касается петергофского Лабиринта, он был ответом Лабиринту версальскому: поэтому и шли к берегам отвоеванной Ингерманландии корабли с голландскими дубами и липами, с итальянскими скульптурами из каррарского мрамора. Поэтому и выписывались из Европы такие мэтры, как Микетти, Суалем, Шлюттер, Гарнихфельд…

В 1721 году, когда по приказу царя за возведение Лабиринта взялся Леблон, а после него — итальянец Микетти, здесь так же, как и на Большом Каскаде, стало весьма оживленно. Квадратный участок площадью в два гектара выкорчевывался, осушался, засыпался плодородной землей, затем несколько сотен людей под присмотром садовника Гарнихфельда занялись посадкой кустарника. Уже выкопали проточный овальный бассейн, вокруг которого расставили свинцовые золоченые статуи...

Петр умер, Лабиринт остался...

Не сомневаюсь: удаленный от дворцов и бьющей там полным ключом придворной жизни, он был все тем же местом тайных встреч и вдохновленных уединений; одни парочки сменялись другими, время в нем все так же замедлялось. Возможно, как я уже говорил, оно останавливалось...

В 1770 году его зафиксировал на планах топограф Сент-Илер.

По описи 1783 года, составленной садовым мастером Башловским, в шестнадцати его куртинах росли кусты орехов, красной и черной смородины.

В 1819 году архитектор Броуэр заменил булыжные откосы бассейна кирпичными стенками.

Затем, в восьмидесятых годах века XIX, "на возобновление" его было ассигновано пятьсот рублей.

Затем, в окаянном XX веке, Лабиринт был заброшен.

В сталинские тридцатые он еще "просматривался" — заросший, изменившийся до неузнаваемости: так зарастает бородой и изменяется парализованный страдалец, которого некому приводить в порядок.

В сороковые по нему прокатилась катком война — обреченный петергофский десант (пятьсот моряков; осень отчаянного 41-го) вгрызался в эту землю и почти целиком остался в ней — искромсанный немецкими осколками, порезанный немецкими пулеметами. Место, где был Лабиринт, обильно полилось свинцом и железом. Более того, оно стало могилой для одного из матросов, останки которого обнаружились в 2009-м. Все здесь взрывалось, крошилось, рушилось. Лабиринт исчез; он растворился, он заболотился, однако в начале тучных двухтысячных воскрес самым удивительным образом: несколько лет усердных работ — и появились трельяжи, кустарник, бассейн…

Петергофец со стажем (двадцать лет живу напротив парка), я люблю забираться в этот самый малопосещаемый угол именно осенью, ясным, как вымытое окно, деньком, прихватив с собою фляжку с коньяком и нарезанный дольками лимончик.

О чем думаю, без труда находя скамью, постелив для лимона салфетку, прислушиваясь к жизнерадостному фонтану, рассматривая все те же березы и те же великолепные ели и наполняя походную рюмочку? О том, что человечество любит не только загадки. Человечество любит придумывать себе разнообразные трудности. Следовательно, оно любит лабиринты. Оно нуждается в них, ибо они — образец преодолевания препятствий. Человечество отдает себе отчет в том, что из некоторых лабиринтов просто не выбраться. Древнеегипетский лабиринт близ "города гадов" Крокодилополя представлял из себя огромное гранитное четырехугольное здание, в котором было до трех тысяч комнат и множество коридоров. Лабиринт уходил под землю и занимал пространство в 70 тысяч квадратных метров. От Фаюмского лабиринта остались только развалины, но можно также не сомневаться — система комнат, дворов, коридоров в нем была настолько запутанной, что без проводника посторонний человек из него, как и из крокодилопольского, не нашел бы дорогу к выходу. Царил абсолютный мрак, а когда открывали двери, они издавали звук, схожий с раскатами грома.

Греки были большие доки в создании безнадежнейших лабиринтов. Лабиринт Минотавра в Кноссе темный и мрачный. Там все дышит смертью. Можно представить себе весь ужас очередной брошенной на растерзание девицы, ее обреченное блуждание без всякой надежды выжить и, наконец, смрадное дыхание человека-быка, притаившегося до поры до времени в паутине коридоров.

Кстати, царство Аида — такой же кошмарный лабиринт, из него нет выхода: тени бродят в нем целую вечность.

Не менее угрюмы римские лабиринты: взять хотя бы захоронение царя Порсенны в Клузиуме — курган (250 метров в окружности) с целой сетью погребальных склепов и переходов. Для римлян лабиринт есть прежде всего отчаянная безысходность; зашедший туда, если нет на то воли богов, более уже не возвращается…

Врѐмена, однако, менялись — в XVI веке испанцы придумали лабиринты, из которых все-таки можно выкарабкаться, правда, хорошенько побродив по ним. О, это были совсем другие лабиринты! Это были лабиринты под открытым небом, которое уже одним своим присутствием внушает надежду! Они были дерновыми, состоящими из переплетающихся между собой растений, зачастую такими же запутанными, как и Фаюмский, с одной лишь разницей, что к заплутавшим в них (а не заплутать было просто-напросто невозможно) всегда приходила помощь в образе милосердных садовников.

Итальянцы подхватили почин, создавая подобные лабиринты чуть ли не в каждом парке. На первый план выходила эстетика — ровно стриженный кустарник; великолепные топиары; штамбовые деревья. Заходящие в лабиринт любовались флорой, которая под руками мастера принимала формы самые причудливые….

Лабиринт перестал быть кошмаром, он превращался в сложную, но вполне разрешимую задачу.

В Европу пришла мода на лабиринты.

Созданный французами лабиринт Версаля (1674 год) есть уже лабиринт-удовольствие: в нем стремились затеряться влюбленные, ища самые укромные тупики, куда никто никогда не заглянет.

В XIX веке всех переплюнули англичане, поистине помешанные на лабиринтах-развлечениях. Посетители оценивали, опять-таки, прежде всего эстетику, плутая по дорожкам, ведущим к одному центру, но изгибающимся в разные стороны и переплетающимися между собой настолько замысловато, что вполне можно было запутаться в той бесконечности.

Лабиринт в Хэмптон-Корте описывает Джером Клапка Джером в своем бессмертном произведении “Трое в лодке, не считая собаки”. Отчаяние заплутавших героев здесь поистине смехотворно; самое страшное, что их ожидает, — они могут не поспеть к ужину.

Я опять наполняю рюмочку. Я продолжаю думать о вещах банальных. Суть их в том, что существование наше есть весьма запутанное, в некоторых случаях почти безвыходное блуждание в комнатах, коридорах и бесчисленных переходах, иногда даже схожее с фаюмским или кносским…

Майкл Эртон сказал: “Жизнь каждого человека — лабиринт, в центре которого находится смерть, и, может быть, даже после смерти, прежде чем окончательно перестать существовать, человек проходит последний лабиринт”.

Еще раз подчеркну — сравнение жизни с лабиринтом, конечно же, не новое, но от этого не менее значимое. Частенько мы сами себя загоняем в лабиринты, в которых разве что Минотавр не поджидает: а так все удовольствия к нашим услугам — безвыходность, мрак и ужас.

И все-таки — нас тянет в лабиринты. Мы не можем без лабиринтов. Нам нужны лабиринты. И каждый раз, выползая из очередного на свет Божий, клянемся: “это в последний раз”, “более ни за что”, “никогда более не позволим себе заглянуть туда”, “больше рисковать ни за что не будем”, “в конце концов, есть уже опыт”, и т.д., и т.п.

Но рискуем.

Но заглядываем.

Но проваливаемся в следующий, полный бесконечных переходов.

Причем нет никакой гарантии, что выберемся…

Петергофский Лабиринт безобиден. В нем не заплутает даже ребенок. Просвеченный солнцем со всех сторон, он не имеет теней. В каждом его боскете, в каждом изгибе, изветвлении присутствует радость. Фонтан в центре — воплощение энергии. Здесь чувствуется близкое море (залив с запахами водорослей, тростника, влажного песка — в ста метрах). Лабиринт тих и пуст, но привычная пустота его не угнетает, а напротив, бодрит. Он для избранных, для тех, “кто знает”, кто, когда-то случайно забредя в “уголок”, вновь и вновь опускается на эти скамьи “с коньячком”.

Мне приятно быть избранным.

Приятно быть тем, “кто знает”.

Если бы все лабиринты были такие: простые, наивные, полные света и тишины… Если бы из всех можно было бы так просто выйти: встать, обогнуть два угла, пройти с десяток метров и очутиться все на той же Марлинской аллее, целый день заполненной разнообразным людом, не подозревающем о существовании столь философского места.

Если бы все лабиринты дышали подобной свежестью и приводили к подобному расслаблению: созерцательному, отрешенному…

Петергофский Лабиринт уникален.

Свидетельствую: в пятистах метрах от водяного шума, киосков, оркестров — совершенно иная реальность.

Петергофский Лабиринт божественен.

Ему не нужно рекламы. Приход таких, как я, нескольких чудаков или любопытных праздношатающихся за день его вполне устраивает. Он всегда готов предоставить спокойствие.

Он ждет.

Выпиваю третью рюмочку именно за него.

Елизавета Боярская

В Питере — жить!

В моем паспорте в графе “место рождения” стоит город Ленинград, что весьма значимый нюанс для целого поколения, чье детство случилось как раз в перестройку. Это время мы застали, и смутно, но помним, что было до и что стало после. Но помним, естественно, через призму своего детского восприятия.

Ленинград для меня был столь же обаятелен, как и Петербург теперь. Обаятелен — потому, что все обрывочные воспоминания вызывают у меня улыбку и нежность, в то время как у родителей они вызывают оторопь. Ведь в детстве мы не понимали, как могло бы быть, и находили радость и интерес во всем, что нас окружает.

Ленинград мне помнится в довольно однообразных красках: красные детские комбинезоны, у меня был такой, красные зонты, красные “жигули” и красные сумки: все остальное как-то примерно одного серо-коричневого цвета.

Одно из главных воспоминаний детства — походы с мамой за продуктами. Гастрономы все были примерно похожи один на другой: запах несвежего мяса и сладковатый запах бумаги, в которую его заворачивали, грязный мраморный или кафельный пол — и грандиозные прически женщин, возвышавшихся в будке с надписью “касса”. Но два гастронома я помню особенно. Один находился на углу Миллионной (раньше Халтурина) и Мошкова переулка, сейчас там итальянский ресторан, второй — на Конюшенной площади.

Поход в магазин был огромным делом. Очереди, отделы, талоны, чеки, деревянные счеты… Очень хорошо помню прилавки: березовый сок, морская капуста, килька в томатном соусе, грязные овощи. В рыбном отделе я долго не могла находиться, но на всю жизнь запомнила запах рыбы минтай, которую мы варили для кота. С мясом — отдельный фокус. Мы были одними из тех счастливчиков, у кого имелся свой знакомый мясник, поэтому в назначенный день и час мы подходили к магазину с заднего хода и ждали нашего благодетеля. И вот он выходил, в очень грязном, окровавленном фартуке, с тушкой в руках, которую при нас победно разрубал столь же грязным топором. Вид этого человека у меня, естественно, вызывал священный ужас — но он всегда широко улыбался, был весьма обходителен и любезен.

Все эти походы “по задам” и томление в очереди скрашивались двумя вещами. В том самом гастрономе на Конюшенной стоял заветный прилавок с конусообразными сосудами с маленькими стальными краничками, из которых в разные дни разливали то яблочный, то томатный сок, а то иной раз и дюшес — за этот вкус можно было вытерпеть все. А дальше, по дороге в булочную, на той же Большой Конюшенной улице (бывшей Желябова) стоял небольшой киоск, и в нем были умопомрачительные вафельные трубочки со сливочным кремом или с вареной сгущенкой.

Вообще наш район я помню очень хорошо, он мало изменился, разве что стал более ухоженным и респектабельным, а так, к счастью, все постройки остались на местах. Помню, что очень любила ходить с родителями в Дом ленинградской торговли (ДЛТ). Конечно, тогда там всё было обречено на однообразие и серость, но мне казалось, что прекрасней этого места нет ничего на свете.

Далеко не сразу мы начинаем ценить то, что совсем рядом с нами. Наш дом стоит в шестистах метрах от Эрмитажа, я десять лет ходила мимо него в школу и, по большому счету, не замечала его. Только уже став взрослым человеком, я стала ценить, вглядываться и наслаждаться. Зато тогда в ДЛТ ряды одинаковых неваляшек, резиновых кукол и игрушечных столиков, расписанных под хохлому, вызывали у меня неподдельный восторг.

В моем детстве — думаю, что к счастью, — не было компьютеров, поэтому, конечно, мы очень много гуляли. Мама возила меня на санках в Михайловский сад и тогда, о как это было прекрасно! — можно было скатываться хоть кубарем, хоть на ледянках прямо в замерзший пруд, что позади Русского музея. Сколько там было детей, какие фантастические горки! Мы могли там беситься часами… очень жалко, что сейчас он огорожен. Еще там был каток, его мы тоже не обходили стороной. А летом больше носились по дворам-колодцам на набережной Мойки. Во дворах Капеллы играли в али-бабу, казаки-разбойники, городки, классики, вышибало, прыгали на резиночке. Сколько игр разных было, не счесть, и сколько друзей во дворах…

Когда случился путч 1991 года, мне еще не было шести лет. Мы с мамой и братом полетели в родной город мамы Ташкент навестить дедушку. Мы пробыли там буквально несколько дней, как вдруг в срочном порядке стали собирать чемоданы и менять билеты, чтобы вылететь в Ленинград как можно скорее: мама была страшно напугана, она боялась, что нас могут просто не выпустить из Узбекистана и не пустить домой… Полная неизвестность и растерянность. С "высоты" своего пятилетнего возраста я, конечно, не могла прочувствовать и оценить весь масштаб события с политической точки зрения.

Помню, как круто поменялось мое детское сознание, когда, спустя короткое время, в нашу с братом жизнь хлынули невиданные яства и изобилия… Началось все с "Фиесты" (предок нынешней "Фанты"), которую все в том же гастрономе на Конюшенной площади продавали на разлив в свою тару. И дальше понеслось: жвачки, кока-кола, сникерсы, эмэндэмсы, чупа-чупсы, чипсы… Папа стал ездить на гастроли за границу, и его возвращения мы ждали с замиранием сердца: когда откроется чемодан, и из него вывалится счастье всех цветов радуги — платья, заколочки, носочки, кроссовки, костюмчики, барби, машинки, сладости… чего там только не было — и все только нам с Сережей! И родители со слезами на глазах смотрели на наши обезумевшие от радости лица.

Конечно, город стал меняться и преображаться с тех пор, как мэром, уже Санкт-Петербурга, стал Анатолий Александрович Собчак — он, кстати сказать, жил со своей семьей в нашем доме, на четвертом этаже. Мы не раз встречались семьями за дружескими посиделками, и у меня остались самые теплые и добрые воспоминания об этих вечерах. До сих пор я храню книгу-альбом "Санкт-Петербург", который мне в день рождения подарил Анатолий Александрович.

А дальше… дальше мой Петербург менялся в зависимости от моего "нового" возраста, интересов, переживаний, настроений.

Я взрослела, наполнялась новыми впечатлениями, формировалась, вкушала жизнь в кругу театральной семьи и, хотя отрицала какой-либо интерес, внутренне была вполне расположена к актерской профессии. И главное, всегда была очень впечатлительна. Как писал наш сосед, живший напротив, на другом берегу Мойки: "Ей рано нравились романы; Они ей заменяли все; Она влюблялася в обманы И Ричардсона, и Руссо". Не претендую на лавры Татьяны, да и в свои двенадцать лет еще не притрагивалась к Руссо, но строфы "Онегина" по-особому показали мне мой город, и таким образом в моем воображении (или наоборот — в юношеской реальности) появился парадный Петербург.

Я грезила бальными залами, ходила на лекции в Эрмитаж и на танцы в Аничков дворец, заглядывалась на "нетерпеливый раек" в театрах, гуляла по Дворцовой набережной, слушала в наушниках вальсы и полонезы и "воображалась героиней своих возлюбленных творцов". Все, разумеется, втайне от близких. Было бы ужасно стыдно, если бы меня вдруг уличили в таком "изощренном" романтизме.

Естественным образом мой Петербург "менял окраску". Вдруг становился фатальным и мистическим — после прочтения "Пиковой дамы"… властным, самодержавным и беспомощным перед стихией и перед той же властью — после "Медного всадника"… жестоким, лживым и двуличным — после "Станционного смотрителя"… и так далее. Пушкин щедро наделял своего героя — Петербург — самыми разными качествами. И каждый раз с тем или иным произведением или эпизодом у меня ассоциировалось определенное место, улица, переулок. И далеко не всегда все совпадало с описанием автора: это было моим ви́дением, подчиненным жадному воображению.

Все то же было с Гоголем и, конечно же, с Достоевским. Я открыла для себя новый, мрачный, удушливый, зловонный мир Сенной площади и всех вытекающих из нее улиц в противоположную от Невского проспекта сторону. Подьяческие, Гороховая, Малая Мещанская, Екатерининский канал... Разумеется, в реальной жизни тот район нельзя наделить такими эпитетами, но созданный Достоевским мир серости, тумана, духоты, грязи, нищеты, дна, низа так врезался в сознание и одурманил, что для меня до сих пор все, что "справа" от Сенной, — это Петербург Достоевского. И в определенное настроение по нему очень хочется погулять. А в школьные времена я просто обожала петлять по местам героев Федора Михайловича и не один раз прохаживала те самые 730 шагов от ворот дома Раскольникова до дома старухи-процентщицы (набережная канала Грибоедова, 104).

Потом, в соответствии со школьной программой, для меня возникли Петербург Ахматовой, Мандельштама, Блока, Бродского, Довлатова, и так далее, и так далее.

Конечно, тогда я ужасно стеснялась своих фантазерских повадок. А сейчас мне ужасно нравится, что, гуляя по любимому городу, я могу пропутешествовать в самые разные эпохи, места, обстоятельства. Невольно возникает целая череда самых разных мыслей... и рассуждений. В конце концов, всегда любопытно сравнить свои впечатления и ощущения — тогда и сейчас. В этом доме, я знаю, во время блокады Ольга Берггольц навещала Анну Ахматову, а в этом, я так придумала, жила Каренина с семьей, тут Онегин мчится прочь после объяснения с Татьяной, тут, в подвале "Бродячей собаки", собирались "сливки" Серебряного века... Так, наедине со своими мыслями, можно в гордом одиночестве прогулять довольно долго.

Мне нравится, что у меня есть Ленинград моего детства, с дворами и закоулочками; есть мой Петроград и блокадный Ленинград — история моей семьи неразрывно связана с историей города, с ее страшными и светлыми страницами; есть мой воображаемый Петербург, есть места для грусти, есть для радости, есть свой мост, своя крыша, своя набережная, свой сад, своя булочная, своя церковь, свой пейзаж… Есть даже самый любимый и ни с чем не сравнимый запах каналов. Но я уверена, что такой калейдоскоп любовей и привязанностей есть у каждого петербуржца.

Так что в Питере — пить, в Питере — любить, в Питере — жить!

Михаил Пиотровский

Мой Эрмитаж

Есть знаменитое замечание известного критика Стасова, лидера "Могучей кучки", назвавшего Эрмитаж неудачей. Или, как сейчас бы сказали, "неудачным проектом"... Стасов был абсолютно неправ. Он был человеком из круга "передвижников", поэтому немудрено, что из его уст прозвучала такая критика. На Эрмитаж он смотрел с точки зрения того, что тот сделал для становления русских художников. Это был взгляд, придавленный определенной "идеологией".

Но при этом для определенной части российского общества Эрмитаж всегда — на протяжении веков — был "крайне чужим". К нему относились в том числе и агрессивно. Но агрессия эта никак не могла и до сих пор не может перечеркнуть того факта, что сам по себе "проект" успешен. В чем же заключался его успех?

Прежде всего это прекрасная художественная коллекция, прозвучавшая во всем мире как знаменитое Собрание. Екатерина II и последующие российские императоры понимали: само наличие Эрмитажа показывает, сколь они культурны и сколь мощна наша страна. В этом, собственно, и была главная задача музея. Эрмитаж, правда, довольно поздно открыли для посещений. Сначала это был почти частный музей, куда люди входили весьма нечасто. У меня в книге "Мой Эрмитаж" есть глава "Императоры и поэты", в которой собраны все знаменитые высказывания об Эрмитаже знаменитых писателей. И те же стихи Пушкина показывают, что картины Эрмитажа знали. И не только в рамках знаменитой "военной галереи". Эрмитажные образы Пушкина — это и "Мадонна" Рафаэля, и уже тогда обозначившиеся проблемы реставрации. Музей все-таки посещался и во времена, когда он был частью императорского дворца и императорской коллекции. Открыл его — для просветительских посещений — Николай I.

Эрмитаж — это музей, который не спускается вниз: ты должен подняться на его уровень. Рассказ Глеба Успенского "Выпрямила" — про красоту луврской Венеры Милосской — как раз формулирует "принцип Эрмитажа". Он должен людей поднимать, выпрямлять, созывать нужных ему, обучать их. То есть поднимать до себя тех, кто хочет подняться до уровня Эрмитажа. Когда Эрмитаж только открылся для посещений, художники из Академии художеств ходили сюда в первую очередь копировать. В музее об этом сохранились записи. Для критиковавшего Эрмитаж Стасова все эти привычки Академии художеств были тогда ненавистны, художников-демократов все это раздражало. Но тот же Стасов написал чудную статью про реставрацию "Мадонны Конестабиле" Рафаэля — с прекрасными описаниями, как счищают дерево, щадят живопись... Не мог не признать.

Интересно, что это раздражение Эрмитажем было унаследовано и советской властью. Эрмитаж раздражал ее невероятно. Как раз своим фирменным сочетанием имперскости и художественности. Эта имперская стать сохранилась в Эрмитаже до сих пор. И сегодня одних тошнит от того, что Эрмитаж выставляет у себя современное искусство, других — от постоянных имперских выставок музея, когда торжественные дворцовые залы наполняются костюмами знати.

Интересно, что никто из советских правителей ни разу не приходил в Эрмитаж в официальном качестве. Чувствовали, что эти осанки, эполеты, парики на картинах великого музея погасят их самодельное величие? Эрмитаж им прямо сказал бы, что они выскочки.

Эрмитаж в принципе *сам* выбирает, кто ему нужен, и если человек не *его*, ему в Эрмитаже не удержаться, проверено многолетним опытом.

В семидесятых годах обозреватель наипопулярнейшей тогда "Литературки" журналист Евгений Богат написал целый цикл очерков об Эрмитаже. Героями его очерков были эрмитажный Рембрандт, Ватто, сам Эрмитаж. И то, что писал тогда Богат, возобладало каким-то неустаревающим качеством. Именно во второй половине XX века Эрмитаж стал осознаваться как уникальное культурное явление — России и мира. Тут очень трудно высчитать одно важное соотношение, когда музей должен подойти к людям, а когда сказать им с высоты "своего уровня": подойдите ко мне. И в какой-то момент оказалось, что Эрмитаж уж точно имеет право сказать нам: "подойдите ко мне". В том-то и весь фокус, что он имеет на это право. Поэтому очень часто в Эрмитаже много фанаберии.

"Подойдите-ка ко мне" — это ощущение, с которым живет каждый хранитель Эрмитажа. Существует даже такая профессиональная "хранительская" шутка: вот исчезли бы все "эти посетители", и мы бы спокойно жили, ходили бы себе по музею, не волнуясь о безопасности картин, и счастливо занимались своей наукой, никого не пуская в залы дворца.

В телецикле "Мой Эрмитаж", делая фильм о покушениях на коллекцию великого музея, предпринятых советской властью в начале XX века, я цитировал прекрасную фразу Александра Бенуа, в 1918 году заведовавшего Эрмитажем. Не думайте, говорил Бенуа, что искусство существует для того, чтобы его как можно больше показывать широким массам; оно "обслуживает" совершенно иные, "высшие способы человеческого познания". То есть высокое искусство существует не столько для широкого потребления масс, сколько для высокого любования одиночек.

И поэтому, собственно, твое пребывание в музее еще не означает, что ты соответствуешь этому высокому искусству. А ему нужно все время соответствовать. Хоть по сравнению с Эрмитажем мы все "букашки", но каждый из нас все равно должен стараться соответствовать Эрмитажу. Я думаю, что горы книг, которыми у меня завалены столы кабинета (они тут не просто лежат, а все время по нему крутятся), — это моя попытка соответствовать Эрмитажу. С одной стороны, ты "играешь", и музей, особенно такой большой, универсальный, дает тебе возможность собирать, складывать здесь "абсолютно свои" модели, свои маршруты. Начиная с самого примитивного: куда ты сегодня пойдешь в Эрмитаже — в этот его угол или в тот? Но, с другой стороны, музей — это совершенно цельный организм. И у него тоже есть "свои игры".

Да, ты играешь в его пространстве. Но музей, как Гулливер, наблюдает за тобой, что ты делаешь. Играешь? Ну играй-играй себе — пожалуйста, сколько угодно — однако помни, что есть какие-то вещи, которые преступать нельзя. И так не только в Эрмитаже, но и в целом в культуре. Если переступишь, тебя вышвырнет.

Что это за "вещи", которые нельзя переступать? Точно не знаю, они не описываются простым языком. Но понятно, что нельзя посягнуть на то, чтобы делить музей. Нельзя проявлять не только непочтение, но и гордыню, когда ты начинаешь делать так, как ты считаешь нужным, придумав в голове эту “игру” и уже совсем не обращая внимания на музей, его историю, людей, которые в нем работали… Музейный организм ведь состоит не из набора отдельных вещей, а из всего — из архитектуры, из истории и стен, и людей, которые здесь работали, работают и будут работать. В общем, живи и помни, что музей на тебя смотрит, как Гулливер. И не гордись своей вольностью вроде бы всем здесь распоряжаться.

Наталия Соколовская

Мания Бенуа

Сначала была рифма.

Рифма была парной: Мадонна Бенуа / Дом Бенуа.

…В детстве я думала, что это сочетание гласных — имя, напоминающее цветок, раскрытый в младенческом зевке: Бенуа-а-а-а… Но потом оказалось, что золотоволосую почти девочку на картине зовут Мария, саму картину — Мадонна с цветком, а Бенуа — фамилия владельцев картины. Еще позже я узнала, что в 1912 году Мадонна Бенуа покинула свой дом на Третьей линии Васильевского острова, а в 1914-м, после недолгих скитаний, поселилась в Эрмитаже. Теперь

Эрмитаж стал ее домом. А моим домом (спустя несколько десятилетий) стал дом, построенный Леонтием Бенуа на Петербургской стороне тоже в 1914 году.

Точнее, было так: сначала в 1912-м принял своих первых жильцов дом № 26–28 по Каменноостровскому проспекту: "первая очередь" строящегося жилого комплекса, равного которому не было тогда в столице империи. Весь квартал походил на погибший в том же 1912 году "Титаник". Это и впрямь был огромный корабль, врастающий вглубь пространства сложноустроенными, сверкающими в ночи палубами-этажами. И все это чудо жилой архитектуры вынырнуло кормой прямо в 1914 год — в начало Первой мировой войны — на улицы Кронверкскую и Большую Пушкарскую (дома 29 и 37 соответственно).

Отдавая дань нумерологии, надо упомянуть и о том, что строительство дома совпало с процессом проектирования одного из самых гармоничных петербургских зданий, созданных уже во время хаоса и вопреки хаосу, — Дворца выставок, получившего позже название Корпус Бенуа.

О том, что дом, где прошла часть моей жизни, называют *Домом Бенуа*, я знала с детства. О том, что до этого *Дома Бенуа* у меня был еще один, поняла значительно позже.

"Как в пулю сажают вторую пулю…" — это о прямизне петербургских улиц и проспектов сказал москвич в 1915 году. Про пули Пастернак как в воду глядел. В отношении Шпалерной уж точно.

Любить Шпалерную улицу трудно. По крайней мере, ту ее часть, что начинается у Воскресенского проспекта Скорбященской церковью и заканчивается у Литейного Большим домом. Как сквозь строй, идешь между сомкнутыми войсковыми шеренгами домов. Здесь мало прохожих. Нет деревьев, выглядывающих из дворов. По четной стороне — три проходных двора и несколько арок, по нечетной Окружного суда — два. Арка дома № 25 забрана глухими воротами с глазком. Белесая зеленоватая краска облуплена. За воротами — двор ДПЗ (Дома предварительного заключения), в просторечии "Шпалерки". Если от этих ворот идти к Литейному, то по левую руку можно увидеть светлый Сергиевский собор. Точнее, его можно было видеть с 1917-го по 1932 год, потом на месте Окружного суда, сгоревшего в Февральскую, возникнет загородившее и собор, и часть небосвода, вплотную примыкающее к "Шпалерке" здание ОГПУ–НКВД–КГБ. В 1932-м загораживать станет нечего: Сергиевский собор будет снесен (тогда же, когда и Матфиевская церковь в садике возле дома Бенуа, на Кронверкской).

Но когда в январе 1922-го Леонтий Бенуа вышел за ворота "Шпалерки", собор еще стоял. В начале Германской Бенуа принимал участие в его реконструкции. И это было первое *его* здание, встреченное им на пути из тюрьмы — домой. Посмотрел ли он влево, на собор? Кто знает. Но известно точно, что в проектировании пока еще не существующего здания НКВД, вдоль фантома которого сейчас идет Бенуа, примет участие его племянник и ученик Николай Лансере. Проектировать это культовое во всех отношениях здание Лансере будет спустя почти десять лет, сидя в "шарашке" при "Шпалерке" (уменьшительные суффиксы и невольная рифма в данном случае любую усмешку превращают в гримасу ужаса). Потом Лансере выпустят, а через несколько лет снова арестуют и расстреляют.

Инициирует же постройку здания НКВД Сергей Миронович Киров, сыгравший роковую роль в судьбе Ленинграда и страны и едва ли не самый знаменитый советский жилец *моего* Дома Бенуа, заселившийся в роскошные барские апартаменты, выходящие окнами на Каменноостровский (потом Кировский) проспект еще при жизни Бенуа, в 1926 году.

Киров словно предвидел, обустроив место службы сотен и сотен следователей "страны великих дел", которые станут плодотворно заниматься первым "скомпрометировавшим" город "делом" его, Кирова, имени. (Если не считать, конечно, более раннюю, но не менее судьбоносную для Ленинграда историю с "новой оппозицией", возглавил которую тоже жилец Дома Бенуа — Григорий Зиновьев.)

На месте Сергиевского собора, на его фундаменте, будет построено еще одно здание, принадлежащее НКВД, — Дом пропусков (Литейный, 6), который расположением своим повторит форму разобранного (и частью пущенного на строительство) собора. И даже три ступеньки у входа с Литейного, мне кажется, принадлежали собору. А если войти в здание со стороны бывшей

Сергиевской (ныне Чайковского) улицы, то на каменном полу (скорее всего, тоже церковного происхождения), возле порога можно увидеть выбитую дату: 1933. Кирову оставался еще год.

Однажды, перешагнув через эту дату, я оказалась в пространстве южного придела бывшего собора. Я пришла просить доступ к следственному делу другой знаменитой ленинградки, Ольги Берггольц. В кабинете начальника окна, выходящие на Сергиевскую, были завешены светонепроницаемыми шторами. На стене я увидела портрет Железного Феликса. Точнее, два портрета: большой — анфас и маленький (кажется, вышивка), наложенный прямо на большой, — в три четверти. Ненавидевший священников, раздвоившийся Дзержинский смотрел на меня со стены кабинета, расположенного в бывшем южном приделе Сергиевской церкви. Таким несколько иезуитским образом исполнилась его детская мечта стать ксендзом.

...Проходя по бывшей Сергиевской мимо входа в Дом пропусков, я вспоминаю не лежащее передо мной архивное дело Ольги Берггольц, а фразу, сказанную кем-то из работников архива: "В тридцатые здесь очередь была. Доносы несли".

Но сначала я пришла на Литейный, 4. Фасад этого здания, облицованный теплым, коричневато-розовых тонов гранитом, вполне человечен и создает ощущение петербургского стиля: таким же гранитом одеты набережные Невы, облицованы дворцы и многие жилые дома. Смущает, правда, нарочитая, подавляющая грандиозность пропорций и окна-бойницы. И совсем уж не оставляет надежд северный торец: монолитный, стального цвета бетон, летящий вниз ножом гильотины.

За массивными дверьми центрального входа — советского убранства вестибюль. Почти дворцовая лестница расходится между первым и вторым этажами на две стороны.

Внизу меня встречала служащая архива. Иногда я мысленно восстанавливаю путь от входных дверей до кабинета начальника Архивной службы. В левом лифте мы поднялись на не помню какой этаж и продолжили движение направо, в направлении Шпалерной улицы. По правую руку я видела большие коридоры, перегороженные решетками. Они шли параллельно и вглубь Шпалерной, к зданию внутренней тюрьмы. Потом была еще одна, небольшая, лестница и лифт, и снова коридор вдоль Шпалерной. Узкий, с деревянными чуланами-шкафами. Туда впихивали заключенных (чтобы не видели друг друга), когда вели на допрос к следователю и от следователя. Думаю, еще немного, и я могла бы оказаться в "Шпалерке" и увидеть камеру, ту или похожую на ту, в которой Леонтий Бенуа провел полгода между жизнью и смертью. Рисунок Бенуа, сделанный в тюрьме, полностью совпадает с фотографическим изображением камеры (возможно, одной из тех, в которых, семнадцать лет спустя, провела полгода заключения и Ольга Берггольц). Тяжелые дугообразные своды, в углублении почти крепостной стены — закругленное кверху окно и возле него параша. Такую же форму имеют окна, выходящие на Шпалерную. Горькую иронию рисунку придает контур сидящего на параше обнаженного мужчины, позой напоминающего роденовского Мыслителя...

...Полгода назад, в августе 1921-го, Бенуа с Васильевского острова, из его дома на Третьей линии, везли в "воронке" на Шпалерную (чуть не как участника "таганцевского заговора"). Город был вымерший, душный. Сквозь булыжник мостовых пробивалась жухлая трава, площадь напротив Биржи казалась пустырем, возле Ростральных колонн рос бурьян.

...Теперь, в январе 1922-го, над опустевшим выстывшим городом сияло бездымное небо. За Литейным мостом, справа, на площади у Финляндского вокзала (но не на той, которую мы знаем сейчас, а возле старого здания, от которого остался только западный фасад, обращенный к Финскому переулку) высился фантом установленного спустя четыре года, в 1926-м, памятника Ленину. Упоминаю о памятнике лишь потому, что в работе над ним тоже принял участие ученик Бенуа (оказавшийся удачливее Лансере) — Владимир Щуко. В том же году еще один ученик Бенуа, Алексей Щусев, был занят возведением мавзолея для человека, памятник которому, скорее всего, так никогда и не увидел Бенуа... Вождь, стоя на броневике, рукой указывает дорогу в будущее. После войны, когда памятник перенесут на нынешнее его место, рука вождя окажется направленной в пространство за Невой, аккурат на здание НКВД.

…Домой из тюрьмы Леонтий Бенуа шел пешком. И я следую за ним тенью из будущего. Мне хочется проделать этот путь рядом с человеком, который, сам того не ведая, будет сопровождать меня всю жизнь. И это не фигура речи…

Маршрут пролегал так: по Шпалерной до Гагаринской, потом направо, к набережной. Впрочем, свернуть можно и раньше: возле Шереметевского дворца в Самбургский переулок, чтобы скорее оказаться на просторе. Вид Невы между Литейным и Дворцовым мостами (включая Троицкий) — величественное творение природы и рук человеческих. Он утешает и вселяет надежду. Именно этот вид открывается, когда выходишь на Французскую (ныне Кутузова) набережную. Свернув налево, русский (с итальянской прививкой) француз Леонтий Бенуа шел по набережной, названной "в память пребывания представителей французского народа в Санкт-Петербурге".

…Пускало корни время, когда, по словам самого Бенуа, "путем насилия прекратился тот естественный ход нашего жития, которым человечество существовало и должно существовать во веки веков". На его языке это означало — время благородного созидательного труда.

Январский город был похож на корабль, схваченный льдом. В профессии своей всегда сознававший себя капитаном, сейчас Бенуа был бессилен. Два года назад, в девятнадцатом, он воскликнул: "Но каково жить, словно на корабле в Ледовитом океане, да еще в бурю!" В бурю, в наводнение Петербург палил из пушек, как терпящий бедствие корабль. Сейчас пушечную пальбу заменяли редкие глухие звуки падения с крыш снеговых глыб.

Бенуа шел мимо решетки Летнего сада, за которой среди прочих мраморных фигур стоял недалеко от входа Сатурн, пожирающий собственного сына (один из кошмаров моего детства). К знаменитой решетке Бенуа прямого отношения не имел, но ее уменьшенную почти копию ему, следуя пожеланию Высочайших особ, пришлось, к собственному неудовольствию и вопреки собственному замыслу, установить перед спроектированной им Великокняжеской усыпальницей Петропавловского собора. А в разработке художественной отделки Троицкого моста Бенуа принимал участие непосредственное и присутствовал при открытии его в день празднования 200-летия Петербурга. И вот, девятнадцать лет спустя, он проходит мимо того места, где стоял в 1903 году. Справа остается — изысканный, невесомо-тяжелый, глубоко и свободно вздохнувший мост, по самому центру которого летит на другой берег и теряется в перспективе Каменноостровского проспекта легкая журавлиная череда электрических столбов. Слева остается небольшая площадь перед Марсовым полем и памятник Суворову. Спустя почти шестьдесят лет на трамвае № 2 ("двоечке"), чей маршрут пролегал с Петроградской стороны через Троицкий (тогда, разумеется, Кировский) мост в левобережную глубь города, меня будут возить в детский сад, расположенный неподалеку от другого сада, Летнего: постанывающий на подъеме деревянный трамвай-"американка", лихо трезвоня, съезжал вместе со всем человеческим содержимым под угрожающе поднятый меч первого генералиссимуса…

Справа, за мостом, внутри моей “родовой” Петербургской стороны (вслед за городом поменявшей имя на Петроградскую: результат патриотического пароксизма 1914 года), остаются не имеющий прямого отношения к настоящему повествованию дом на Малой Дворянской (Мичуринской), где после женитьбы жили мои бабушка и дед, и вполне беспородный дом, спрятавшийся в одном из дворов на улице Куйбышева (бывшей Большой Дворянской), где жила некоторое время наша семья. Но главное — там остается дом, построенный Леонтием Бенуа, тот самый, целый квартал занявший дом-корабль, где с середины 1920-х годов, в первом по Большой Пушкарской (если идти от Каменноостровского) подъезде, на шестом этаже жили четыре сестры, мои будущие бабушки (родная и двоюродные). Когда точно и каким образом они, классово чуждые Советам поповские дочки, оказались в этом доме, остается для меня загадкой. Я же стала бывать там с раннего детства и даже неподолгу гостить…

Тремя этажами ниже большой коммунальной квартиры, где жили бабушки, находилась квартира Дмитрия Шостаковича. Мама рассказывала, как, сбегая по широкой светлой лестнице с шестого этажа (похожий на пенал, медленный и скрипучий дореволюционный лифт, который, кстати, застала и я, поднимался только до пятого), несколько раз сталкивалась на третьем с выходящими из дверей людьми, которым, конечно, не придавала никакого значения. Соблазнительно было бы написать, что в августе сорок первого через открытые окна (бомбежки еще не начались) можно было услышать, как создается будущая знаменитая Седьмая симфония, но известно, что Шостакович сочинял музыку "в голове"...

Среди изрядного количества самого разного рода "деятелей", населявших Дом Бенуа, были и "отцы города" (будущие жертвы "ленинградского дела"), партийные бонзы Алексей Кузнецов и Петр Попков. Думаю, в блокаду они жили на казарменном положении в Смольном. Командующий Ленинградским фронтом маршал Говоров, скорее всего, тоже нечасто появлялся дома. Шанс встречи с этими соседями у моих бабушек если и был, то минимальный, и явно не в тот февральский день 1942 года, когда они втроем (родная бабушка с дочерьми уехала в эвакуацию) спускали со своего шестого этажа по лестнице — скользкой, покрытой обледеневшими нечистотами и осколками выбитых окон — саночки с телом моего деда, умершего от голода... Из блокадных дневников ленинградцев и по рисункам блокадных художников могу представить себе, как они сделали это. И сейчас я мысленно благодарю Бенуа за то, что лестницы в своих домах он проектировал *удобными*: ступеньки — высотой соразмерными среднему человеческому шагу, а лестничные площадки — широкими...

По такой же лестнице мне довелось спускаться и подниматься еще в одном доме Бенуа: Моховая, 27–29. Там, в левом флигеле, построенном в духе французской архитектуры, декорированном гранитной крошкой и терракотовым кирпичом (фирменный стиль Бенуа) — в течение двух лет находилось издательство, где я работала… Центральному корпусу, расположенному в глубине уютного курдонера (где, кстати, снимали некоторые сцены фильма "Собачье сердце"), Бенуа придал черты сгоревшего дворца Тюильри. (И странно было наблюдать, как во время ремонта, длившегося все два года, в этой центральной части дома, служившей общежитием, на подоконниках раскрытых окон сидели на корточках, поплевывали вниз и курили гастарбайтеры.) Узор кованой решетки, отгораживающей двор от улицы, содержал лаконичный комплимент Франции — маленькие изящные лилии…

За время работы в издательстве (вполне бесславно сгинувшем) я подготовила к печати несколько блокадных дневников, которые существенно приблизили меня к пониманию того, *что* пережили мои бабушки семьдесят с лишним лет назад, в умирающем городе, на Петроградской его стороне, в *моем* Доме Бенуа…

Следуя привычке искать (и находить) внутренние рифмы, не могу пропустить еще одну, тройную. В нескольких кварталах от Большой Пушкарской есть здание из терракотового кирпича, занимающее, так же как и *мой* дом, целый квартал: построенная в 1910 году по проекту Бенуа (за основу был взят план Парижской национальной типографии) самая большая типография Российской империи, — нынешний (уже бывший) Печатный двор. Недавно что-то подсказало мне посмотреть, где была напечатана книга "Ольга. Запретный дневник", содержащая дневники самой, может быть, известной блокадницы Ленинграда. Книга, ради которой я и ходила на Литейный, 4, в Архивную службу ФСБ, в поисках следственного дела Берггольц и оказалась совсем рядом со "Шпалеркой", местом и ее, и Леонтия Бенуа заточения. Открывая последнюю страницу с *выходными данными*, я по внезапной внутренней дрожи заранее угадала ответ: Печатный двор. Так произошла еще одна наша общая встреча — не во времени, но в пространстве (являющемся, по сути, материализовавшимся синонимом времени).

В детстве бабушки водили меня смотреть на "уголок Парижа" — так называли они нарядные высокие дома на правой стороне улицы Льва Толстого, за кинотеатром "Арс", чей срезанный угол, обращенный к площади, похож на рыцарский средневековый замок. Детство и юность моих бабушек пришлись на последнее десятилетие последнего царствования. Они, никогда не бывавшие за границей, даже толковых фотографий Парижа не видавшие, и не подозревали, что ходить никуда не надо было, потому что часть их жизни прошла в одном из самых, может быть, "парижских" жилых домов города, в доме, который, с легкой руки Бенуа, статью своей мог свободно вписаться в любой из парижских Больших бульваров. Наверное, потому таким знакомо-нарядным и одновременно домашним показался мне османовский Париж — что невольно, с детства, благодаря Бенуа, я на себе почувствовала и бессознательно усвоила: красота замысла и его, если угодно, величие вполне могут не входить в противоречие со стремлением создать нечто *соразмерное* человеку, его частной жизни.

Входя во двор спроектированного Бенуа здания, удивительным образом *примеряешь на себя* всю постройку, которая неизменно оказывается впору. Как дома чувствуешь себя не только во дворе, но и в подворотне, если это, например, подворотня-гостиная дома Бенуа по Невскому, 46: бежевое нутро, ротонда в стиле модерн, круглый лепной плафон с элегантной люстрой посередине...

Бенуа — гений пропорций. Покой не только физический, но и душевный возникает внутри любого из жилых домов, им созданных. И не только жилых. Такое же ощущение *гармонии* дарят и ладно скроенный Дворец выставок, и лестница и фойе Капеллы (сама же Капелла напоминает силуэты Лувра, своего увлечения которым никогда не скрывал Бенуа), и фойе Эрмитажного театра, этот мост-галерея, декор которого создан Бенуа почти сплошь из воздуха и света прямо над рукотворной бездной Зимней канавки...

"Дать возможно больше свету!", "Больше свету!" Об этом писал и этого добивался Бенуа, проектируя и внутренние помещения, и дворы, и целые анфилады дворов, будь то по сю пору влекущие меня зазеркальной прелестью дворы *моего* Дома Бенуа, или дворы Капеллы, "проход" по которым я дарю приезжающим друзьям, как собственную сердечную тайну.

Дворы Капеллы похожи на освещенную изнутри музыкальную шкатулку: звуки скрипок, фаготов и флейт доносятся из репетиционных классов, а по вечерам — сквозь расположенные под самой крышей высокие закругленные окна, обращенные на восток и запад по обе стороны концертного зала, где “система пол–потолок уподоблена скрипичной деке для достижения нужных акустических свойств”…

Проходя вдоль Зимнего дворца к мосту, поднял ли Бенуа глаза на окно второго этажа, возле которого в маленькой резной раме-иконостасе стояла леонардовская Мадонна с цветком? Представил ли себе знакомое до каждой светотени изображение двух головок — Матери и Младенца, — склоненных друг к другу (спасибо блистательному Кеннету Кларку за сравнение) “спонтанно и безупречно, как два последовательных такта у Моцарта”?

Картина находится в десятке метров от фойе Эрмитажного театра. Лицо Мадонны на три четверти обращено к зрителю. За левым ее плечом Леонардо написал окно, являющееся как бы отражением настоящего окна, светом из которого освещена правая щека Мадонны и из которого мы видим Стрелку Васильевского острова, где, позади здания Биржи, на месте бывшей Коллежской площади находится одно из самых удивительных сооружений, спроектированных Бенуа, — Императорский клинический повивальный институт, самое грандиозное и совершенное родовспомогательное заведение того времени, — чрево, омываемое сберегающими околоплодными водами Большой Невы и Малой Невы.

...Академия наук, Кунсткамера, здание Двенадцати коллегий, Исторический факультет университета, Пушкинский дом — а посередине этого торжества гуманизма открытая в 1904 году имперская родильня... Метафора красивая, но утопическая.

Обойти это здание по периметру, под деревьями, сохранение которых было предметом заботы Леонтия Бенуа, — особое удовольствие. Здесь было все: станция, автономно снабжающая клинику теплом и светом, пекарня, прачечная, конюшни... Четыре параллельных зданию Двенадцати коллегий павильона формами и дворовыми пространствами предвосхищают конструктивистские постройки двадцатых годов... И окна, множество больших окон, улавливающих свет.

Классический фасад главного корпуса перекликается с колоннами западного фасада Биржи, а полукругом обращенная к Бирже восточная часть комплекса рифмуется с полукругом Стрелки Васильевского острова. На третьем этаже главного корпуса — библиотека, музей и концертный зал. Но главное — орган, самый большой в городе орган, который родильницы могли слушать, не выходя из палат, по телефонам, установленным возле кроватей... Прелюдии и фуги Баха, вселенская гармония, впитанная с молоком матери сотнями младенцев накануне мировой катастрофы...

...Бенуа перешел мост, свернул на Университетскую набережную. Слева, за рекой, оставался город, о масштабном преобразовании которого он думал еще с конца 1910-х годов. В 1919-м должна была начаться реконструкция, названная Бенуа “Большой Петроград”. Реконструкция подразумевала и появление магистралей, связующих центр с окраинами, и дороги-дублеры Невского проспекта, и первую линию метрополитена, спроектированную инженером путей сообщения Федором Енакиевым, и даже превращение в авеню Крюкова и Екатерининского каналов…

Надо полагать, Бенуа ждали слава и проклятия, доставшиеся в свое время барону Осману, чье начало преобразования Парижа совпало с рождением Леонтия Бенуа. Но это не последнее совпадение в моей истории…

За Румянцевским садом Бенуа свернул на Третью линию. Два века назад здесь начиналась Французская слобода. Миновал Академию художеств, *alma mater*. Через день, еще не оправившись, не отмывшись от въевшегося тюремного запаха, он придет сюда, в свою мастерскую, к своим ученикам.

Бенуа пересек Большой проспект, похожий на выстывшие пустынные Елисейские поля. До *своего* дома, построенного им же, осталось несколько шагов… Благородство пропорций, терракотовый кирпич, бежевая штукатурка, лестница с соразмерными шагу ступенями, широкие площадки между лестничными маршами… даже немолодой и очень уставший человек успеет немного перевести дух. Все. Мы на месте. Четвертый этаж. Квартира, где пройдут еще шесть лет жизни мастера.

Но вернемся вперед, из января 1922 года в солнечный и ясный май 2014-го.

…Я кругом обошла Клинику имени Отта — бывший Повивальный институт, — порадовалась его красоте и надежности, его легкой устойчивости, его гармоничному слиянию с соседними зданиями… Порадовалась деревьям, о сохранении которых так пекся мастер. Потом открыла дверь парадного подъезда и вошла в мой *первый* Дом Бенуа.

Сначала я увидела свет, льющийся мне навстречу со второго этажа по широкой лестнице, как вода по петергофским каскадам. Потом саму белую лестницу, наподобие шлейфа ниспадающую закругленными складками. Потом коричневые деревянные скамьи по бокам просторного вестибюля и нежный растительный узор лестничной ограды…

У входа стоял охранник в униформе. Следовало как-то объяснить цель моего здесь появления, тем более что мне ужасно хотелось подняться по этой лестнице хотя бы до второго этажа, под его полукруглые, уходящие вглубь здания своды. Я решила сказать как есть. Вот, мол, интересуюсь всем, что построил Леонтий Бенуа, к тому же именно в этом здании я родилась. Последнее сентиментальное обстоятельство охранник мог и вовсе не принимать во внимание, потому что в Клинике Отта родилась добрая треть города. На мой вопрос, могу ли я "просто подняться по лестнице и немного постоять у перил", он ответил, что если я на втором этаже пройду направо, то увижу лестницу на третий этаж, и добавил, что ключей от актового зала, где раньше был орган, у него нет, а музей, к сожалению, закрыт.

Не веря собственному счастью, правой рукой касаясь перил, наслаждаясь этим касанием, — я поднималась по лестнице, чуть медля на каждой ступеньке. В вестибюле второго этажа, простом и торжественном одновременно, я увидела совсем молодую женщину, почти девочку, с запеленатым младенцем в руках. Она стояла возле окна, обращенного во внутренний двор, и свет падал на ее щеку и на головку младенца. Я пошла дальше. На третьем этаже, с чувством запоминая пространство, постояла в широком коридоре, возле дверей, ведущих в бывший концертный зал. После медленно спустилась вниз.

...Вечером я позвонила маме. Я не задавала ей наводящих вопросов, я вообще ни на что не надеялась, а просто поинтересовалась, что она запомнила или что ее, может быть, удивило тогда, много лет назад, в палате и коридорах клиники... Она ответила не задумываясь:

— Там было много света, даже в январе!

На такой подарок я и рассчитывать не могла. Чтобы не объяснять вырвавшееся у меня восклицание, которое *словами* объяснять было долго, я тут же снова спросила:

— А помнишь, какие были углы в палате?

— Какие? Обычные? — мое волнение передалось и ей.

— Нет! Представляешь, они были закругленные, специально, чтобы пыль не скапливалась! А еще там был орган.

— Орган? Нет... не видела...

...Она его видела. В Большом зале филармонии, куда его перенесли в 1931 году. Его видели все, даже те, кто и не знал, что уже *слышал* его тогда, в начале века, в залитой солнцем родильной палате, не отрываясь от материнской груди.

...Этот текст начался с младенческого дремотного зевка и закончился им же, может быть, только для того, чтобы увериться: все в жизни рифмуется "спонтанно и безупречно, как два последовательных такта у Моцарта".

Эдуард Кочергин

Царский ужин (питерские бывания)

Случай такой произошел под стенами Петропавловской крепости, на берегу Заячьего протока, как жильцы городского острова в пятидесятые годы именовали нынешний Кронверкский пролив, против императорского Арсенала. В ту пору музея артиллерии в нем еще не водилось. Проезжая часть по берегу протока, как ныне, напрочь отсутствовала. Места сии считались захолустными, хотя и находились в абсолютном центре города. В ту пору, под стенами крепости на берегу протока, ближе к Иоанновскому мосту, нелепо торчал четырехэтажный коммунальный дом, оставшийся от прошлых времен, с ободранной войной штукатуркой, лишенный какой-либо архитектуры. Торчал он, как бельмо на глазу, как абракадабра, на фоне трезиниевского шедевра, возникший по недосмотру или наглости кого-то в неизвестные времена. Обитали в нем опущенные питерские людишки — шантрапаи, как обзывали их на Петроградке.

Весь берег вдоль стен Петропавловки со стороны пролива тогда был абсолютно заброшен. Завален выкинутым водою топляком, поросший бурьяном и редким ивняком. На нем можно было обнаружить множество разнообразных предметов: труб, кусков металла, всяческой проволоки, вплоть до колючей, оставшейся с войны. Крепость в блокаду была военным объектом.

Теперь же в этих людных местах во все времена года устраиваются всяческие развлечения. Желающие полюбоваться на Питер сверху могут купить билет на вертолет, который поднимет вас над городом с площадки перед стенами Петропавловки. На другом берегу, против крепости, уже много лет действуют Музей артиллерии и популярная автотрасса, почти ежедневно забитая легковушками и туристическими автобусами. А на месте ободранного дома шантрапы высажена всегда стриженная летом зеленая травка.

Но вернемся к прошлому. Обширный, протянувшийся от Иоанновского до Кронверкского моста, берег под стенами крепости никому не принадлежал, то есть практически был забыт городом и от того представлял собой удобную территорию для всякого рода расшатанных людишек. На нем, ближе к Кронверкскому мосту, почти каждый день местная петроградская шпана жгла костры, пекла картошку, жарила пойманных голубей и бражничала. На этом-то берегу самого знатного острова нашего Питера в один из последних июльских дней случилась эта преступная гастрономическая история, произведшая настоящий шок на жителей Питера.

Два плотных потертых шатуна, по-теперешнему — бомжа, со следами бахарной житухи на опухших лицах, темной июльской ночью притопали на этот безлюдный берег Заячьего острова. Один из них тащил на спине приличного размера мешок крепкого холста, вероятно, из-под сахарного песка, с какой-то значительной поклажей. Другой за спиной имел самодельный хозяйственный сидр. По всему видно было — они торопились выбрать место для кострового сидения. А по некой возбужденной нетерпимости чувствовалось, что бухари голодны и нуждаются в принятии очередной порции “крови сатаны”, то есть водки. Наконец они остановились, выбрав окончательно место для ночного гостевания. Метрах в двухстах от “дома шантрапы”, недалеко от воды.

“Ну что, Петруха, осядем, пожалуй, здесь под стенами нашей тезки-крепости. Место, по-моему, подходящее для знатного ужина. Давай глотанем сначала по стопарю из московской бутылочки, успокоимся, не то руки трясутся от ожидания, и за дело. Я по огню, а ты по стряпушной части работай. В тюряге своей кухарить обучался — из фигни вкусняру сотворял, а здесь у тебя товар имперский. Сшаманишь так, что вздрогнем. Ну, будем здоровы, с прибытком, подельничек!"

"Чур тебя, Пашка, не торопись к бутылке грабки свои тянуть! У нас две ленинградские — на праздник, остаток третьей, московской, — на опохмелку. Сходи лучше к воде, да прикопай их в холодный песочек, чтобы они к столованию до «слезы» созрели. Прохладная водочка сама в душу войдет да наши утробы собой украсит. Вот так-то, Апостол!"

После такого разговора и водочного успокоения один из них собрал на берегу сухого топляка, нарезал здоровенным тесаком веток ивняка и сухой травы для растопки. Другой острым обломком фановой трубы откопал продолговатую яму под кострище. Затем днище ямы уложил крупным топляком и соорудил поверх него костровую колоду в размер лежащей рядом поклажи в мешке. Тем временем Павел из куска кровельного железа выгнул противень-латку. Связал из проволоки два крупных овала с крючками для подвески к перекладине и закрепил к ним ее — жаровня была готова. По краям ямы они забили в землю две рогатины и на хорошем куске катанки повесили над костром свое самопальное оборудование. Оставалось только его обжечь, что и произвели они вскоре, за разговорами.

"Два месяца мы с тобой, Петруха, готовились к этому событию, по копейке гроши притыривали, бутылки таскали в пункт приема, медь да всяческую бронзу с парадняг питерских снимали. Греха много вместе накопили, не сосчитать, но, как в народе говорят, «не согрешив, не отмолишься»".

"А я, Пашка, отмаливаться и не собираюсь. Я потомственный питерский босяк-шатун. Отец и мать мои из той же породы. Отец-то у меня красиво скончался на травке в Летнем саду под скульптуркою, закемарил, свернувшись калачиком с нею рядом, и не проснулся — во как, да я тебе ее показывал, помнишь? Голая тетка, с птицей вроде голубя на руке, Сладострастием называется. Так что, кентуха, на этот сад я свои права имею. И мечта моя — прикончиться по-отцовски, так же красиво".

"Вишь, у тебя уже все решено, а я о таком и не думаю. Где мой батя закопан, не знаю — государство схоронило. Я в ту пору в штрафбате служил, провинным оказался. А матушку выслали из Питера, за свободное житие, на 101-й километр, там она и сгинула. Вернулся в город с армейских подвигов — ни кола, ни двора, крыша, ку-ку, пропала. Комнатку в коммуналке, нашу с матерью, ловкачи обули. Пристроился к сердобольной тетеньке на время, потом к другой — так и ходил по ним, пока все не прогнали. С тех пор гопник натуральный, как и ты. Ты только старее меня да опытнее. Со мною из удобства повязался — вдвоем харчи добывать легче. В тюряге ты ведь стряпухою служил, готовку освоил, тебе и картишки в руки. А я, Петро, как бабок в Питере посшибаю, так рвану на Вологодчину, к деду своему. С ним самогон гнать начну да на хрене настаивать".

“Ты уже много лет на своем Севере самогон варить обещаешь, да все врешь да врешь. Ну, ладно, Апостол, что-то мы с тобой сильно заговорились. Про дело забыли. С вранья-то сыт не будешь. Сказочную нашу мечту осуществлять пора. Не зря же мы такими тяжелыми трудами да хитростями добывали ее”.

“Ваше босятское величество, свет Петр, распечатайте, пожалуйста, «лебединый» мешок. Достать и разделать царскую птицу смогут только твои императорские грабки. Должны же мы, гопники, хотя бы в сегодняшнюю летнюю ночь почувствовать высоту лебединого вкуса, оценить своим нутром его знатное происхождение. Ты же теперь, Петруха, царь Петр, и угощаться будешь по-царски. А я вслед за тобой с боярского стола свой кусок отхвачу и чуток тоже поцарю. Не все же нам требуху хавать, мой господин, босяк свет Петр-царь. За дело! Вот тебе твой заточенный тесак. Бери, действуй!”

“По первости, Пашуха, обжечь его необходимо. Перышки лучше чтоб обгорели. Над огнем покрутим красавца. Вон, смотри, топлячок широконький — прямо доска разделочная, давай ее сюда! Да нашу птичку-величку клади на нее. Вот так! Вскроем ему поначалу тесачком животяру да всю требуху из него вон вынем. Рыбкам отдадим на пропитание. Торопиться некуда. Смотри, Паша, какая аппетитная печеночка. Тесаком орудовать осторожно придется, с любовью. Сердце вынуть аккуратненько — в нем сила лебединая. Паша, достань-ка из сидора сковородочку нашу с крышкой, помнишь, у ресторанного поваришки, с Большого проспекта, сменяли на стопку водки. В ней сердце с печенью под парком отдельно приготовим. Из сидора банку с солью возьми, оттуда же головку чеснока, нашпиговать его для полного вкуса полагается. Вынь кулечек с черным перцем да буханку хлеба заодно. У нас с тобою «всякого нета — запасено с лета». Тесачок ты, Паша, знатно наточил, молодец, такой товар разделывать приятно, с уважением. Это тебе не хрю-махрю, а истинный аристократ из царского сада”.

“Да, ловко ты его, Петруха, удушкою сдавил. Он и крякнуть не поспел, только крыльями попрощался. Где такому хитрому приему обучился?”

“В зоне с голодухи, брат ты мой Пашуха, всему научишься. Главное, инструмент иметь исправный, вишь, шнур шелковый как сработал, не подвел. А остальное — практика. Вон, глянь, Апостол, дело пошло, чувствуешь, какой запах боярский поднимается. Более, Паша, не подбрасывай, и так огонь с латкой в обнимку. Пекло незачем устраивать. Царский товар нежный, и готовить его на ласковом огне надобно. Давай-ка лучше перевернем нашу драгоценность. Возьми тесак свой да вилку, ты со своей стороны, я с другой. Осторожно только. Смотри, как много с противня жира сливается! Берегись, обожжет! Минут через двадцать спечется окончательно. Кутеж райский начнем. То, что не съедим сегодня, с собой заберем. Я в лавке специальную бумагу поднадыбил, для заворачивания всего жирного, в нее упакуем да в сидр. На три дня в аккурат нам хватит. А теперь давай латку на угольки опустим — пускай мечта жизни без огня на жару дойдет”.

“Все, Апостол Павел, готовь стопки, хлеб, расстели скатерть-газетку, «Правду ленинградскую». В сковородишке все спеклось давно. С лебединого сердца закусь начнем. Тащи бутыль с воды, пора, терпенья уже нет. До света пир должны прикончить. Плесни, Апостол, по полной да хлеб покрой шматом лебедятины. Опосля сердца с печенкой новую дозу водки им закусим. Ну, вздымай стопарь, подельничек. За обоих апостолов, а лучше — за императора Петра и апостола Павла под стенами Петропавловки! Виват, браток!”

И через малое время на берегу Заячьего протока раздался стон восторга. Два босяка, почти в полной темноте, с жадностью поглощали царского лебедя, запивая его порциями дешевой ленинградской водки. По первости захлебываясь наслаждением, они не могли ничего даже сказать друг другу. Уговорив одну бутыль водки, не останавливаясь, принялись за вторую. Дойдя до ее середины, почувствовали полное земное счастье и оттого несколько обмякли.

Для них земля перед крепостью постепенно превращалась в рай. Так прекрасно они никогда в жизни не гудели и ни в каких снах так сладко не закусывали. После двух бутылей Петр почувствовал себя действительным императором, а Павел — настоящим апостолом. Остатки третьей бутыли вырубили их окончательно из нашего бренного мира и погрузили в нирвану.

По раннему утру обнаружил родненьких петроградский собачник, прогуливающий свою сучку вдоль протока. По окружающим уликам вокруг спящих головами на лебедином мешке, засыпанном перьями, понял что-то неладное и, вернувшись домой, вызвал милицию. Она-то и разбудила наших двух "апостолов". Петр, разжав буркалы и сообразив обстановку, растолкал своего подельника, прохрипев ему: "Вот тебе, дяденька, и царский стол. Все вышло наизворот, кентяра, не жизнь у нас, а сплошные «кули-мули»".

Вадим Левенталь

Набережная бездны

Мама с папой всегда говорили “тришестнадцать”, когда нужно было что-то начать, и это наверняка как-то связано с числом 0,62, ибо мир в человеческой его части устроен по спирали золотого сечения, что же касается начала, то спираль начинает раскручиваться слева от моста, там, где на набережной напротив Летнего сада, ворота в ворота, стоит особняк — сейчас аппарат полномочного бла-бла-бла, а когда-то ЗАГС, в котором я получил свое имя.

Левее рядом с ним — зелень наросшего, как мох, вокруг домика Петра садика — садика, в котором я последний раз гулял с бабушкой, и я ничего не помню, кроме того, что сам воздух был цвета спелой пшеницы, так что и садик этот, и вообще восьмидесятые в глубине культурного слоя на месте меня в мире (не назовешь же это памятью) сияют, как детсадовский “секретик”, тем же ровным насыщенным желтым.

(И, к слову, я никогда не понимал, что имеют в виду, называя серым советское время, — для меня серые, из-за бесконечной полутьмы — подъездов, дворов, видеосалонов, рядов ларьков, — как раз девяностые годы.)

Геометрия ума сложнее геометрии трехмерного пространства, и здешние спирали в проекции на мир вокруг могут становиться прямыми углами, реверберациями звуков или движениями тела. Поэтому, возможно, я и не мог написать все это, пока не понял, что нужно сесть писать от руки, — нужно сделать движение, пусть незаметное, как если бы повернуть голову.

Там, где пахнет горными козлами, зоопарк, зеленый зад Петроградской стороны, прикрыт Петропавловской крепостью, и по дуге набережной, облизывающей Кронверкский пролив, я часто хожу теперь, слушая, как из громкоговорителей зазывают медлительных туристов на прогулки по рекам и каналам (*наш катер отправляется через минуту, поторопитесь на посадку*).

Я думаю о Петропавловской крепости как о песчинке, однажды попавшей в мягкие внутренности мха и тины Невы, — и о себе, однажды попавшем в Ленинград в роддоме на улице Льва Толстого. Петербург вырос от боли, слой за слоем покрываясь набережными и колоннадами, — и кажется, мы с ним в этом похожи — я имею в виду в устройстве слоями.

Так, горизонтальное — лишь в некотором приближении, само собой, горизонтальное — движение по дуге моста оказывается движением в глубь, в которой я одновременно мчусь по нему ночью в такси с приступом пронзительной любви к жизни (дело, конечно, в амфетаминах) и иду с противоположной стороны пешком, возвращаясь домой от девушки, у которой было два лица: одно обычное и другое — когда она улыбалась, и смотрю на себя, идущего с пляжа Петропавловской, где я гуляю с сыном, мы откалываем льдинки и швыряем их в оттаивающую Неву, и еще сотни раз, когда я переходил этот мост в одну или другую сторону. Это число должно быть счетным, ибо однажды это было в первый раз, потом во второй и так далее, но есть вещи, которые нельзя посчитать.

Неизвестно даже, четное это число или нет, потому что способов движения здесь больше, чем два: можно идти по Дворцовой набережной, где мы с мамой заходим в кафе Дома ученых — здание с поддерживающими крышу портика гаргульями, — чтобы в дубовом кафе выпить по рюмочке хереса, можно — по Дворцовому мосту, через который я, закрывая шляпой лицо от снега, шагаю из Университета после позднего семинара, можно — по Стрелке, на гранитных плитах которой сижу, опять-таки, я и читаю вслух своей будущей жене; движение по Петербургу — это движение по кругу. Или, если память — память, конечно, а не время — считать четвертым измерением, — по спирали.

Женщины и мужчины, дети, взрослые и старики, горожане и туристы, автобусы, трамваи и троллейбусы — все они движутся по часовой стрелке или против нее по кругам и спиралям, которых здесь больше, чем звезд на небе (мы опять вступаем в область условно-надежного исчисления). Во всем этом движении, в мельтешении речи, цветов и прикосновений — идет ли дело о рассвете, встреченном у "Авроры", матрешках, которые я продавал на Стрелке, или о проникающих прикосновениях в сумерках на Марсовом поле — есть слепое пятно, место, куда не дотягивается язык. Ибо у спирали есть область, которую она описывает, центр, в который движущийся по ней никогда не попадет, даже заметить ее оказывается задачей не из легких — чтобы сделать это, нужно остановиться и покрутить головой.

Такой же центр есть и внутри меня — зерно непроглядной тьмы, которая, как мне всегда казалось, не имеет ко мне отношения; я устроен вокруг этой тьмы, в которую не могу заглянуть, — моя память, мои увлечения, моя история, все, что я думаю (почему-то это слово хочется взять в кавычки), — все это довольно ненадежно прикреплено к области внутри меня, о наличии которой я могу только догадываться по силе притяжения на дальних орбитах и по все возрастающей силе отталкивания по мере приближения к ней; взглянуть в глаза тому, кто сидит там, я не могу — таковы, кажется, правила игры. Иногда я воображаю себе, что слышу его дыхание, когда занимаюсь любовью — от этого не по себе; в сущности, любовью занимается он, а не я, я лишь инструмент, наподобие члена.

Центр есть и у Петербурга; центр Петербурга — бездна. Я представляю ее себе как бездну, в которую король снова и снова бросает кубок, и спуститься туда, искать его пальцами в иле — значит встретиться с самыми мрачными чудовищами, которых только может создать человеческое воображение.

Поверхность невской воды уберегает нас от вида этой бездны, и мы видим только отражение неба, по которому проплывают катера; две отражающие друг друга бездны соединяются, создавая иллюзию наличия чего-то — тогда как в действительности никакого наличия нет, это чистая пустота, отражение отражения. И вот вокруг этого столба, зацепившись каким-то чудом за края его несуществования, и вырос полип моего города, а в нем вырос я. Когда-нибудь я растворюсь в уксусе смерти, и все, что налипло на меня, все, что нарощено, все, взятое тут, в городе — все восторги от закатов и рассветов на Кировском мосту, все прогулки, поцелуи, выпитое вино, прочитанные книги, моменты абсолютного участия в жизни — все это смоется и вернется в хаос, из которого было взято. Мой город протянет подольше, но и он — как это известно с самого начала — сползет, осыплется по песку Заячьего острова, тяжело осядет вниз, в воду, растворится в холодной тьме, и не будет Петербурга, а останется снова только безымянная пустая бездна Большой Невы, которую мы населяем чудовищами, возможно, только потому, что думать о ней как об абсолютно пустой невыразимо страшнее.

Об авторах

МАГДА АЛЕКСЕЕВА. Журналист и прозаик. Автор книги “Как жаль, что так поздно, Париж!”. Лауреат премии “Золотое перо” “За вклад в развитие журналистики” (2006).

АНДРЕЙ АСТВАЦАТУРОВ. Прозаик, филолог. Доцент кафедры Истории зарубежных литератур СПбГУ. Автор романов “Люди в голом” (шорт-лист премий “Новая словесность” и “Национальный бестселлер”) и “Скунскамера” (шорт-лист премии им. Довлатова и “Новой словесности”), книг “Осень в карманах”, “И не только Сэлинджер”.

ИРИНА БАСОВА. Журналист, литератор. Дочь поэта Бориса Корнилова. Автор поэтических книг “Вечерние стихи” (2003), “Избранная лирика” (2010). Один из авторов-составителей книги “Борис Корнилов. “Я буду жить до старости, до славы…” (2012).

АНДРЕЙ БИТОВ. Прозаик, автор знаменитого романа "Пушкинский дом", впервые опубликованного в США в 1978 году. Участник альманаха "Метрополь". Автор книг "Уроки Армении", "Грузинский альбом", "Улетающий Монахов", "Оглашенные", "Преподаватель симметрии" и др. Лауреат многих литературных и государственных премий.

ЕЛИЗАВЕТА БОЯРСКАЯ. Актриса театра и кино. Ученица Льва Додина. Служит в Малом драматическом театре (Театр Европы). Лауреат премии "Хрустальная Турандот".

ИЛЬЯ БОЯШОВ. Прозаик. После окончания истфака ЛГПИ им. Герцена работал в Военно-морском музее, преподавал в Нахимовском военно-морском училище. Был ответственным редактором издательства "Амфора". Автор десяти книг прозы. Лауреат премии "Национальный бестселлер" за роман "Путь Мури" (2007).

КСЕНИЯ БУКША. Прозаик, поэт, журналист. Окончила экономический факультет СПбГУ. Автор нескольких книг прозы: "Жизнь господина Хашим Мансурова", "Мы живем неправильно", "Мое лимонное дерево" — под псевдонимом Кшиштоф Бакуш, биографии Казимира Малевича для малой серии ЖЗЛ. Роман "Завод «Свобода»" удостоен премии "Национальный бестселлер" (2014).

ДМИТРИЙ БЫКОВ. Поэт, прозаик, журналист, литературный критик, теле- и радиоведущий. Лауреат премий "Большая книга" (дважды) и "Национальный бестселлер" (дважды). Называет себя учеником Нонны Слепаковой и Александра Житинского.

ЕВГЕНИЙ ВОДОЛАЗКИН. Прозаик. Доктор филологических наук. Сотрудник Отдела древнерусской литературы ИРЛИ (Пушкинский дом) РАН. Специалист по древнерусским рукописям и агиографии. Роман "Соловьев и Ларионов" вошел в шорт-лист премии "Большая книга" (2010), роман "Лавр" удостоен этой премии в 2013 году, а в 2016 году роман "Авиатор" получил вторую премию "Большой книги".

НАТАЛЬЯ ГАЛКИНА. Поэт и прозаик. Автор нескольких поэтических книг и книг прозы. Широкую известность Н.Галкиной принес роман с фантастическим сюжетом “Вилла Рено”, ставший финалистом премии “Русский Букер” (2003).

АЛЕКСАНДР ГОРОДНИЦКИЙ. Ученый-геофизик и океанолог, один из родоначальников бардовского движения в стране. Автор песни “Атланты”, неофициального гимна Санкт-Петербурга (Ленинграда).

ДАНИИЛ ГРАНИН. Прозаик, общественный деятель, ветеран Великой Отечественной войны. Почетный гражданин Санкт-Петербурга. Председатель правления Международного благотворительного фонда им. Д.С.Лихачева. Лауреат многих государственных и литературных премий. Автор культовых романов “Иду на грозу” и “Зубр”. Автор (совместно с Алесем Адамовичем) знаменитой “Блокадной книги”. Роман “Мой лейтенант” был удостоен премии “Большая книга” (2012).

БОРИС ГРЕБЕНЩИКОВ. Один из родоначальников русского рока. Поэт, музыкант, композитор; основатель (вместе с Анатолием Гуницким), певец и гитарист рок-группы “Аквариум”. Лауреат премии “Триумф” (1997). Автор нескольких книг стихотворений.

НИКИТА ЕЛИСЕЕВ. Легендарный библиограф РНБ (Публичной библиотеки), литературный критик, историк литературы, переводчик (в частности, книги Себастьяна Хафнера “История одного немца. Частный человек против тысячелетнего рейха”).

АЛЕКСАНДР ЕТОЕВ. Прозаик, редактор, критик. Автор более полутора десятков книг для взрослых и детей. Лауреат литературных премий: “Странник” и “Золотой Остап” за повесть “Бегство в Египет”, премии имени Гоголя за роман “Человек из паутины”, имени Маршака за повесть “Правило левой ноги”, “АБС-премии” — за роман-энциклопедию “Книгоедство” и др.

ЕЛЕНА КОЛИНА. Популярная российская писательница, автор более двадцати книг, среди них “Умница, красавица”, “Сага о бедных Гольдманах”, “Дневник измены”, “Мальчики да девочки". Многие ее романы экранизированы. Елену Колину считают основателем жанра "романтическая комедия" и называют "лучшим психологом среди писателей".

ДЕНИС КОТОВ. Основатель и генеральный директор петербургской книжной сети "Буквоед". Назван лучшим предпринимателем 2009 года (премия РБК СПб).

ДАНИИЛ КОЦЮБИНСКИЙ. Историк, журналист, поэт. Автор книг по новейшей истории ("Глобальный сепаратизм: главный сюжет XXI века"), истории России ("Русский национализм в начале XX века. Рождение и гибель идеологии Всероссийского национального союза") и Петербурга ("Петербург без России: *Pro Et Contra*", "Новейшая история одного города", "Московские петербуржцы: в плену имперского синдрома", "Давно пора!"), сборников стихов "В этот день бог послал…" и "Санкт-Петербург давно смешон…".

ЭДУАРД КОЧЕРГИН. Театральный художник. Главный художник БДТ им. Г.А.Товстоногова. Лауреат государственных премий. Писатель, автор книг "Ангелова кукла" (2003), "Крещенные крестами: Записки на коленках" (премия "Национальный бестселлер", 2010), "Записки Планшетной крысы" (2013), "Завирухи Шишова переулка: Василеостровские притчи" (2016).

ПАВЕЛ КРУСАНОВ. Прозаик. В первой половине восьмидесятых — активный участник музыкального андеграунда, член Ленинградского рок-клуба. Четырежды финалист "Национального бестселлера" — за романы "Бом-бом" (2003), "Американская дырка" (2006), "Мертвый язык" (2010) и сборник рассказов "Царь головы" (2014). Финалист премии "Большая книга" за роман "Мертвый язык" (2010). В 2016 году вышел роман "Железный пар".

АЛЕКСАНДР КУШНЕР. Поэт. Автор около пятидесяти книг стихов (в том числе для детей) и ряда статей о классической и современной русской поэзии, собранных в пяти книгах. Главный редактор "Новой библиотеки поэта". Лауреат многих литературных премий, в том числе Государственной премии РФ (1995) и премии "Поэт" (2005).

ВАДИМ ЛЕВЕНТАЛЬ. Публицист, прозаик. Автор романа "Маша Регина" (шорт-лист премии "Большая книга" (2013)) и сборника рассказов "Комната страха". Ответственный секретарь премии "Национальный бестселлер". Исполнительный директор Григорьевской премии. Автор идеи проекта "Литературная матрица".

ОЛЬГА ЛУКАС. Писатель, журналист. Автор бестселлеров "Поребрик из бордюрного камня" (2010), "Новый поребрик из бордюрного камня" (2011, премия М.Е.Салтыкова-Щедрина), "Поребрик наносит ответный удар" (2013), романов "Эликсир князя Собакина" (в соавторстве с Андреем Степановым), "Спи ко мне", "Бульон терзаний" и цикла романов про Тринадцатую редакцию.

АЛЕКСАНДР МЕЛИХОВ. Прозаик и публицист. Автор книг "Исповедь еврея", "Роман с простатитом", "Нам целый мир чужбина", "Чума", "Интернационал дураков", "Тень отца" и др., лауреат Набоковской премии, премии им. Гоголя, Студенческого Букера и многих других. Развивает концепцию "человека фантазирующего", рассматривая историю человечества как историю зарождения, борьбы и распада коллективных грез.

ТАТЬЯНА МОСКВИНА. Писатель, театральный и кинокритик. Завотделом еженедельника "Аргументы недели", лауреат премии "Золотое перо", автор и ведущая "Москвинских новостей" на радио "Культура". Автор романов "Жизнь советской девушки", "Она что-то знала", "Смерть это всё мужчины", "Позор и чистота", книг эссеистики "Похвала плохому шоколаду", "Страус — птица русская", "Культурный разговор" и др.

ТАТЬЯНА МЭЙ. Филолог, краевед, популярный блогер. Любимый экскурсовод петербуржцев и гостей города.

СЕРГЕЙ НОСОВ. Прозаик, драматург. Специалист по психологии памятников. В Редакции Елены Шубиной выходил роман "Франсуаза, или Путь к леднику" (шорт-лист премии "Большая книга"). Премия "Национальный бестселлер" за роман "Фигурные скобки" (2015).

МИХАИЛ ПИОТРОВСКИЙ. Генеральный директор Государственного Эрмитажа. Историк-востоковед, арабист, исламовед. Декан восточного факультета СПбГУ, член Президиума РАН. Президент Союза музеев России. Президент Всемирного клуба петербуржцев.

ВАЛЕРИЙ ПОПОВ. Прозаик, сценарист. Автор более тридцати книг. Председатель Союза писателей СПб. Лауреат многих литературных премий, в том числе премии Правительства РФ в области культуры за книгу "Плясать до смерти" (2013) и премии имени Гоголя за книгу в серии ЖЗЛ "Зощенко" (2015).

НАТАЛИЯ СОКОЛОВСКАЯ. Прозаик, переводчик грузинской поэзии (Т.Табидзе, О.Чиладзе и др.). Автор книг "Литературная рабыня: будни и праздники" (Премия имени Гоголя, 2008), "Любовный канон" (Премия имени Гоголя, шорт-лист Бунинской премии, 2011), "Вид с Монблана" и "Рисовать Бога" (2012). Редактор блокадных дневников ленинградцев.

АНДРЕЙ СТЕПАНОВ. Прозаик, переводчик, критик. Профессор кафедры истории русской литературы СПбГУ, доктор филологических наук. Автор монографии "Проблемы коммуникации у Чехова" (2005), сборника "Сказки не про людей" (2009), романов "Эликсир князя Собакина" (2011, в соавторстве с Ольгой Лукас) и "Бес искусства" (2017).

ВИКТОР ТИХОМИРОВ. Художник, прозаик, сценарист, кинорежиссер, актер. Участник знаменитой группы "Митьки". В 1992 году на киностудии "Ленфильм" в мастерской А.Германа снял фильм "Трава и вода" по собственному сценарию с музыкой Бориса Гребенщикова. Автор нескольких книг прозы: "Золото на ветру", "Герой", "Чапаев-Чапаев", "Евгений Телегин и другие". Лауреат многих кино- и литературных премий.

ТАТЬЯНА ТОЛСТАЯ. Прозаик, эссеист. В 2011 году вошла в рейтинг "Сто самых влиятельных женщин России". Лауреат премии “Тэфи” за передачу “Школа злословия”. Лауреат премии “Триумф”. Автор романа “Кысь”, книг “Невидимая дева”, “Легкие миры”, “Войлочный век”и многих других. В прошлом житель знаменитого дома Ленсовета на Карповке.

ЕЛЕНА ЧИЖОВА. Прозаик, переводчик, эссеист. Автор девяти романов. Роман “Время женщин” (2009) удостоен премии “Русский Букер”. В 2017 году вышел роман “Китаист”.

МИХАИЛ ШЕМЯКИН. Художник, скульптор, искусствовед, сценограф, педагог и мемуарист, инициатор многих культурных проектов. Основатель Фонда Михаила Шемякина. Был исключен из художественной школы за увлечение импрессионистами; работал такелажником в Эрмитаже, продолжая эксперименты в живописи и скульптуре. Был послушником в Псково-Печерском монастыре. Прошел принудлечение в психбольницах, аресты, обыски, а в 1971 году выслан из СССР. Жил во Франции, позже переехал в США. В Петербурге установлены три его монумента: Петру Великому, жертвам политических репрессий и архитекторам-первостроителям Санкт-Петербурга.

Литературно-художественное издание

Толстая Татьяна Никитична

Водолазкин Евгений Германович

Аствацатуров Андрей Алексеевич и др.

в Питере Жить

ОТ ДВОРЦОВОЙ ДО САДОВОЙ,
ОТ ГАНГУТСКОЙ ДО ШПАЛЕРНОЙ.
ЛИЧНЫЕ ИСТОРИИ

Составители Наталия Соколовская, Елена Шубина

Главный редактор Елена Шубина

Художник Андрей Бондаренко

Редактор Алла Шлыкова

Младший редактор Вероника Дмитриева

Корректоры Елена Пантюхина, Надежда Власенко

Компьютерная верстка Марата Зинуллина

ООО «Издательство АСТ»
129085, г. Москва, Звёздный бульвар, дом 21, строение 1, комната 705, пом. I, 7 этаж.
Наш электронный адрес: **www.ast.ru**

Подписано в печать 12.05.2021. Формат 60×90/16.
Печать офсетная. Усл. печ. л. 33.
Доп. тираж 3000 экз. Заказ № 5068.

ISBN 978-5-17-100439-2

Общероссийский классификатор продукции
ОК-034-2014 (КПЕС 2008); 58.11.1 — книги, брошюры печатные

Произведено в Российской Федерации
Изготовлено в 2021 г.
Изготовитель: ООО «Издательство АСТ»

«Баспа Аста» деген ООО
129085, Мәскеу қ., Звёздный бульвары, 21-үй, 1-құрылыс, 705-бөлме, I жай, 7-қабат.
Біздің электрондық мекенжайымыз: www.ast.ru
E-mail: astpub@aha.ru
Интернет-магазин: www.book24.kz
Интернет-дүкен: www.book24.kz
Импортёр в Республику Казахстан ТОО «РДЦ-Алматы».
Қазақстан Республикасындағы импорттаушы «РДЦ-Алматы» ЖШС.
Дистрибьютор и представитель по приему претензий на продукцию в Республике Казахстан:
ТОО «РДЦ-Алматы»
Қазақстан Республикасында дистрибьютор
және өнім бойынша арыз-талаптарды қабылдаушының
өкілі «РДЦ-Алматы» ЖШС, Алматы қ., Домбровский көш., 3«а», литер Б, офис 1.
Тел.: 8(727) 2 51 59 89,90,91,92
Факс: 8 (727) 251 58 12, вн. 107; E-mail: RDC-Almaty@eksmo.kz
Өнімнің жарамдылық мерзімі шектелмеген.

Өндірген мемлекет: Ресей
Сертификация қарастырылмаған

Отпечатано с готовых файлов заказчика
в АО «Первая Образцовая типография»,
филиал «УЛЬЯНОВСКИЙ ДОМ ПЕЧАТИ»
432980, Россия, г. Ульяновск, ул. Гончарова, 14